Schiller, Viktorine

Neuestes sueddeutsches Kochbuch für alle Staende

CW00690855

Schiller, Viktorine

Neuestes sueddeutsches Kochbuch für alle Staende

Inktank publishing, 2018

www.inktank-publishing.com

ISBN/EAN: 9783747792599

All rights reserved

Neuestes
Süddeutsches Kochbuch

für alle Stände.

Eine Sammlung

von mehr als achthundert in vierzigjähriger
Erfahrung erprobter Recepte der feinen und
bürgerlichen Kochkunst,

herausgegeben

von

Viktorine Schiller.

Stuttgart.
E. Schweizerbart'sche Verlagshandlung.
1843.

Vorwort.

—

Von vielen Seiten bin ich aufgefordert worden, meine Erfahrungen in der feinern Kochkunst, die ich mir in mehr als vierzigjähriger Praxis, sowohl bei Herrschaften als in großen Gasthöfen, in der Schweiz, in München, Augsburg, Ulm, Stuttgart, Frankfurt a. M., Heidelberg, Heilbronn 2c. gesammelt habe, durch den Druck bekannt zu machen; ich beschäftigte mich daher schon seit mehreren Jahren damit, und habe jezt die Freude, dem verehrlichen Publikum eine Sammlung Rezepte der schmackhaftesten Speisen 2c. übergeben zu können.

Alles, was ich hier beschrieben habe, ist hundert Mal durch mich selbst erprobt worden; stets habe ich darauf Rücksicht genommen, daß meine Speisen nichts der Gesundheit Nachtheiliges enthalten.

Ich habe mir zwar hauptsächlich die feinere Kochkunst zur Aufgabe gewählt, doch ist die bürgerliche Küche keineswegs ausgeschlossen, so daß das Buch in jeder Haushaltung mit Nutzen gebraucht werden kann.

Nicht durch unzweckmäßige Anhäufung von Rezepten, sondern durch gute Auswahl derselben soll sich dieses Süd=deutsche Kochbuch vor anderen auszeichnen.

Viktorine Schiller.

Vorkenntnisse.

1. Kenntniß der Kochgeschirre.

Da man die Kochgeschirre nicht immer so, wie man wünscht, haben kann, so wird es nicht überflüssig erscheinen, wenn wir eine kurze Beschreibung derselben vorangehen lassen.

1) Verzinnte Kupfergeschirre.

Verzinnte Kupfergeschirre sind oft verfälscht und der Gesundheit nachtheilig. Diese erkennt man an der Farbe der Verzinnung, die stark ins Bläuliche spielt und matten Glanz hat. Man probirt sie durch Reiben mit einem Finger; wird dieser schwärzlich davon gefärbt, so ist der Verdacht auf falsche Verzinnung schon sehr gegründet. Am sichersten aber geht man zu Werke, wenn man Weinessig und Wasser zu gleichen Theilen in das Gefäß gießt und zum Sieden bringt. Sodann gebe man Acht, ob sich der Geruch ändert; ist dieß der Fall, so ist das erste Zeichen falscher Verzinnung vorhanden. Darauf wirft man ein wenig Salz hinein, wovon die Flüssigkeit trübe wird, wenn die Verzinnung unächt ist; gute Verzinnung behält ihren silberartigen Glanz bei und die Flüssigkeit bleibt hell. Siedet man endlich obige Mischung in dem Geschirre, so muß die Farbe eines eisernen Nagels, den man in dieselbe hält, unverändert bleiben, und die Flüssigkeit darf keinen Kupfergeschmack angenommen haben, wenn die Verzinnung ächt seyn soll. Gießt man dann die Flüssigkeit aus, so sieht eine gute Verzinnung wie neu aus.

Bei dem Gebrauche der verzinnten Geschirre aber hat man stets darauf Bedacht zu nehmen, daß sich kein Grünspan ansetzt, was von zurückgebliebener Feuchtigkeit beim Reinigen derselben, auch nur von hinzugekommener feuchter Luft leicht geschehen kann; daher ist es nothwendig, daß die Geschirre vor dem Gebrauche jedesmal sauber gereinigt werden.

2) Eiserne Kochgeschirre.

Eine andere Gattung von metallenen Kochgeschirren sind die eisernen, die aber den verzinnten kupfernen weit nachstehen. Sie

1

setzen leicht Rost an, wenn nur die geringste Feuchtigkeit, ja nur feuchte Luft dazu kommt; in diesem Falle sind sie der Gesundheit nachtheilig und müssen mit dem größten Fleiße und großer Mühe wieder gereinigt werden.

Ein anderer Nachtheil der Eisengeschirre ist der, daß manche Speisen darin die Farbe verlieren, daß z. B. sonst weiß aussehende Speisen eine schwärzliche Färbung annehmen. Dieses geschieht besonders bei sauern Speisen oder bei solchen, die aus dem Pflanzenreiche genommen sind.

Zu bemerken ist ferner, daß die eisernen Geschirre kein so starkes Feuer wie die kupfernen aushalten, ohne zu springen.

3) Irdene Geschirre.

Die irdenen Geschirre (Töpfergeschirre) sind bei uns am meisten im Gebrauche, und man hält sie für die unschädlichsten.

Das Irdengeschirr ist jedoch sehr verschieden, und fast überall hört man klagen, theils über die Schädlichkeit, theils über die Zerbrechlichkeit desselben.

Eine geringe leichtauflösliche Glasur macht, daß das Irdengeschirr der Gesundheit sehr nachtheilig wird, und über kurz oder lang auch die derbste Natur, die beste Gesundheit zu untergraben und zu zernichten im Stande ist.

Die Glasur des Töpfergeschirrs soll eine so konsistente Masse seyn, daß sie nicht nur in sich, sondern auch mit dem Geschirre, welches sie überzieht, einen Körper bildet und unauflöslich ist. In holzarmen Gegenden aber, welche hauptsächlich von dem Vorwurfe, schlechtes Töpfergeschirr zu produziren, betroffen werden, wird die Waare nicht gehörig gebrannt, sondern gleichsam nur gebacken. Zugleich werden häufig nur solche Glasuren angewendet, welche selbst bei geringerem Hitzegrade in Fluß gerathen, nachher aber einen, von jeder Säure auflöslichen, nur dem äußern Scheine nach glasartigen Körper bilden, der manchmal sogar in Blättchen abspringt und auf diese Weise sogar auf mechanischem Wege verletzend wirken kann. Diesem Uebelstande vorzubeugen oder abzuhelfen, ist auch kein anderes Mittel vorhanden, als daß die Polizeibehörden ein wachsames Auge darauf richten und den Verkauf und Gebrauch eines Geschirres, das erwiesenermaßen nachtheilig auf die Gesundheit einwirken kann, durchaus hemmen.

Uebrigens kann man sich leicht von der Schädlichkeit der Töpferwaaren überzeugen, wenn man guten und scharfen Weinessig in einem derartigen Gefäße über Nacht stehen läßt, und der Essig beim Abgießen, statt seine natürliche Weinfarbe behalten zu haben, trüb und grau erscheint. Dieß wird bei schlecht glasirtem Geschirr noch mehr der Fall seyn, wenn man eine Hand voll Salz dazu thut, wie dieses Mittel auch schon oben bei Prüfung der Verzinnung der Kupfergeschirre empfohlen worden ist. Am sichersten aber führt folgendes Mittel zur Gewißheit von dem Vorhandenseyn eines schädlichen

Metalls in der Glasur: man nehme aus der Apotheke etwas Blei-
probe, gieße einige Tropfen davon in den über Nacht in dem glasirten Gefäße gestandenen Weinessig, worauf, wenn die Glasur wirklich
schlecht ist, die Farbe des Essigs schwarz oder dunkelbraun wird.
Bei gutgebrannten und gut glasirten Geschirren werden diese Proben
nicht anschlagen und der Essig wird weder Farbe, noch Geruch, noch
Geschmack ändern.

Was die Zerbrechlichkeit des Irdengeschirres betrifft, so ist wohl
das Beste, recht behutsam damit umzugehen. Auch das Einflechten
desselben mit Draht hat wesentliche Vortheile, und die kleine Ausgabe,
die es verursacht, wird reichlich durch die größere Dauerhaftigkeit des
Geschirres ersezt. Wenn man aber keinen Drathflechter (Drathbinder,
Hafenbinder) zur Hand hat, so nehme man seine Zuflucht zu andern
Mitteln, seinem Irdengeschirre größere Dauerhaftigkeit zu geben,
z. B. man überstreiche mit einem Pinsel das Geschirr einige Male
mit dünnem Lehm, und wenn der Lehm trocken ist, mit Leinöl oder
mit Eiweiß. Dieser Ueberzug erhält am Feuer eine ungemeine
Härte.

Ehe man aber ein neues irdenes Kochgeschirr gebraucht, mit
Draht einflechten läßt, oder ihm den Lehmüberzug gibt, ist nothwendig,
ihm zuvor den erdigen Geschmack zu nehmen, weil sonst die ersten Speisen,
die darin gekocht werden, ungenießbar wären. Man lege es nämlich
einen Tag lang in frisches Wasser und koche es dann bei gelindem
Feuer aus.

Diejenigen irdenen Gefäße, welche am meisten zum Dämpfen
und Braten gebraucht werden, lassen sich am leichtesten reinigen,
wenn man sie, noch warm, mit eichenen oder buchenen Sägespähnen
(Sägmehl), oder, in Ermangelung derselben, mit Waizenkleie ausreibt.

Es ist oben gesagt, daß holzarme Gegenden das schlechteste
Irdengeschirr liefern, weil das gehörige Brennen desselben zu viel
Holz erfordere und das Geschirr zu sehr vertheuere. Die Töpfer
in solchen Gegenden nehmen daher leichtflüssige Glasur und brennen
ihre Waare schlecht, damit sie dieselbe doch zu dem verlangten wohl-
feilen Preise abgeben können. Wer aber gutes Töpfergeschirr haben
will, darf nicht vom wohlfeilsten nehmen. Die Mehrausgabe wird
durch die Dauerhaftigkeit und Unschädlichkeit des Geschirres wieder
gut eingebracht.

Eine andere Gattung irdenen Geschirres ist das sogenannte

Steingut,

welches sich seiner Dauerhaftigkeit und Reinlichkeit wegen besonders
empfiehlt. Da es von Säuren nicht im mindesten angegriffen wird,
auch bei gehöriger Reinlichkeit nichts von scharfen Substanzen sich
ansetzen kann, so taugt das Steingut vor allen andern Gefäßen gut
zum Ansetzen und Aufbewahren des Essigs, so wie zum Aufbewahren
von Milch und Butter. Bevor man aber ein Steingutgefäß zum
Kochen verwendet, ist nothwendig, daß man Milch darin siedet, was

1 *

auch ſehr zur Vermehrung der Dauerhaftigkeit deſſelben beiträgt; außerdem würde es nur zum kalten Gebrauche taugen.

II. Von der Reinerhaltung der Küchengeſchirre.

Wenn metallene Geſchirre nicht äußerſt rein gehalten werden, ſo ſind ſie der Geſundheit ſchädlich; es iſt deßwegen bei der Behandlung und Reinigung derſelben die äußerſte Vorſicht nothwendig. Es wird daher nicht als überflüſſig erſcheinen, wenn hier einige allgemeine Regeln in dieſer Beziehung aufgeſtellt werden.

Vor und nach dem Gebrauche müſſen jedes Mal die Gefäße gereinigt werden. Z. B. wenn in einem metalle= nen Mörſer Etwas geſtoßen wird, ſo wiſche man ihn vor und nach dem Gebrauche ſauber aus.

In metallenen Gefäßen darf man nie Speiſen von einer Mahl= zeit zur andern, am wenigſten aber über Nacht ſtehen laſſen, und nie in zinnernen Schüſſeln Speiſen anwärmen.

In wohlverzinnten Kupfergeſchirren kann man jedoch ohne Be= denken beſonders ſolche Speiſen zubereiten, welche ſtark kochen müſſen und viel Flüſſigkeit zum Auskochen brauchen. Sollte ſich aber bei aller Behutſamkeit doch etwas am Boden anſetzen, ſo darf man es ja nicht loskratzen, um es zu eſſen oder mit dem übrigen Gerichte auf den Tiſch zu bringen; wenn dieß bei einigen Speiſen nicht gerade ſchädlich iſt, ſo gibt es doch manche andere, welche das Metall an= greifen, und der, der den Anſatz auf dem Boden des Gefäßes genießt, gefährlich werden. Bei ſolchen verzinnten Gefäßen muß überhaupt fleißig nachgeſehen werden, ob nicht durch den öftern Gebrauch oder durch das Reinigen hin und wieder etwas Zinn losgeriſſen ſey, ob die Verzinnung nicht Ritze bekommen habe, ſo daß das Kupfer durch= ſcheint. Solche verdorbene Verzinnung wäre ſofort alsbald ausbeſſern zu laſſen.

III. Von der Kenntniß der Materialien zu den Speiſen, der Zeit ihrer Anſchaffung und Benützung und von ihrer Güte und Beſchaffenheit.

Wir würden bei der beſten Zubereitung unſerer Speiſen den Zweck verfehlen, wenn wir nicht Sorgfalt trügen, alle Speiſebe= dürfniſſe in größtmöglicher Güte zu erhalten, oder ſie zu rechter Zeit herbeizuſchaffen und zu benützen, weil wenige das ganze Jahr hindurch in gleichem Preiſe und in gleicher Menge zu haben ſind; wollen wir aber unſere Pflicht ganz erfüllen, ſo müſſen wir auch noch auf ihren Einfluß auf die menſchliche Geſundheit Rückſicht neh= men, und unſere Küchenzettel darnach ordnen. Endlich müſſen wir auch unſere Aufmerkſamkeit darauf wenden, daß wir alle der Ge= ſundheit nachtheilige Ingredienzen vermeiden und die giftigen Mittel von den guten Lebensmitteln auf den erſten Blick unterſcheiden lernen.

Das Meiste, was wir in unsern Küchen gebrauchen, ist Fleisch zahmer Thiere, worunter das Ochsenfleisch das erste ist, weil es am häufigsten auf den Tisch gebracht wird oder werden kann. Es ist das ganze Jahr hindurch von gleicher Güte, und sein Werth hängt blos von dem Alter des Thiers und von dem Futter ab. Junges Rind=fleisch hat einen sehr großen Vorzug vor dem alten; denn, obgleich die Brühe vom leztern am schmackhaftesten ist, so bleibt doch das Fleisch zäh, unschmackhaft und unverdaulich. Das Fleisch von einem jungen Ochsen hat frische Röthe, das Fett ist weiß und die Fasern sind zart; bei einem alten Ochsen ist das Fleisch von einer matten Farbe, so daß es beinahe ins Bläuliche fällt, und das Fett ist gelb. Das Rindfleisch ist an sich gesund und nahrhaft, besonders wegen der kräftigen Brühe, welche es gibt; wenn man es aber zu häufig ge=nießt, beschwert es den Magen. Hartes und altes Fleisch ist un=verdaulich.

Es ist bekannt, daß das Kalbfleisch eine nahrhafte und gesunde Speise ist, deren Genuß selbst den meisten Kranken erlaubt wird, und sollte es auch Fälle geben, in welchen ihnen der Arzt eine zu schnell nährende Kost untersagen müßte, so verbietet er ihnen doch schwerlich die Brühe davon, welche von Kranken und Gesunden gerne genossen wird. Das Kalbfleisch muß schön weiß und die Nieren müssen recht mit Fett bewachsen seyn, sonst ist es ein Zeichen, daß das Kalb zu bald von der Mutter weggenommen wurde; das Fleisch ist dann roth, unappetitlich und unschmackhaft.

Beim Hammelfleisch macht nicht nur das Alter und das Geschlecht, sondern auch die Jahreszeit, in der es geschlachtet wird, einen großen Unterschied. Nicht das ganze Jahr hindurch ist dieses Fleisch genieß=bar und schmackhaft, sondern die beste Schlachtzeit währt nur von Johannis bis in den Spätherbst; zu anderer Zeit ist das Fleisch ge=wöhnlich mager und zäh, so wie es auch immer von alten Thieren zu seyn pflegt. Gutes Hammelfleisch muß fett und von frischer Fleisch=farbe seyn, und muß sich, wenn man es zwischen den Fingern drückt, weich anfühlen. Wenn das Fleisch von einem jungen Thiere gekocht ist, so kann es wohl, ohne Nachtheil für die Gesundheit, genossen werden; ist es aber alt und zäh, so ist es höchst unverdaulich, und man muß es, ehe man es kocht, wie ein großes Stück Rindfleisch, recht durchklopfen.

Von Wildbret kann nicht viel gesagt werden, indem man es an manchen Orten selten bekommen kann. Viele ziehen das Rehfleisch dem andern Wildbret vor, weil es allzeit mürber und milder ist; auch kann man es beinahe das ganze Jahr hindurch haben. Je jünger das Wildbret ist, desto delikater ist sein Fleisch, sowie man auch bei allen Arten das weibliche dem männlichen vorzieht, weil es durchaus von zärterer Beschaffenheit ist; nur in der Brunstzeit, welche im September anfängt und bis Ende Oktober (jedoch nicht bei allem Wild) dauert, ist das Wildbret mager und unschmackhaft, und sollte ohne Noth nicht genossen werden. Sonst zählt man das

Wildbret zu den gesundesten Speisen; denn es wird, ohne Speck bei seiner Zubereitung anzuwenden, auch Kranken zu essen erlaubt.

IV. Von Giften, die in der Küche vorkommen.

Unter der allgemeinen Benennung „G i f t" wird Alles verstanden, was der Gesundheit nachtheilig ist und bei öfterem Genusse oft unheilbare Krankheiten nach sich zieht. Darum ist oben, bei Beschreibung der Kochgeschirre, schon angemerkt worden, daß sich in den kupfernen Gefäßen bei feuchter Luft gerne an den Fugen oder am Boden Grünspan ansezt, und wenn in einem solchen Geschirre gekocht würde, die schlimmsten Folgen daraus entstehen könnten. Auch die zinnernen Geschirre können uns sehr schädlich werden, weil das Zinn mehr oder weniger Arsenik enthält; lassen wir saure Speisen: Salat, Eier, fette Brühe u. dgl. in zinnernen Gefäßen stehen, so werden wir finden, daß das Zinn von sauren Sachen blaue Flecken bekommt, von Eiern und Salz hingegen schwarze Flecken entstehen; ein Beweis, daß etwas von seinen Theilen aufgelöst und in die Speisen übergegangen ist. Alle Feuchtigkeiten, Säuren und Honig lösen mit der Zeit das Zinn auf, und wäre in diesem auch kein Arsenik, so ist doch das Blei, mit dem das Zinn häufig vermischt ist, schon nachtheilig genug. Dieses Metall bewirkt Verstopfungen des Leibes, Lähmung und Auszehrung. In geringer Menge in den Körper gebracht, verursacht es wenigstens Magendrücken und Unverdaulichkeit.

Insofern nur Blei und andere Metalle zur Glasur der irdenen Kochgeschirre angewendet werden, sind auch diese der Gesundheit schädlich, wenn man nämlich Milch und saure Sachen so lange darin aufbewahrt, daß sich die Glasur auflösen kann.

Muß man also beim Gebrauche der Küchengeschirre, um Gift zu vermeiden, äußerst vorsichtig seyn, so ist dieses bei den Materialien zu den Speisen selbst um so dringender zu empfehlen.

Das Fleisch und die Milch von krankem Vieh, ranziger Speck, ranzige Mandeln und ranzige Oele, verdorbene Eier und Barbenrogen wirken als heftige Gifte. Gleiche Vorsicht ist auch bei allen Arten von Schwämmen anzuwenden, weil sich leicht giftige darunter befinden können, deren Unterscheidung von den guten nicht so leicht ist. Ein Schwamm ist immer verdächtig, wenn er eine bläuliche Farbe hat, oder überhaupt bunt und hochgestielt ist. Zur Vorsicht muß man während des Kochens der Schwämme eine weiße Zwiebel beilegen; wird diese schwarz, so ist es Zeit, das Geschirr sammt dem Inhalte wegzuwerfen, weil dann gewiß giftige Schwämme untermengt sind. Ebenso können schädliche Samen unter den Linsen und andern Kernen und Früchten seyn, weßwegen sie sorgsam ausgeklaubt (ausgelesen) werden müssen.

Im Pflanzenreiche finden wir noch eine Menge giftiger Stoffe, worunter sich der S c h i e r l i n g vorzüglich auszeichnet. Der g r o ß e, w o h l g e f l e c k t e, g e m e i n e G a r t e n - S c h i e r l i n g (Conium maculatum), den man auch Hundspeterſilie nennt, blüht im Juli und Auguſt; ſeine Wurzel iſt von mittlerer Dicke, runzlich, und von Geruch der Paſtinakwurzel ähnlich; daher hat man traurige Beiſpiele, daß dieſer Schierling zu Speiſen genommen worden iſt. Man unterſcheidet den Schierling von der Peterſilie durch den Geruch; auch ſind der lezteren Blätter viel feiner und ſpitziger eingeſchnitten, dunkler grün als die Blätter des Schierlings, und die Samengipfel ſind zahlreicher und größer. Durch gleiche Merkmale unterſcheidet er ſich auch vom Körbel. Um ſeine Wurzel nicht für Paſtinak anzuſehen und zu nehmen, müſſen wir bemerken, daß der Paſtinak einen weißen Saft, eine reichere und dickere Wurzel hat, die auch weniger in Aeſte getheilt iſt. Der kleine Schierling oder die Gartengleiſſe (Aethusa Cynapium) iſt noch ſchwerer von der Peterſilie zu unterſcheiden; das Auge des Unerfahrenen wird, beſonders wenn die Pflanze noch jung und am gefährlichſten iſt, ſehr leicht getäuſcht, und man muß die Naſe zu Hülfe nehmen, um Gleiſſe und Peterſilie zu unterſcheiden. Bei genauer Beobachtung merkt man jedoch unter den Stielen der Blumen 3 lange ſpitzige Blättchen, welche wie ein Bart hinabhängen, was bei der Peterſilie nicht der Fall iſt. Dieſes ſind neben dem Geruche die ſicherſten Kennzeichen, die Pflanzen von der Peterſilie und andern Gewürzkräutern zu unterſcheiden. Beide Schierlingsarten ſind höchſt ſchädlich, ja tödtlich, und gehören unter diejenigen Gifte, die ſcharf und betäubend zugleich ſind.

Noch iſt zu bemerken, daß man ja bei Gemüſen, ehe man ſie zum Feuer bringt, im Klauben (Leſen) und Waſchen äußerſt vorſichtig ſeyn muß, beſonders des Mehlthaues wegen, der öfters auf den Blättern liegt und der Geſundheit ſehr nachtheilig werden kann. Ebenſo kann ein Stückchen Kalk, welcher von der Wand herab in das Kochgeſchirr unverſehens kömmt, oft heftige Krankheiten verurſachen.

V. Vom Holz und Waſſer.

Man könnte glauben, es wäre ganz gleichgültig, was für Holz und Waſſer beim Kochen gebraucht wird; aber die Reinlichkeit u. a m. belehrt eines Andern. Wenn wir zu einem Spießbraten Feuer von weichem Holze machten, ſo würde der Braten ſammt der Sauce von den abgeſprungenen Kohlen nicht nur unappetitlich ausſehen, ſondern auch nicht ſo leicht ausgebraten werden, weil hartes Holz immer ein langſameres, aber ſtärkeres Feuer gibt. Zum Heizen der Bratöfen kommt aber nicht ſo viel darauf an; doch iſt immer zu bemerken, daß weiches Holz ein geſchwindes und helles, hartes ein gelinderes, aber doch mehr Hitze machendes Feuer gibt.

So müſſen wir auch den Unterſchied im Waſſer bemerken, weil es auch in weiches und hartes eingetheilt wird. Zu trockenen Hülſenfrüchten, wie auch zu trockenen Fiſchen, darf durchaus kein hartes Waſſer genommen werden; ſie würden beide, auch bei anhaltendem Kochen, nicht weich werden. Zum Waſchen des Fleiſches und der Gemüſe iſt es aber gleichgültig, ob das Waſſer hart oder weich iſt. So kocht ſich auch das Fleiſch in Waſſer, das zu viel Salpetertheilchen enthält, roth, und dieſes Waſſer iſt es vorzüglich, welches auch am wenigſten zum Kochen der Hülſenfrüchte taugt.

Eine ganz einfache Probe des Waſſers beſteht darin, daß man in eine jede Art deſſelben ein Läppchen von Leinwand taucht; das= jenige, welches das weiche Waſſer in ſich gezogen hat, wird geſchwinder trocken als dasjenige, welches mit dem harten Waſſer befeuchtet wurde. Gutes Waſſer muß klar, ohne Geruch und Geſchmack, auch leicht am Gewicht ſeyn und, wenn man es ſchüttelt, ſtark Perlen werfen, aber keinen Schaum halten; mit Saiſe, welche ſich leicht darin auflöst, muß es ſtark ſchäumen; ſollte man aber an ſeinem Wohnorte modriges oder unreines Waſſer haben, ſo kann man ihm in etwas zu Hülfe kommen, wenn man zu verſchiedenen Malen glühendes Eiſen darin ablöſcht. Noch geſchwinder erreicht man aber ſeinen Zweck, wenn man Vitriolſpiritus in das Waſſer tröpfelt, oder, wenn man dieſen nicht bei der Hand hat, ein Glas voll Brannt= wein in das Waſſer gießt, welcher dann das Unreine unverzüglich zu Boden ſchlägt.

VI. Von dem Kochen.

Eigentlich kann man das Kochen in zwei Grade eintheilen: der erſte heißt Sieden, der andere Kochen. Bei dem erſten dürfen die Speiſen nur langſam aufwallen; bei dem Kochen aber müſſen ſie an= haltend im Sieden erhalten werden, je nachdem die Speiſen beſchaffen ſind. Sieden dürfen aber nur diejenigen Speiſen, welche Flüchtiges und Geiſtiges enthalten, es mögen nun Flüſſigkeiten, als Wein, Bier u. dgl., oder Speiſen aus dem Pflanzenreiche ſeyn, die ſich durch einen gewürzhaften Geſchmack auszeichnen. Sieden müſſen auch jene, welche ſich leicht durch Wärme auflöſen; kochen muß hingegen Alles, was aus mehr feſten Beſtandtheilen zuſammengeſezt iſt, die entweder ſo trocken ſind, daß ſie Zeit brauchen, Feuchtigkeit genug in ſich zu ſaugen, oder die ſo zäh ſind, daß ſie durch eine anhaltende Hitze allein mürbe gemacht werden können. Man muß immer ſorgfältig auf den Unter= ſchied des Waſſers Rückſicht nehmen, da die Speiſen bei hartem Waſſer auch längere Zeit brauchen, um mürbe zu werden; während dagegen die grünen Gemüſe ihre Farben in Brühen von hartem Waſſer viel vollkommener beibehalten. Es iſt aber auch nicht einerlei, ob wir die Speiſen mit kaltem oder mit warmem Waſſer zum Feuer bringen. Haben wir altes zähes Fleiſch, ſo muß es früh mit kaltem Waſſer zugeſezt, bei gelindem Feuer langſam zum Kochen ge= bracht und die Hitze erſt nach und nach erhöht werden. Bei dieſem Verfahren wird die Brühe kräftiger und ſchmackhafter als das Fleiſch ſelbſt befunden werden. Will man hingegen die beſten Säfte in dem Fleiſche behalten und dennoch eine gute Brühe haben, ſo iſt dem langſamen Kochen vorzuziehen, wenn man das nicht gar zu alte Fleiſch mit heißem Waſſer zuſezt und ihm dann bald einen ſtarken

Grad von Hitze gibt. Junge Thiere, die an sich schon zartes Fleisch haben, läßt man, nachdem sie blanchirt oder mit heißem Wasser eine halbe Viertelstunde lang gekocht haben, auf ganz gelindem Feuer langsam kochen. Grüne Gartenwächse darf man durchaus nicht mit kaltem Wasser zum Feuer setzen und sie nach und nach zum Sieden bringen, wenn sie nicht ohne Kraft und gutes Ansehen auf den Tisch kommen sollen; vielmehr muß man sie mit siedendem Wasser anbrühen und unverzüglich zum Kochen bringen, auch immer in vollkommenem Sude erhalten; daher man auch beim Einkochen kein kaltes, sondern immer warmes Wasser nachgießen muß.

Ganz anders verhält es sich mit den Hülsenfrüchten. Diese würden bei einem solchen Verfahren nimmermehr weich werden, und sie müssen eben deßwegen mit kaltem Wasser zum Feuer gebracht werden. Zwar pflegen Einige das erste Wasser abzugießen, sobald die Hülsenfrüchte zu sieden angefangen haben, und füllen anderes heißes Wasser darauf, welches das Weichwerden aber im geringsten nicht hindert. Man sucht ihnen durch diese Behandlung die Eigenschaft, Blähungen zu verursachen, zu benehmen. Andere wässern die Früchte, zur Beförderung des Kochens, eine Nacht über ein, wodurch sie aber viel an ihrem eigentlichen Geschmacke verlieren.

Grüne Gartengemüse muß man, sobald sie zum Feuer gesetzt werden, salzen; sie behalten dann ihre grüne Farbe besser, und nehmen nicht so leicht ein blasses Aussehen an.

Noch eine Hauptsache beim Kochen ist die, daß das Feuer immer in einem gleichen Grade unterhalten wird, wie auch, daß nichts überläuft oder zu stark einkocht, oder eben durch Lezteres gar am Geschirre abhängt. Man muß darauf sehen, daß die Speisen durch das Kochen zur verlangten Zeit weich und ausgekocht genug sind; denn bleiben sie zu hart, so möchte sich unser Magen schlecht dabei befinden, so wie sie auch auf Augen und Gaumen keinen angenehmen Eindruck machen möchten. Die Speisen im Gegentheil, die zu weich geworden sind, so daß man sie mit der Gabel allein tranchiren kann, sind eben so wenig angenehm. Will man die Speisen schmackhaft kochen, so muß man sich auf dem Wege der Erfahrung damit bekannt machen, wie viel Zeit wohl jede Gattung von Fleisch, Fischen, Gemüsen ꝛc. zum Weichkochen braucht, damit man sie weder zu früh, noch zu spät zum Feuer bringe. Doch kommt es auch bei manchen Speisen nicht auf die Dauer des Kochens, sondern oft auch auf andere Umstände an, so macht z. B. hartes oder weiches Wasser einen wesentlichen Unterschied, noch mehr aber die Art und Weise des Kochens. Manche Speisen verlangen Brühe vollauf, andere werden hingegen mit wenig Feuchtigkeit gedämpft; einige darf man im heißen Wasser nur anziehen lassen, andere müssen zugedeckt oft Stunden lang kochen. Was sich gern an das Geschirr anlegt, pflegt man in großen Küchen in ein verschlossenes Gefäße, in einen Kessel mit siedendem Wasser, zu setzen und darin zum Kochen zu bringen. Diese Vorrichtung nennt man in der Kochkunst ein Marienbad.

Man erreicht durch dieſe Methode nicht nur den Zweck, daß die Speiſen nicht anbrennen können, ſondern es werden auch dadurch ſehr kräftige Brühen erhalten, indem alle Säfte beiſammen bleiben, und nichts verflüchtigt. Ueberhaupt beſteht die ganze Kochkunſt oder das Weſen derſelben darin, daß man allen Speiſen die gehörige Weiche verſchaffe, ſie aber auch für den Gaumen angenehm und dabei der Geſundheit zuträglich mache und bereite.

Anmerkung. Das Eſſen macht gewiß den wichtigſten Theil menſchlichen Lebens aus, ja den nothwendigſten; denn der Arme wie der Reiche muß eſſen, folglich kochen; warum hat man noch keine Kochſchulen, Kochinſtitute, Kochereien oder wie man es nennen will, angelegt, wo junge Leute männlichen und weiblichen Geſchlechts wirklich gut, zweckmäßig und nach verſchiedenen Landesarten vom Grunde aus kochen lernen können, nicht allein um gute und brauchbare, wirklich dienende Köchinnen und Köche zu bilden, ſondern auch Frauenzimmern aller Stände dieſe edle Kunſt gründlich beizubringen?

VII. Von den Zuthaten und vom Schmälzen.

Die ſchicklichſten Zuthaten ſind Salze, Butter, Gewürze, Zucker und Gewürzkräuter.

Von den Salzen hier nur einige allgemeine Regeln. Z. B. Fleiſchſpeiſen erfordern das meiſte Salz, und wenn je irgendwo ein Uebermaß erlaubt iſt, ſo iſt es hier; denn nichts iſt gleichſam ekelhafter und der Geſundheit nachtheiliger, als zu wenig geſalzene Fleiſchſpeiſen. Wildbret erfordert wieder weniger Salz, und unter dieſem muß wieder ſettes Fleiſch am meiſten geſalzen werden, wenn es nicht widerlich ſchmecken und der Geſundheit nachtheilig ſeyn ſoll. Da das Salz beim Kochen die Erhitzung des Waſſers vermehrt, indem letzteres dadurch dicker wird und die ſetten Theile demnach mehr auflöst, ſo verliert auch mancher Gegenſtand durch zu langes Kochen in zu ſtark geſalzenem Waſſer ſeine beſte Kraft. Es wäre gut, wenn wir unſere Speiſen zweimal ſalzten, ein Mal um die erſte Abſicht zu erreichen, d. h. um die Hitze des Waſſers zu vermehren und zugleich die Auflöſung gehörig zu befördern, das andere Mal kurz vor dem Anrichten als Würze, um den Wohlgeſchmack zu erhöhen; nur müßte man dabei bedenken, daß durch zu ſtarkes Salzen derſelbe, ſtatt verbeſſert, ganz verdorben werden kann.

Beim Abſchöpfen des Fettes von dem Fleiſche und den Speiſen muß man ſich vorzüglich bemühen, dabei das rechte Maß zu treffen. So unſchmackhaft eine Speiſe iſt, welcher es am gehörigen Fette (Butter) fehlt, ſo ekelhaft iſt dagegen eine andere, die damit überladen iſt, beſonders aber dann, wenn die Butter nur friſch daran gethan wird und keine gehörige Verdämpfung und einige Miſchung Statt findet.

Gleiche Bewandtniß hat es auch mit dem Eſſig. Wenn man Fleiſch mit Eſſig durchdämpfen will, ſo kann man nicht ſparſam damit umgehen, ſondern man muß ihn ſo zeitig daran gießen, daß er das Fleiſch ganz durchdringen kann; ſoll aber blos eine Sauce damit ſauer gemacht werden, ſo iſt er ſparſamer und ſpäter daran zu gießen, weil er durch das Kochen zu sehr verdämpfen und die Sauce weniger pikant werden würde, wenn man nicht wieder nachgöße, was aber eine Art von Verschwendung wäre, da man ja mit weniger dasselbe ausrichten kann. Es ist also hier wieder die Bemerkung, die bei dem Salzen schon gemacht worden, nöthig, nämlich anfangs nur die Hälfte des zu verwendenden Essigs zu nehmen und einige Zeit vor dem Anrichten den übrigen nachzugießen.

Eben dieses muß auch bei Anwendung der Gewürze beobachtet werden: sie sind nämlich erst kurz vor dem Anrichten zu den Speisen zu bringen, wenn es die Vorschrift nicht gerade anders erfordert. Der Fall, daß man die Gewürze gleich zu Anfang der Zubereitung an die Speisen thut, tritt bei dem Fleische ein, wenn man es mit kaltem Wasser zusezt; dadurch zieht sich die Kraft der Gewürze, sowie sie sich auflösen, in das Fleisch. Die Geschirre, worin man gewürzte Speisen kocht, müssen sorgfältig zugedeckt erhalten werden, damit durch die Verdünstung nicht das Wesentliche verloren gehe. So unentbehrlich indessen das Gewürz an den Speisen ist, da es dieselben leichter verdaulich, folglich auch gesünder macht, so muß man doch immer sparsam damit umgehen. Zu viele Gewürze verursachen in manchem Körper unangenehme Wirkungen: das Blut geräth in stärkere Bewegung; man fühlt mehr Hitze, schläft unruhig, und wird mit der Zeit oft kränklich und hinfällig. Um nun verdauen zu können, müssen alsdann die Speisen mit Gewürzen aller Art gleichsam überladen werden. Auch werden die Speisen durch zu viele Gewürze nichts weniger als schmackhaft; denn der ihnen eigenthümliche Geschmack wird dadurch gänzlich verdrängt. Liebt man aber ja den Geschmack der Gewürze so sehr, daß man ihn nicht entbehren kann, so haben wir unschädliche Gattungen derselben in unsern Gärten genug.

VIII. Von Gewicht und Maas.

Gewicht und Maas betreffend, so habe ich bei meinen Rezepten das bairische Gewicht und die bairische Schenkmaas angenommen, nämlich:

das bairische Pfund ist $\frac{9}{8}$ des alten augsburger oder schwäbischen, oder = 36 Loth württembergisch.

1 Quart = $\frac{1}{4}$ Maas.
1 Maas bairisch ist = etwa 3 Schoppen ⎫
1 Seidel = 1$\frac{1}{2}$ Schoppen ⎬ württembergisch.
1 Bouteille = $\frac{1}{4}$ Maas oder 2 Schoppen ⎭

Suppen.

1. Gewöhnliche Fleischbrühe.

Bereitet man blos aus Rind= oder Ochsenfleisch, Wasser und ein wenig Salz eine Fleischbrühe durch mehrstündiges Kochen, so ist dieses einfache oder gemeine Fleischbrühe, wie sie in der Folge genannt werden wird.

In größeren Küchen, an Höfen, in Gasthäusern und bei größeren Familien fällt vom Geflügel Vieles ab, welches man reinlich ab= puzt, mit einem Faden zusammenbindet und entweder mit dem Fleisch kocht, oder in einem eigenen Topfe, in welche einfache Brühe abge= gossen worden, mitkochen läßt; man legt auch wohl ein Stück Schinken, einen Kalbsknoten und andere reinliche Knochen, welche vom Braten übrig geblieben sind, bei, und kocht dieses immer mit dem Ochsenfleisch. Eine Köchin, welche sich einen solchen Bouillontopf mit Ordnung und Reinlichkeit zuzurichten weiß und hält, wird großes Lob davon tragen, besonders aber wird sie sehr delikate Gemüse damit zubereiten können. Eine jede solche Fleischbrühe nennt man eine gemischte Fleisch= brühe.

Sehr viele Menschen lieben auch den Geschmack einiger mit dem Fleische gekochten Gemüse und vorzüglich der sogenannten Küchen= wurzeln; darunter versteht man gelbe Rüben, kleine Rüben (bairische Rüben), Zwiebel, Schneidzwiebelröhren, Boragen, Sellerie, Peter= silie, Wirsing und Lorbeerblätter; auch Pfeffer und Ingwer im ungestoßenen Zustande werden ebenfalls bei Bereitung einer kräftigen Fleischbrühe als Gewürze angewendet. Man nennt dieß Fleisch= brühe mit Kräutern, Wurzeln und Gewürzen. Sollten jedoch Einige diese nicht lieben, so kann man die Wurzeln und Ge= müse, nachdem sie sauber geputzt und gewaschen sind, in einem be= sondern Töpfchen nebenbei kochen, um sie, wenn sie zu andern Sachen nothwendig sind, bei der Hand zu haben.

Anmerkung. Die hier angegebenen Benennungen der Fleischbrühen kommen bei der Bereitung anderer Speisen wieder vor; deßwegen sind die Namen derselben mit gesperrter Schrift gedruckt, und ich wiederhole, daß, wenn eine Köchin gute Brühen und Farcen, Fett u. dgl. vorräthig hält, was ihr bei geregeltem Fleiße leicht werden wird, sie dadurch den feinsten Gau= men befriedigen kann. Bei den Fleischspeisen und namentlich bei dem Ochsen= fleisch wird noch näher angegeben werden, was auf den Wohlgeschmack und die Schönheit der Zurichtung des Fleisches selbst Bezug hat.

19

2. Bouillon.

Man nimmt 2 Pfund Ochsenfleisch, eben so viel Kalbsknochen und eine alte Henne, thut dieses zusammen in einen dreimäßigen Topf, und sezt es mit kaltem Wasser und etwas Salz zum Feuer. Sobald es zu kochen anfängt, nimmt man den Schaum fleißig ab, thut 2 geschabte und geschnittene Selleriewurzeln, 2 Lorbeerblätter, eben so viele gelbe Rüben, Lauch, Petersilienwurzel, nebst einer mit 4 Gewürznelken besteckten Zwiebel dazu, und läßt es bei gelindem Feuer kochen bis das Fleisch weich ist. Alsdann nimmt man dieses heraus, gießt die Brühe durch ein Haarsieb, schöpft das Fett davon ab, und stellt sie an einen kühlen Ort. Diese Bouillon wird zu allen weißen Saucen gebraucht.

3. Consommé.

Man nehme 10 bis 12 Pfund Ochsenfleisch, 4 bis 5 Pfund Kalbsknochen und 6 Kalbsfüße, 3 alte sauber gepuzte Hühner, hacke Alles zusammen in Stückchen, thue es in einen großen Kessel, gieße so viel Wasser daran, daß es 3 Finger hoch darüber geht, lasse es 10 bis 12 Stunden lang kochen und schäume es fleißig ab. Gesalzen darf es nicht werden, und Kräuter und Wurzeln sollten nicht viel genommen werden, weil sie das Sauerwerden leicht herbeiführen; während des Kochens muß öfters aufgegossen werden. Man lasse es auf den halben Theil einkochen, ziehe es sodann durch ein Haarsieb, und lasse es über Nacht stehen, wenn es die Zeit erlaubt. Wenn man es am Tag darauf kochen will, so nehme man das Fett oben ab, thue das Uebrige wieder in eine Casserolle (Kastrol), und lasse es so lange kochen, bis eine Probe davon auf einem Teller in Tropfen stehen bleibt. Während des Kochens muß die Consommé immer abgeschäumt werden; sodann gieße man sie durch eine Leinwand in ein flaches Geschirr, und schneide sie, wenn sie fest gestanden, in Täfelchen wie Chokolade. Sie ist vorzüglich gut zu Geflügel und zum Glasiren. Auch kann man aus solcher Consommé zu jeder Zeit die kräftigste Fleischbrühe und davon die reinlichsten Suppen bereiten, wenn man nur Wasser, Feuer und Brod hat. Deßwegen ist sie für Reisen sehr zu empfehlen *.

4. Coulis (sprich Kuli).

4 Pfund altes Ochsen- oder Kuhfleisch, 2 Kalbsknoten, 3 Kalbsfüße, 1 altes Huhn, allerlei Wurzeln, Zwiebel, Muskatblüthe, Alles in kleine Stücke zerhackt, wird in einer bedeckten Casserolle oder

* Wollten sich einige meiner Leser und Leserinnen über die sonderbaren Zusammensetzungen mancher Gerichte wundern, und in diesem Buche Dinge finden, die nach ihrer Ansicht wohl hätten wegbleiben können, so mögen sie bedenken, daß dieses Buch auch für solche geschrieben ist, die an Höfen und in großen Häusern die Küche zu besorgen haben, daß diesen mit Mannigfaltigkeiten sehr gedient, und daß der Geschmack verschieden ist. Sollte aber hier und da noch etwas mangeln, so bitte ich, Kleinigkeiten nach eigenem Gutdünken ab- und zugeben zu wollen.

Keſſel mit 6 Maas Waſſer 4 bis 6 Stunden gekocht. Ferner läßt man in einer Caſſerolle ¼ Pfund Butter zerlaufen, rührt 2 ſtarke Hände voll feines Mehl daran und läßt es zwei Minuten mit einander kochen; dann gießt man ein halbes Glas voll kaltes Waſſer daran und rührt das Mehl damit glatt. Nun zieht man obige Kraftbrühe durch ein Haarſieb, nimmt das Fett oben ab, gießt die Brühe unter beſtändigem Rühren in die Caſſerolle und läßt ſie mit dem Mehl noch 2 Minuten lang kochen; darauf gießt man dieſe Coulis in ein irdenes Geſchirr und braucht ſie zu allen weißen Saucen. Auf dieſe Art werden auch die Coulisſuppen bereitet.

5. Baumwolleſuppe.

¼ Pfund Butter wird in einer Schüſſel ganz leicht verrührt, nach und nach werden 4 Eier, 4 Eßlöffel voll ſüßer Rahm, 5 Koch= löffel voll Mehl daran gerührt; dieſer Teig wird mit einem Kochlöffel in kochende Fleiſchbrühe gezettelt und Salz und Muskatnuß dazu gethan.

6. Bierſuppe auf gewöhnliche Art.

Man läßt weißes Bier in einer meſſingenen Pfanne kochen, ſchöpft den weißen Schaum mit einem Schaumlöffel ab, läßt in einer Caſſerolle ein Stück Butter zerlaufen, gibt 1 Löffel voll Mehl dazu, läßt es nur wenig anziehen, rührt es glatt mit dem Bier, gießt 1 Schoppen gute gekochte Milch daran, läßt Alles nochmals mit= einander aufkochen, ſchneidet ein Brod in Würfeln, und richtet die Suppe darüber an. Auch iſt Salz und Muskatnuß nicht zu vergeſſen.

7. Bierſuppe auf feine Art.

Man läßt eine halbe Maas Bier in einer meſſingenen Pfanne mit 6 Loth Zucker, einem Stück Zimmt und dem Gelben einer halben Citrone kochen, nimmt ein Stück Butter in eine Caſſerolle, läßt einen kleinen Löffel voll Mehl anziehen, gießt einen halben Schoppen guten ſüßen Rahm darein, ferner 2 Eiergelb und zieht das Bier durch ein Haarſieb in die Caſſerolle, läßt es mit einander aufkochen, ſchneidet ein Brod zu kleinen Stückchen, röſtet ſie im Schmalz ſchön gelb und richtet die Suppe darüber an.

8. Brennſuppe.

Man röſtet in einer Pfanne in heißem Schmalz 2 Löffel voll Mehl gelb, löſcht es mit kaltem Waſſer ab, rührt es ſchön glatt, gießt ſo viel Waſſer daran, als man braucht, thut Salz und Mus= katnuß dazu, ſchneidet ein Brod in kleine Würfel und läßt es auf= kochen, oder ſchneidet ſie gleich in das Geſchirr, in dem die Suppe aufgetragen wird, und läßt die Brühe durch einen Seiher darüber laufen.

9. Weiße Brodsuppe für Kranke.

2 Wecken werden eingeweicht, fest ausgedrückt, 3 Loth Mandeln mit Rosenwasser recht fein gestoßen, 1 Schoppen Mandelmilch, wie gewöhnlich, davon gemacht, mit den Wecken gut gerührt und gekocht, und wenn die Suppe angerichtet ist, Zimmt darauf gestreut.

10. Blinde Chokoladesuppe.

Man nimmt ein Stück Butter in ein Casserolle, röstet 2 Löffel voll Mehl hellgelb darin, rührt es mit guter Milch glatt an, gießt noch so viel Milch daran, als man glaubt nöthig zu haben, thut 3 Loth Zucker und gestoßenen Zimmt dazu, läßt es aufkochen, schneidet ein Brod in feine Stücke zum Bähen und richtet die Suppe über die gebähten Schnitten an.

11. Braune Jussuppe.

Man lege ein Stück Butter, geschnittene Zwiebeln und gelbe Rüben in eine Casserolle, schneide auch 3 Pfund mageres Ochsenfleisch in kleine Stückchen und lasse sie in der Casserolle schön gelb anschlagen, dann schneide man einen Kopf Weißkraut (Weißkohl) dazu und gieße einen Schöpflöffel voll Wasser daran. Wenn es gelb ist, decke man die Casserolle eine kleine Weile zu, gieße Fleischbrühe auf und lasse es 2 bis 3 Stunden kochen. Dann ziehe man es durch ein Haarsieb, thue es in eine andere Casserolle und lasse es aufkochen. Dazu werden gebackene Erbsen auf folgende Weise gemacht: man nimmt eine halbe Maas Wasser in eine messingene Pfanne, thut ein Stück Butter von der Größe eines Hühnereies dazu und läßt es mit einander kochen, sodann rührt man feines Mehl daran, bis es ein dicker Brei ist. Diesen nimmt man in eine Schüssel, schlägt 5 bis 6 Eier daran, und thut 2 Messerspitzen voll Salz dazu. Diesen Teig treibe man durch einen Spatzenseiher in heißes Schmalz, und backe darin die so verfertigten Erbsen schön gelb aus. Der Spatzenseiher darf aber keine zu großen Löcher haben, und außerdem muß man Bedacht darauf nehmen, daß der Teig nicht zu weich wird, weil sonst die Erbsen nicht schön rund werden.

12. Französische Jussuppe.

Es kommt in eine Casserolle ein Stück Butter oder anderes Fett, der Boden wird mit Zwiebeln, gelben Rüben und Sellerie belegt, dann werden 2 Pfund Ochsenfleisch in kleine Stückchen geschnitten und in die Casserolle gethan, hat man noch übrige Knochen, so werden sie auch dazu gethan. Dann wird die Casserolle zugedeckt, und man läßt es eine Stunde dämpfen, hernach deckt man die Casserolle wieder ab und läßt das Gedämpfte stark anschlagen; ist es gelb, so kommt ein Schöpflöffel voll Wasser daran; sodann wird die Casserolle mit Fleischbrühe aufgefüllt und man läßt es 2 Stunden kochen. Hierauf schneidet man von schwarzem Brod Schnittchen und thut sie in die Casserolle. Wenn Alles eine halbe Stunde mit einander aufgekocht hat, wird es durch ein Haarsieb getrieben. Dann läßt man es noch einmal in der Casserolle aufsieden und richtet darnach an. Wenn man will, kann man auch Eier in die Suppenschüssel schlagen.

13. Süße Milchsuppe.

Nehme 2 Loth abgezogene, fein gestoßene Mandeln, rühre sie nebst 3 Loth Zucker und etwas Zimmt mit einer halben Maas Milch in einer messingenen Pfanne an, lasse es mit einander aufkochen, schneide ein frisches Brod in feine Schnittchen und richte die Milch darüber an.

14. Milchsuppe mit Mandeln.

Man sezt 3 Schoppen Milch ans Feuer, thut ein fingerlanges Stück Vanille daran, läßt sie so lange kochen bis 1 Schoppen ein= gekocht ist. Dann nimmt man die Vanille mit einem Schaumlöffel heraus, thut 4 Loth abgezogene und fein gestoßene Mandeln und 2 Loth Zucker in die Milch, nimmt von einem Stück Brod die harte Rinde ab und schneidet es in feine Suppenschnittchen; darüber richtet man die Milch an.

15. Suppe à la patrie.

Zu einem halben Schoppen Rahm, einem ganzen Ei und dem Gelben von einem Ei rührt man so viel Mehl, daß es ein dicker Teig wird, den man auf dem Nudelbrett messerrückendick auswellt; mit kleinen Ausstechmödeln sticht man verschiedene größere und klei= nere Figuren davon aus, und backt sie schön gelb im heißen Schmalz. Ferner macht man gebackene und gesottene Klößchen von Geigen= (Gries=) Mehl, Spinatkräpfchen, gebackene Rosolen, kleine Fisch= würstchen, grüne Klöße von Spinat, Krebsschnitten, gebackene Eier= schnitten, gesottene Brätknödel aus Rindsbrät, gebackene italienische Makaroni, Eierkäs (s. Fischsuppe); dieses Alles, gehörig gesotten, gekocht und gebacken, wird zusammen in die Suppenschüssel gethan und folgende Sauce daran gemacht: zu 1 Vierling Butter, in einer Casserolle zergangen, rührt man 4 Löffel voll feines Mehl, läßt es ein wenig anlaufen, gießt einen halben Schöpflöffel voll Wasser daran und rührt es glatt, gießt Fleischbrühe daran, so viel als nöthig ist, läßt es noch einmal aufkochen und richtet in die Suppenschüssel an; Salz, Muskatnuß. (Es ist dieß in Baiern die gewöhnliche Suppe bei Hochzeiten.)

16. Panadesuppe.

Man schneidet 4 Mundbrod ein, wie zu einer Suppe, thuts in eine Casserolle, gießt kaltes Wasser daran und läßt sie mit 3 Loth Butter eine halbe Stunde lang kochen, treibt sie darauf durch ein Haarsieb in die Casserolle und läßt es nochmal aufkochen; Salz, Muskatnuß; sodann schlägt man 2 Eier in die Suppenschüssel, gießt ein wenig Milch daran, richtet die Suppe darüber an und streut geschnittenen Schnittlauch und Muskatnuß darauf.

17. Brodpanadesuppe.

Gebähte Schnitten von weißem Brod läßt man in einer Casse-rolle mit schwacher Fleischbrühe weich kochen, treibt sie durch ein Haarsieb, läßt sie in der Casserolle noch einmal anziehen und rührt ein Eiergelb daran.

18. Reispanadesuppe für Kranke.

4 Loth sauber gewaschenen Reis bindet man in ein leinenes Tüchlein, doch so, daß noch 3 Finger breit leer bleibt, siedet den Reis in einem Fußhafen mit halb Wasser und halb Fleischbrühe 2 bis 3 Stunden lang, verrührt ihn mit 1 Eigelb und 1 Löffel voll süßen Rahm recht fein, läßt es noch einmal anziehen und gibt dieses dem Kranken, je einen Löffel voll.

19. Reisschleim für Kranke.

4 Loth sauber gewaschenen Karolinerreis stößt man recht fein, läßt ihn in einem kleinen Geschirr mit 1 Maas Wasser so lange kochen, bis er anfängt dick zu werden, preßt den Reis durch ein leinenes, nicht sehr festes Tuch, rührt ein Eigelb und einen Löffel voll süßen Rahm daran, läßt den Schleim noch einmal anziehen, zuckert oder salzt ihn und gibt dem Kranken je einen Löffel voll.

20. Tropfsuppe.

Man macht einen Teig von 2 Eiern, 2 Löffeln voll Mehl und Milch oder Wasser; macht Fleischbrühe oder Wasser siedend und läßt den Teig über einen Kochlöffel oder durch einen Schaumlöffel in die Casserolle einlaufen und thut beim Anrichten Schnittlauch, Muskat-nuß und Salz dazu.

21. Verlorene Eiersuppe.

Kochendes Wasser wird über sein geschnittenes, im Schmalz gelb geröstetes schwarzes Brod gegossen und aufgekocht; dann werden so viele Eier, als Personen am Tische sind, daran geschlagen; man läßt die Suppe ein wenig anziehen, salzt sie und streut Muskatnuß darauf.

22. Ordinäre Wassersuppe.

Man schneidet recht feine Schnittchen von Brod, legt sie in die Schüssel, gießt kochendes Wasser darüber, läßt die Suppe langsam aufkochen und schmälzt sie mit heißem Schmalz, in welchem man zuvor Zwiebeln gelb röstet, ab.

2

23. Weinsuppe.

Man gießt einen Schoppen Wein in eine Pfanne, rührt einen Kochlöffel voll Mehl mit kaltem Wasser darein, schlägt 4 Eier daran und thut 3 Loth Zucker, woran eine halbe Citrone abgerieben ist, dazu, gießt noch eine halbe Maas kaltes Wasser daran, läßt es unter beständigem Umrühren kochen und richtet es über geröstete Brodstückchen an.

24. Weinsuppe anderer Art.

Ein Stück Butter läßt man in einer Casserolle verlaufen, thut 1 Kochlöffel voll Mehl dazu und läßt es anlaufen, alsdann löscht man es mit kaltem Wasser ab, gießt einen Schoppen Wein dazu, wirft 3 Loth Zucker, ein Stück Zimmt, von einer Citrone das Gelbe hinein, läßt es mit einander aufkochen und richtet es über geröstete Brod-stückchen an.

25. Weinsuppe mit süßem Rahm.

Man macht 1 Schoppen Rahm und 1 Schoppen Wein warm (jeden Theil aber allein), kocht einen halben Vierling Zucker, welcher an einer Citrone abgerieben wurde, mit 4 Eigelb und dem Wein und Rahm mit einander, röstet gewürfelt geschnittene Wecken im Schmalz, legt sie in die dazu bestimmte Schüssel, gießt das Gekochte daran und streut Safran auf die Suppe.

26. Endiviensuppe.

Man legt ein Stückchen Butter in eine Casserolle und dämpft darin ganz fein geschnittene, sauber gewaschene, schöne gelbe Endivie gut weich, streut sodann so viel Mehl darauf, als man zwischen 3 Fingern fassen kann, gießt Fleischbrühe daran, läßt sie noch einmal aufkochen und richtet über 2 der Länge nach geschnittene und auf dem Rost schön gelb gebähte Mundbrode an; Salz, Muskatnuß.

27. Franzosensuppe.

1 Kopf Weißkohl, Wirsing, 2 Kohlrabi, 2 Sellerie, 2 gelbe Rüben, 1 weiße Rübe, 1 Hand voll Petersilienkraut; dieses Alles wird so fein geschnitten, wie Nudeln, und mit kaltem Wasser ans Feuer gesezt, wo man es halbweich kochen läßt. Sodann gießt man es durch ein Haarsieb und wieder kaltes Wasser daran, läßt es sauber ablaufen und kocht es in einer Casserolle in Fleischbrühe weich. Wenn man hat, kann man auch Leber, Magen und Herz von Geflügel, in Stückchen geschnitten, dazu thun und fein geschnittenes Brod damit aufkochen; auch kann man Alles so weich kochen, daß es sich durch einen Suppenseiher treiben läßt. Doch läßt man in diesem Fall den Kohl und die Leber weg.

28. Geriebene Gerstensuppe.

Mache von 1 bis 2 Eiern und Mehl einen festen Teig und reibe diesen auf dem Reibeisen, dann streue das Geriebene, sobald es ein wenig abgetrocknet ist, unter immerwährendem Rühren in siedende Fleischbrühe. Beim Anrichten streut man Schnittlauch darauf.

29. Griessuppe.

In siedende Fleischbrühe in einer Casserolle rührt man 4 Hände voll Griesmehl, thut Hühnerei groß Butter dazu, läßt dieses eine Zeit lang miteinander kochen, schlägt 2 Eiergelb in eine Suppenschüssel, rührt sie glatt mit 2 Eßlöffel voll saurem Rahm, rührt die Suppe dazu und streut Schnittlauch und Muskatnuß darauf.

30. Habergrützsuppe.

2 Hände voll sauber verlesene Habergrütze läßt man mit einer halben Maas Wasser halb einkochen, rührt ein Stückchen Butter daran, läßt es nochmals aufkochen, treibt es durch ein Haarsieb in ein anderes Geschirr und rührt 2 Eiergelb, Salz und Muskatnuß daran.

Diese Suppe ist sehr gut für magere Leute, die eine trockene Natur haben.

31. Kartoffelsuppe.

Kartoffel werden roh geschält und gewaschen und mit einem Stück Fett in einer Casserolle weich gedämpft. Deßgleichen werden Petersilie, Sellerie und Schnittlauch zusammen weich gedämpft und durch einen Seiher getrieben. Dann werden Zwiebel und Petersilie fein gewiegt und mit einem Stücke Butter von der Größe eines Hühnereies in einer Casserolle gedämpft. Hierauf kommt ein Kochlöffel voll Mehl und die Kartoffeln dazu; das Ganze wird mit Fleischbrühe aufgegossen, worauf man es noch einmal aufkochen läßt. Dann kommen zwei Eiergelb mit zwei Löffel voll saurem Rahm in die Schüssel, und die Suppe wird angerichtet, auch Muskatnuß und Salz daran gethan.

32. Karviolsuppe.

Schönen weißen Karviol macht man blumenweis aus, zieht die grüne Haut ab und siedet ihn im Salzwasser weich. Hierauf rührt man einen Kochlöffel voll Mehl in verlaufene Butter, wendet es einige Male um, gießt zuerst ein Glas voll kaltes Wasser daran, rührt es schön glatt, dann einen Schöpflöffel voll Fleischbrühe, thut den Karviol dazu und läßt es langsam kochen.

Hiezu mache man einen Eierkäs auf folgende Art: In einer kleinen Schüssel werden 6 Eier an einen Kochlöffel voll Mehl geschlagen und mit diesem wohl verrührt; dann gießt man 1½ Schoppen Milch dazu, schmiert ein Geschirr mit Butter, schüttet die Masse in dasselbe, und stellt es ins kochende Wasser oder in das Bratrohr und läßt die Masse darin fest werden. Ist es Zeit zum Anrichten, so thut man den Karviol in die Terrine, gießt Fleischbrühe daran, sticht mit dem Löffel

2 *

Knöbel aus dem Eierkäs und thut sie in die Terrine, auch Salz und Muskatnuß dazu.

33. Körbelsuppe.

2 Hände voll sauber gewaschener Körbel werden fein gewiegt (wozu man auch etwas Petersilienkraut nehmen kann) und ¼ Stunde in einer Casserolle in Butter gedämpft. Dann kommt ein kleiner Kochlöffel voll Mehl daran, und so läßt man es in Fleischbrühe aufkochen. 2 Eiergelb werden in die Suppenschüssel geschlagen, 2 Eßlöffel voll süße Milch dazu gethan, und die Suppe darüber angerichtet, auch kommt Salz und Muskatnuß daran. Hiezu können die unten beschriebenen Buttermocken gegeben werden. Zu bemerken ist noch, daß im Monat Mai der Körbel am besten zu Suppen taugt.

34. Kräutersuppe.

Körbelkraut, Petersilie, Sauerampfer, Gartenkresse und Schnittlauch werden rein gewaschen und, nachdem das Wasser ausgedrückt, fein gewiegt und mit einem Stück Butter in einer Casserolle eine Viertelstunde lang gedämpft; dann kommt ein Kochlöffel voll Mehl dazu und wird mit Fleischbrühe aufgegossen, worauf man Alles zusammen noch eine Viertelstunde kochen läßt. Nachdem dieses über gebackene Semmelschnitten angerichtet ist, werden drei Löffel voll saurer Rahm mit 2 Eiergelb verrührt und darauf gethan.

35. Reissuppe.

Der Reis wird gereinigt und mit siedendheißem Wasser angebrüht; so läßt man ihn eine Viertelstunde stehen, dann wird er ausgewaschen und wieder angebrüht und man läßt ihn nochmals eine Viertelstunde stehen; dann kommt er in eine Casserolle, es wird sehr fette Fleischbrühe daran gegossen und auf schwachem Kohlenfeuer langsam aufgekocht. Beim Anrichten schon kann Parmesankäse in die Schüssel gethan, oder auch besonders auf die Tafel gegeben werden.

36. Reissuppe anderer Art.

Es werden Brockelerbsen ausgemacht und mit Zwiebel, Petersilie und Butter gedämpft bis sie weich sind; dann wird ein kleiner Kochlöffel voll Mehl daran gerührt und etwas Fleischbrühe dazu gegossen; so läßt man sie eine Viertelstunde, oder bis sie weich sind, kochen, und treibt sie durch ein Haarsieb. Der Reis muß so behandelt werden wie bei No. 35; dann wird beides miteinander angerichtet.

Auf einen Fasttag kann die nämliche Suppe mit dürren Erbsen gegeben werden, nur mit dem Unterschied, daß der Reis mit Butter gekocht, dann mit Wasser aufgegossen wird. Wenn der Reis weich ist, wird er mit den Erbsen vermengt und noch eine Viertelstunde gekocht; sodann wird Muskatnuß dazu gethan und angerichtet.

38. Reissuppe mit Schinken.

Es wird ¼ Pfund Reis angebrüht und eine halbe Stunde stehen gelassen; dann siedet man ihn ab, brüht ihn nochmals an und läßt ihn wieder eine Viertelstunde stehen; dann wird er sauber ausgewaschen, es kommt Fleischbrühe daran, und er wird damit weich gekocht; dann werden ½ Pfund Schinken und ¼ Pfund Parmesankäs, der auf dem Reibeisen gerieben ist, zusammen in die Suppenschüssel gethan, der Reis wird darüber angerichtet und Muskatnuß darauf gerieben.

37. Sauerampfersuppe.

Man wiegt eine Hand voll sauber gewaschenen Sauerampfer und 2 Schalottenzwiebel zusammen recht fein, thut ein Stück Butter in eine Casserolle, dämpft Alles miteinander, rührt einen Kochlöffel voll Mehl darein, gießt Fleischbrühe oder Jus daran, läßt es noch einmal aufkochen, richtet über die unten beschriebenen Suppenknödel an, und rührt 2 Eiergelb nebst 2 Löffel voll süßen Rahm daran, thut auch Salz und Muskatnuß dazu.

39. Sagosuppe.

Ostindischer Sago braucht zwei Stunden zum Kochen; hieländischer nur eine halbe Stunde. Man gießt in eine Casserolle helle Fleischbrühe, läßt den Sago langsam dareinlaufen, deckt ihn zu, läßt ihn schön langsam kochen, rührt ihn öfters um, gießt so viel Fleischbrühe daran, als man Suppe braucht, schlägt 2 Eiergelb in die Suppenschüssel, zwei Löffel voll süßen Rahm dazu, und richtet den Sago darüber an; Muskatnuß ist gut daran. ¼ Pfund Sago ist hinlänglich für 8 Personen.

40. Milchsagosuppe.

Mit einem Stückchen Butter von der Größe eines Hühnereies wird Milch ans Feuer gesezt und darin ¼ Pfund weißer Sago so lange gekocht, bis eine Maas Milch eingekocht ist; hierauf kommt Zucker und Zimmt dazu und die Suppe wird angerichtet.

41. Selleriesuppe.

Man läßt ein Stück Butter in einer Casserolle zergehen, schneidet 3 bis 4 sauber gewaschene und geputzte Sellerie so fein wie geschnittene Nudeln, und thut sie mit 2 fein gewiegten Schalottenzwiebeln und zwei gewiegten Lauchstängeln in die Casserolle; dann deckt man dieselbe zu und läßt die Sellerie weich dämpfen. Sind sie weich, so streut man so viel Mehl darauf, als man zwischen drei Fingern fassen kann, gießt Fleischbrühe oder Jus daran, so viel als man Suppe braucht, läßt es noch eine Viertelstunde kochen, richtet es über geröstete Brodbresamen an und reibt Muskatnuß darauf.

42. Spargelsuppe.

Man nehme Spargeln, schneide das Weiße davon, schabe sie ein wenig ab, binde sie wieder in Büscheln zusammen und siede sie weich in kochendem Salzwasser. Sind sie weich, so nehme man sie heraus, schneide die Köpfchen davon, thue sie in die Suppenterrine, das Uebrige nehme man in einen Mörser und stoße es. In einer Casserolle dämpft man mit Butter die gestoßenen Spargeln, thut 2 gewiegte Schalotten-zwiebeln dazu; haben sie eine halbe Viertelstunde gedämpft, so rührt man einen Kochlöffel voll Mehl an die Spargeln, gießt helle Fleischbrühe daran, läßt es eine Viertelstunde aneinander kochen, zieht es durch ein Haarsieb, thut es wieder in die Casserolle, läßt es noch einmal auf-kochen, thut eine Messerspitze voll gestoßene Muskatblüthe dazu, ver-rührt in einem kleinen Geschirre 2 Eiergelb und 2 Löffel voll sauren Rahm, gießt sie in die Suppenterrine an die Spargeln und richtet die Suppe an.

43. Weichselsuppe für Kranke.

Gedörrte Weichseln wascht man sauber in warmem Wasser, stößt sie im Mörser ganz fein, thut sie in eine Casserolle, gießt Wasser daran, so viel man Suppe nöthig hat, läßt es eine halbe Stunde miteinander kochen, zieht es durch ein enges Haarsieb, thut es nochmal in eine Casserolle, läßt es noch einmal aufkochen, reibt ein Stück Zucker ein wenig an der Citrone ab, und wenn es die Krankheit erlaubt, kann noch Wein und Zimmt dazu genommen werden. Man richtet es über gebähte Brodschnitten an.

44. Suppe mit Rofolo.

Es wird Spinat gewaschen, ausgedrückt und mit Zwiebeln fein gewiegt; auch kann etwas kalter Braten, oder in Ermangelung desselben können 2 hart gesottene Eier mit gewiegt werden. Dann wird von 2 Eiern ein Nudelteig gemacht und fein ausgetrieben. Der Spinat wird mit einem Ei und dem Gelben von einem Ei angerührt, dann je ein Löffel voll auf die Nudelkuchen aufgelegt, die man überschlägt, ausfticht und in Fleischbrühe aufkocht. Auch kommt Salz und Muskatnuß in den Spinat.

45. Brieschensuppe.

Man nimmt 2 Brieschen, blanchirt sie ein wenig ab, wiegt sie auf einem Wiegblock, desgleichen auch Zwiebeln und Petersilie, leztere aber nicht sehr fein, thut ein Stück Butter wie ein Hühnerei in eine Casserolle, und das Gewiegte dazu, dämpft es eine halbe Stunde mit einander, rührt 2 Kochlöffel voll Mehl daran, gießt gute Bouillon dazu, rührt Alles recht schön glatt, so daß es keine Knollen gibt. Dann gießt man so viel Fleischbrühe daran, als man Suppe will, schlägt zwei Eiergelb in die Suppenschüssel, zwei Löffel voll sauren Rahm und richtet die Suppe darüber an, thut auch Salz und Muskatnuß daran.

46. Fischsuppe.

Schabe von einem Fisch, von welcher Gattung er ist (gewöhnlich nimmt man Weißfisch, Asch oder Barbe, oder auch Aal) das Fleisch von den Gräthen, thue in eine Casserolle ein Stück Butter, schneide Zwiebel, für 2 Kreuzer Wecken, hacke die Fischgräthe, thue etwas Petersilie dazu, dämpfe Alles zusammen in der Casserolle eine Stunde lang, gieße an Fasttagen Wasser daran, lasse es eine Stunde kochen, dann gieße es durch ein Haarsieb, thue es wieder in die Casserolle und lasse es nochmals aufkochen. Von dem abgeschabten Fischbrät mache kleine Knödel, wie öfters beschrieben wird, und richte das Gekochte darüber an.

47. Glacesuppe von Tauben.

Die Tauben werden ausgenommen, aber nicht gewaschen; die Brust wird ausgeschnitten; der übrige Körper wird mit Leber, Herz und Magen, nachdem der leztere aufgeschnitten und gereinigt ist, mit Rindsknochen gehackt, mit Butter nach Belieben eine Stunde lang gedämpft und mit Fleischbrühe, in Ermangelung derselben auch mit Wasser, aufgegossen. Die Brust wird gesotten, in kleine Stücke geschnitten, mit 3 hartgesottenen, feingewiegten Eiern und etwas Schnittlauch in die Schüssel gethan, durch ein Haarsieb darüber angerichtet und Muskatnuß darauf gestreut.

48. Glacesuppe von Kalbsfüßen.

Es werden 6 Kalbsfüße rein gewaschen, abgezogen, in eine Casserolle oder einen Topf gethan, mit Sellerie, Gelbrüben und Petersilie weichgekocht und dann in kleine Stückchen geschnitten. Diese werden wieder in eine Casserolle oder einen Topf gethan; die Brühe schüttet man durch einen Seiher wieder an die Stückchen und läßt sie nochmals aufkochen. Von Fischbrät können kleine Knödel darein gemacht werden. 2 Eiergelb werden in die Schüssel gethan und darüber angerichtet; Muskatnuß und Salz dazu.

49. Hirnsuppe.

2 Kalbshirn legt man in laues Wasser und nimmt die Haut davon ab; wiegt Zwiebel und Petersilie mit einander, und dämpft die Hirn mit dem Gewiegten in einer Casserolle mit Butter eine halbe Viertelstunde lang. Dann rührt man einen halben Kochlöffel voll Mehl an das Hirn, aber so, daß das Hirn nicht ganz bedeckt ist; gießt Fleischbrühe daran und läßt es aufkochen; Salz, Muskatnuß.

50. Kalbfleischsuppe.

2 Pfund Kalbfleisch, fein geschnitten, werden in einer Casserolle mit einem Stück Butter, mit Sellerie, Pastinak und Petersilie sehr weich gedämpft, 3 Kochlöffel voll Mehl darauf gestreut, 2 Löffel voll Fleischbrühe darauf gegossen und noch eine halbe Stunde zusammen gekocht; dann wird es durch ein Haarsieb getrieben und auf zwei Eiergelb in die Suppenterrine angerichtet, auch etwas Muskatnuß und Schnittlauch darauf gethan.

51. Königssuppe.

2 sauber gepuzte und gewaschene Hühner werden klein gehackt, ein Pfund mageres Ochsenfleisch in kleine Stückchen geschnitten, und beides in einer Casserolle, in welcher ein Stück Butter so groß

wie ein Hühnerei ist, mit einer Sellerie- und Pastinakwurzel zugesezt und 2 bis 3 Stunden gedämpft. Dann wird ein Kochlöffel voll
Mehl darauf gestreut, Fleischbrühe oder Jus daran gegossen und noch
eine halbe Stunde gekocht. Nach diesem treibt man es mit Fleischbrühe
durch ein Haarsieb, läßt es noch einmal aufkochen, schlägt vier Eiergelb
in die Suppenterrine, thut einen halben Schoppen dicken, süßen Rahm
daran, und richtet die Suppe darüber an. Salz, Muskatnuß.

52. Lebersuppe.

Man hackt eine Kalbsleber mit Zwiebeln, thut ein Stück Butter
in eine Casserolle, dämpft die Leber darin, schneidet für 2 Kreuzer
Wecken darein, dämpft es eine halbe Stunde miteinander, gießt Fleischbrühe oder Jus daran, läßt es eine Stunde kochen, zieht es durch
ein Haarsieb, thut es wieder in die Casserolle, läßt es nochmals aufkochen, schlägt 2 Eiergelb in eine Suppenschüssel, 2 Löffel voll süßen
Rahm und gebähte Brodschnitten dazu, und richtet die Suppe darüber an; Salz, Muskatnuß.

53. Lungensuppe für Schwindsüchtige.

Eine Kalbslunge und etwas vom Herz schneidet man in kleine
Stückchen; die Lunge, wenn es möglich ist, muß gerade von dem
Kalb genommen werden; 6 Krebse stößt man lebendig und thut sie zu
der Lunge; 1 Hand voll Körbelkraut, eben so viel Ehrenpreis, etliche
Kuhblätter, alles wohlgewaschen, thut man in einen Topf, gießt
2 Maas Wasser daran, läßt den halben Theil einkochen und zieht
es durch ein Haarsieb. Man kann gebähte Brodschnitten dazu geben
oder mit Eiergelb abrühren.

54. Schneckensuppe.

50 Stück Schnecken werden wie gewöhnlich gesotten, sauber
gepuzt, abgeschleimt und noch eine halbe Stunde gekocht, dann gewiegt. Gleichfalls wiegt man eine Hand voll Petersilie, eben so viel
Körbelkraut, eben so viel Sauerampfer recht fein zusammen, und dämpft
die Schnecken damit in zerlassener Butter eine Viertelstunde lang;
sodann läßt man sie mit einem Kochlöffel voll Mehl und einem Schöpflöffel voll Fleischbrühe aufkochen (Fleischbrühe gießt man nach, bis es
genug ist). Diese Suppe wird nun über gebähte Schnitten angerichtet und 2 Eiergelb mit 2 Löffeln voll saurem Rahm daran gerührt, und mit Salz, Muskatnuß c. nach Belieben gewürzt.

55. Citronensuppe für Kranke.

4 frische Eiergelb verrührt man in einem Topf, reibt ein
Stückchen Zucker an einer Citrone ab, von 2 Citronen den Saft,
1 Schoppen Boragewasser, 1 Schoppen schwarzes Kirschenwasser
rührt man auf einem Kohlenfeuer so lange bis es anfängt zu kochen;
wenn es die Krankheit erlaubt, kann etwas Wein dazu genommen
werden.

56. Suppe à la Reine (sprich Rähn).

Von einer alten Henne wird die Brust ausgeschnitten; der übrige Körper in Stückchen gehackt, mit etwas Kalbfleisch, allerlei Arten Wurzeln, als: Pastinak, Sellerie, Gelbrüben, Lauch und Zwiebeln in ½ Pfund Butter in einer zugedeckten Casserolle 1 Stunde lang ge- dämpft; eine kleine Hand voll Mehl darauf gestreut, umgewendet und Fleischbrühe darauf gegossen; hierauf läßt man das Ganze noch eine halbe Stunde kochen. Die Brust von der Henne wird fein gewiegt, mit einem Ei und etwas Butter im Mörser gestoßen und kleine Klöße daraus gemacht, die man eine ⅛ Stunde kochen läßt. Das Glaß (Glace) wird durch ein Haarsieb gegossen, und dann die Klöße, auch etwas Muskatnuß und Schnittlauch, dazu gethan.

57. Welsche Suppe.

Von einem welschen Hahnen nimmt man die Füße, den Kragen und den Kopf, auch die Flügel vom zweiten Gelenk an, und hackt alles ganz fein. Mit einem Stücke Butter dämpft man sodann ge- schnittene Zwiebel, das Gehackte und für 2 Kreuzer geschnittenes Milchbrod eine halbe Stunde lang; gießt hierauf gute Jus dazu, läßt es eine Stunde lang mit einander kochen, schlägt 3 Eiergelb mit 2 Löffeln voll saurem Rahm in die Suppenschüssel. Die Suppe zieht man noch einmal durch ein Haarsieb, läßt sie in der Casserolle wieder heiß werden, rührt sie in die Suppenschüssel und thut Salz und Muskatnuß daran.

58. Kraftsuppe für Kranke.

Ein altes, sauber geputztes und gewaschenes Huhn bratet man halbgar, stoßt es in einem Mörser sammt den Knochen ganz fein, läßt es in einer Casserolle eine Stunde lang kochen, indem man nach und nach 2 Maas Fleischbrühe dazu gießt, preßt es durch ein reines Tuch, läßt es mit ¼ Pfund abgezogenen, feingestoßenen Mandeln noch einmal aufkochen und kann es dann über gebähte Weckenschnitten anrichten.

59. Kräutersuppe für Kranke.

Die jungen Blätter von Portulak, Endivie, Pfaffenöhrlein, Sauerampfer (jedes 3 Loth), Körbelkraut (6 Loth), wascht man in lauen Wasser, drückt es fest aus, wiegt es so fein als möglich, läßt es eine halbe Stunde mit einem Stückchen Butter in einer Casserolle dämpfen, nimmt 3 Finger voll Mehl dazu, löscht es mit Fleischbrühe ab und gibt es dem Kranken. Man kann auch feine Knödel dazu geben.

60. Suppe für Genesende.

Ein frischgelegtes Ei wird gesotten, geschält, durch ein Haarsieb getrieben, in einem Quart Wasser, einem Quart Wein, etwas Zucker und Zimmt eine Viertelstunde gekocht, über gebähte Brodschnitten angerichtet, und sollte der Wein noch zu stark für den Kranken seyn, so kann Fleischbrühe dafür genommen werden.

Suppenknöpflein (Klöße, Knödel).

61. Butterknöpflein.

Ein halb Pfund zerlassene Butter rührt man recht schaumig, nimmt 6 Eier und zu jedem eine Hand voll geriebenes Mutschelmehl und einen Kochlöffel voll feines Mehl (dieses wird aber nur nach und nach, nicht auf einmal, zu der Butter gerührt), macht Knödel, so groß wie eine Welschnuß, die in kochender Fleischbrühe gesotten werden. Man kann sie in die Suppe geben.

62. Markknöpflein.

Ein Viertelpfund Ochsenmark läßt man verlaufen, gießt es durch ein Haarsieb auf kaltes Wasser, rührt es mit dem Wasser eine Viertelstunde, gießt das leztere ab, läßt das Fett verlaufen, rührt es noch einmal mit Wasser, bis es ganz weiß ist, schlägt nach und nach 5 Eier daran, mit jedem derselben eine Hand voll geriebenes Mut= schel= (Geigen=) Mehl, läßt Alles eine halbe Stunde stehen, legt kleine Knödel von dem Teig in kochende Fleischbrühe, läßt sie eine halbe Viertelstunde kochen und gibt sie in die Suppe.

63. Bechemelle.

Kalbfleisch wird in kleine Stückchen geschnitten, in einer Casserolle mit einem Stück Butter, Zwiebel, gelben Rüben und Sellerie weich gedämpft, dann thut man 3 Hände voll Mehl dazu, läßt es noch= mals miteinander dämpfen, treibt Alles durch einen Seiher, schlägt 4 Eier daran, rührt es mit Salz und Muskatnuß recht untereinander in einer Schüssel, bestreicht eine lange Form mit Butter, füllt die Masse hinein, siedet sie in Dunst, schneidet oder sticht Küchlein davon aus, wendet sie in Eiern und geriebenem Brod um und backt die Küchlein im Schmalz.

64. Gebackene Griesknöpflein.

4 bis 5 Hände voll Gries kocht man in einer halben Maas Milch eine Viertelstunde recht dick, rührt dann in einer Schüssel 4 Eier daran (aber nur nach und nach) und backt im heißen Schmalz kleine Knödeln davon.

65. Gezupfte Knöpflein.

Das Weiche von 3 Wecken wird zu kleinen Stückchen gezupft, ein halber Vierling zerlassene Butter darüber gegossen, 3 Eier, Salz, Muskatnuß damit verrührt, eine halbe Stunde stehen gelassen, und kleine Knödel, in der Größe einer Welschnuß, in halb Wasser halb Fleischbrühe von dem Teig eingelegt. Man gibt sie in die Suppe.

66. Bratknöpflein.

Ein Pfund Kalbs= oder Rindsbrät wird, wenn es nicht schon vom Mezger mit Milch angemacht worden ist, mit einer halben Maas

Milch gerührt, das Gelbe von einer halben Citrone fein gewiegt, ein halber Vierling verlaufene Butter wird mit dem Bröt noch einmal recht untereinander gerührt, die Knödel in laues Wasser eingelegt, aber nicht gekocht, sonst werden sie rauh; wenn sie einen weißen Schaum werfen, sind sie fertig. Man gibt sie in Fleischbrühe.

Ochfenfleifch.

67. Ochfenfleifch gut zu fieden.

Es wird ein wenig geklopft, mit einem Bindfaden umwunden, mit kaltem Wasser an's Feuer gesezt und zugedeckt. Ist es Zeit zum Abschäumen, so nimmt man den Schaum so lange oben weg, bis es nicht mehr schäumt; dann schneidet man Zwiebeln, gelbe Rüben, Sellerie darein, und läßt es sehr langsam weich kochen. Eine halbe Stunde vor dem Anrichten wird es nach Belieben gesalzen.

Es ist sehr gut, wenn man vor dem Anrichten des Fleisches einen Schöpflöffel voll Jus auf die Platte gießt, auf der man es auftragen will.

68. Ochfenfleifch auf englifche Art.

Man siedet in 2 Maas Wasser ein Stück Ochsenfleisch von der Brust, schneidet 3 Zwiebeln dazu, auch 2 Lorbeerblätter, eine in Stückchen geschnittene Selleriewurzel, gelbe Rüben, ganze Nelken, und wenn das Fleisch halb weich ist, gießt man 3 Maas süßen Rahm dazu, läßt es darin vollends weich kochen, richtet es auf eine Platte an, zieht die Sauce durch ein Haarsieb darüber und garnirt die Platte mit Petersilie.

69. Ochfenfleifch auf englifche Art.

Ein Stück von der Brust stellt man in einem Topfe zum Feuer, schäumt es gehörig ab, nimmt es, wenn es halb ausgekocht ist, aus dem Topfe auf ein Brett, schneidet die Knochen heraus, wickelt und bindet es fest zusammen, sezt es in einer Casserolle mit Speck, Zwiebeln, Sellerie, gelben Rüben, Salz und Pfeffer, Citronen und Nelken wieder an's Feuer, gießt ein Glas Wein und einen halben Schöpflöffel voll Fleischbrühe daran, deckt die Casserolle zu und läßt es eine Stunde lang sieden. Ist das Fleisch weich, so nimmt man es aus der Casserolle und stellt es in einer Schüssel zur Wärme. Hierauf streut man ein wenig Mehl in die Casserolle, treibt die Fleischbrühe durch ein Haarsieb, gießt sie wieder in die erstere, legt das Fleisch wieder darein, thut das Gelbe von einer halben Citrone, fein gewiegt, so wie auch den Saft derselben in die Casserolle, und läßt das Fleisch auskochen.

70. Ochfenfleifch auf italienifche Art.

Man spickt ein Stück Ochsenfleisch vom innern Schlägel, oder ein fettes Schwanzstück mit Speck und Schinken, wendet es im Salz

und Pfeffer um, legt nun das Fleisch in eine Casserolle, thut 2 Lorbeerblätter, 3 Zwiebeln, gelbe Rüben, Sellerie dazu, stellt es auf ein
starkes Kohlenfeuer, gießt 1 Schoppen Wein und eine halb Maas
Wasser daran, läßt es 2 bis 3 Stunden so stehen, stößt ein Stück
Speck, ein Stück Schinken, 2 Knoblauchszähnchen, Basilikum, Thimian, Estragon, Körbelkraut ganz fein; wenn das Fleisch weich ist,
legt man es in eine andere Casserolle, nimmt das Fett von der Fleischbrühe ab, gießt die leztere wieder an das Fleisch, das Gestoßene auch
dazu, nebst einem Schöpflöffel voll Jus, läßt nun Alles noch einmal
miteinander aufkochen, richtet das Fleisch an und gießt die Sauce
darüber. Die Franzosen und die Deutschen essen das Fleisch auf
folgende Art gerne: Man läßt einen Kochlöffel voll Mehl in einem
Stück Butter gelb anlaufen, gießt einen Schoppen Wein, einen Schöpflöffel voll gute Jus daran, läßt es stark mit dem Fleisch kochen,
richtet dieses an, zieht die Sauce durch ein Haarsieb darüber und
drückt den Saft von einer halben Citrone darauf.

71. Ochsenfleisch auf böhmische Art.

Ein Stück Ochsenfleisch von der Brust oder vom dicken Lappen
reibt man mit Salz und Pfeffer gut ein und bratet es auf einem
Rost, bis es halb gar ist, läßt es in einer Casserolle mit einem
Schöpflöffel voll Fleischbrühe, weißem Bier, einem halben Schoppen
Wein, etwas Essig, von einer halben Citrone das Gelbe fein gewiegt, den
Saft derselben weich kochen, schneidet 2 Loth abgezogene Mandeln der
Länge nach, reibt ein Stück braunen Lebkuchen, und thut dieses nebst ein
wenig Zucker auch zu dem Fleisch; richtet dieses auf einer Platte an
und gießt die Sauce darüber.

72. Ochsenfleisch auf polnische Art.

Man legt ein Stück Ochsenfleisch, welches man will, in ein Geschirr, thut ein paar Zwiebeln, wovon eine mit 4 Nelken besteckt
wird, eine Selleriewurzel, ein Lorbeerblatt und ein wenig Muskatblüthe dazu, bedeckt das Fleisch mit Speck, salzt es, gießt 2 Schöpflöffel voll Wasser daran und läßt es langsam miteinander sieden.
Hierauf bindet man einige Wirsingköpfe, nachdem sie gereinigt worden, mit Bindfaden fest zusammen, daß sie ganz bleiben, brüht sie
ein wenig ab, legt sie eine Weile in frisches Wasser und dann zu
dem Ochsenfleisch, wenn dieses etwas weich ist. Man läßt nun Alles
miteinander so lange kochen bis nur noch ein wenig Jus bei dem
Fleisch ist, legt dieses auf eine Platte, läßt den Wirsing auf einem
Sieb ablaufen, nimmt die Bindfäden weg, legt die Köpfe um das
Fleisch herum und gießt ein wenig Jus über das Essen.

73. Ochsenfleisch mit feinen Kräutern.

Man kocht ein beliebiges Stück Ochsenfleisch weich. Nun wiegt
man 6 Schalottenzwiebeln, das Gelbe und das Mark von einer
Citrone, Basilikum, Thimian, Estragon, 2 Löffel voll Kapern recht

sein, dämpft das Gewiegte mit einem Stück Butter und 3 Fingern voll Mehl, legt das Fleisch auf die Kräuter, läßt Alles noch eine halbe Stunde miteinander dämpfen, gießt einen halben Schöpflöffel voll Fleischbrühe daran, richtet die Kräuter auf eine Platte an, legt das Fleisch darauf und bestreicht es mit zerlassener Consommée.

74. Ochsenfleisch mit Kräutersauce.

Ein gutes Stück Ochsenfleisch schneidet man in fingerdicke Stückchen, klopft sie ein wenig und legt sie mit einem Stück Butter in eine Casserolle. Von einer Citrone wird das Gelbe fein gewiegt mit dem Mark, nur die weiße Haut bleibt weg; dann reibt man eine Hand voll schwarzes Brod, wiegt eine Hand voll Körbel mit Petersilie und Sellerie recht fein, mengt es unter das geriebene Brod und thut es zum Fleisch, zu welchem noch ein Schoppen rother Wein und ein Schöpflöffel voll Jus oder Fleischbrühe gegossen, und Salz, Pfeffer und Muskatnuß, aber sehr wenig, gethan werden. So setzt man es zum Feuer und läßt es eine Stunde lang kochen. Nach dem An- richten gießt man die Sauce darüber. — Alles Fleisch, was auf diese oder ähnliche Art zubereitet wird, ist schmackhafter, wenn man es nicht zu lange kochen läßt und nicht stark salzt.

75. Ochsenfleisch anderer Art.

Man läßt ein Stück vom Brustkern weich kochen, nimmt es alsdann heraus, bestreut es mit Salz und Pfeffer, legt es auf einen Rost, übergießt es mit zerlaufener Butter und Citronensaft, läßt es schön gelb braten und richtet es auf eine Platte an. Dazu kann man Meerrettig geben oder darüber anrichten.

76. Ochsenfleisch anderer Art.

Man spickt ein Stück Ochsenfleisch mit Speck und Schinken, legt die Hälfte von folgenden Kräutern in eine Casserolle, das Fleisch darauf und auf dieses die andere Hälfte der Kräuter, als: Petersilie, Thimian, Basilikum, Selleriekraut, eine ganze Citrone in Blätter ge- schnitten, Lorbeerblätter, gießt auch etwas Provenceröl über das Fleisch, läßt es über Nacht in den Kräutern liegen, gießt den andern Tag Wasser daran, läßt das Fleisch auf Kohlen weich kochen, richtet es dann an, zieht die Jus durch ein Haarsieb darüber und garnirt es mit Petersilie.

77. Ochsenfleisch anderer Art.

Man nimmt ein Stück Ochsenfleisch von den Rippen, oder die sogenannte Herrenmaus, schneidet die Knochen davon hübsch ab und legt das Fleisch in eine Casserolle, in welcher ein Stück Fett, was es auch für Fett seyn mag, zergangen ist, thut allerlei Kräuter und Wurzeln dazu, gießt ein Glas Wein, ein halbes Glas Essig, einen halben Löffel voll Fleischbrühe oder Wasser daran und läßt es auf

schwachem Kohlenfeuer langsam kochen. Während des Kochens wen=
det man es öfters um, nimmt, wenn es fertig ist, das Fett ab, gießt
noch einen Löffel voll Fleischbrühe daran, treibt die Brühe durch ein
Haarsieb, läßt es noch einmal in der Casserolle aufkochen, und thut
beim Anrichten noch Citronen dazu.

78. Gebratenes Ochsenfleisch.

Ein Rippenstück, oder ein Stück vom Brustkern, überhaupt ein
gutes, saftiges Stück Ochsenfleisch, am besten der dicke Lappen, wird
mit Salz und Pfeffer eingerieben und am Spieße, oder, wenn man
keinen hat, in Butterpapier eingebunden und im Ofen gebraten. Zu
diesem Behufe sezt man das Fleisch in einer Bratpfanne mit Zwie=
beln, Citronen, Lorbeerblättern, Nelken, Pfeffer zu, gießt ein Glas
Wein und ein halbes Glas Essig, einen halben Schöpflöffel voll
Fleischbrühe oder Wasser daran und läßt es schön gelb braten, indem
man es öfters mit der Sauce übergießt. Eine halbe Stunde vor
dem Anrichten gießt man die Brühe ab und schöpft das Fett herunter
und schüttet sie wieder in die Bratpfanne (man kann auch, wenn man
will, ein Glas Madeirawein daran gießen), läßt es noch einmal auf=
kochen und richtet es auf eine Platte an. Die Sauce wird extra
dazu gegeben.

79. Ochsenfleisch mit einer Kruste.

Hiezu nimmt man den Brustkern oder das Rippenstück, haut den
Lappen unten weg, siedet es recht weich und macht Krebsbutter, wie
sie hier öfters beschrieben wird. Hierauf sezt man ein Viertel=
pfund Reis in einer Casserolle mit ein wenig fetter Fleischbrühe zu,
läßt ihn aufquellen, gießt wieder ein wenig Fleischbrühe daran, und
wenn er weich ist, stößt man ihn in einem Mörser zu Brei, thut
ihn in eine Schüssel, reibt ein Viertelpfund Parmesankäs daran, ein
Viertelpfund Krebsbutter, drei Stück ausgewaschene, ausgegräthete
Sardellen, welche in einem Mörser gestoßen wurden, rührt dieses
Alles eine halbe Viertelstunde miteinander, reibt das Ochsenfleisch auf
einem Brett mit Salz, Pfeffer, Muskatblüthe ein, streicht von dem
Reis Messerrücken dick auf das Ochsenfleisch, sowohl an die Seiten
als auch oben, legt das Fleisch in eine Bratpfanne auf Hölzchen,
läßt es im Ofen schön gelb braten und gießt noch einen Eßlöffel
voll Bratenbrühe daran.

80. Ochsenfleisch mit Trüffeln.

Das Ochsenfleisch wird in einer Casserolle oder im Ofen schön
abgebraten. Dann werden Kartoffeln roh geschält und sauber ge=
waschen, mit einem Stücke Butter halb weich gekocht und dann mit
1 Schoppen sauern Rahm übergossen. Mittlerweile werden 3 bis 4
große Trüffeln mit einer Bürste sauber abgewaschen, die rauhe Haut
davon abgeschnitten, die Trüffeln in dünne Stückchen geschnitten und
unter die Kartoffeln gethan. Sodann läßt man dieselben noch eine

Viertelstunde kochen, richtet auf eine Platte an, legt das Fleisch darauf
und gießt noch etwas von der Sauce über das Fleisch.

81. Ochsenfleisch mit Sauerampfer.

Ein saftiges Stück Ochsenfleisch sezt man mit kaltem Wasser aus
Feuer; ist es gar geworden, nimmt man es aus dem Topfe auf ein
Brett, reibt es mit Salz und Pfeffer ein, reinigt 4 Sardellen, sticht
mit einem Messer Löcher in das Fleisch und thut je in ein Loch eine
Sardelle mit einem Stückchen Citrone. In eine Casserolle kommt
ein großes Stück Fett, geschnittene Zwiebel und das Fleisch darauf,
das man im Ofen schön gelb braten läßt. Die Sauerampfer brüht
man mit kochendem Wasser an, läßt sie eine Viertelstunde stehen,
drückt sie aus und wiegt sie fein. Dann kommt ein Stück Butter
in eine Casserolle, darauf gewiegte Zwiebel, Petersilie und ein Kochlöffel voll Mehl; wenn dieß Alles angezogen hat, thut man die
Sauerampfer dazu und wendet Alles um; dann kommt geriebene
Muskatnuß, Salz und Pfeffer nach Belieben, auch ein Löffel voll
Fleischbrühe daran; nachdem man es noch einmal hat aufkochen lassen,
richtet man es auf eine Platte an und legt das gebratene Fleisch
darauf. Die Sauce kann auch besonders gegeben werden.

82. Gefülltes Ochsenfleisch.

Ein Stück von der dünnen Brust oder vom Lappen schneidet
man in der Mitte auf und macht folgende Fülle dazu: für 1 Kreuzer
weißes Brod wird am Reibeisen abgerieben und feine Suppenschnittchen davon geschnitten, die man mit siedender Fleischbrühe so angießt,
daß sie nur feucht und weich davon werden; mit diesen Schnittchen
vermengt man ein halbes Pfund gut durchgearbeitetes Schweinsbrät
und thut Pfeffer und Muskatnuß dazu. Von diesem Brät wird die
Hälfte auf das Fleisch gelegt und auf das Fleisch und das Brät
kommt noch ein halber Vierling sauber gewaschener Sardellen. Die
andere Hälfte des Bräts wird über eine Mengung von Kappern,
Oliven, Champignons und klein gewiegten Citronenschalen geschlagen,
zusammengerollt, in ein weißes Tuch gebunden, dieses zugenäht und
in einer Casserolle mit zwei Theilen Wasser, einem Theil Wein und
einem Theil Essig 2 Stunden lang gekocht, wonach das Fleisch noch
schön weiß bleiben muß. Man kann eine Rahm- oder eine Trüffelsauce dazu geben.

Saucen zum Ochsenfleisch.

83. Zwiebelsauce.

2 große Hände voll Schalottenzwiebeln dämpft man in einer kleinen
Casserolle, nebst einem Stück Butter und etwas Zucker, so lange
bis die Zwiebeln gelb sind. Dann streut man 3 Finger voll Mehl

auf die Zwiebeln, thut etwas Essig, Fleischbrühe, Pfeffer daran und läßt es miteinander kochen bis es Zeit zum Anrichten ist.

84. Zwiebelsauce anderer Art.

Man läßt ein Stück Schmalz in einer Casserolle recht heiß werden, thut ungefähr 1 Loth Zucker darein, läßt es so lange auf dem Feuer bis der Zucker recht braun aussieht, dann wirft man eine Hand voll fein geschnittene Zwiebeln darein, bräunt diese ganz dunkel, rührt 2 Kochlöffel voll Mehl, einen Schöpflöffel voll Fleischbrühe und etwas guten Essig daran, zieht Alles durch ein Haarsieb, thut den Saft und das Gelbe einer halben Citrone dazu, nebst etwas Pfeffer, Nelken und einem Lorbeerblatt.

85. Kalte Senfsauce.

Eine Hand voll Körbelkraut, sauber gewaschen und gepuzt, eben so viel Petersilie und etwas Estragon, wiegt man zusammen recht fein, drückt von 6 hartgesottenen Eiern das Gelbe durch ein Haarsieb, thut Alles zusammen in eine Schüssel, 2 Eßlöffel voll Senf dazu, Salz und Pfeffer, 2 Löffel voll Provenceröl, guten Kräuter-essig und macht es miteinander an.

86. Warme Senfsauce.

Man läßt in einer Casserolle mit einem Stück Butter eine gewiegte Zwiebel mit etwas Citrone ein wenig anlaufen, streut einen kleinen Löffel voll Mehl daran, läßt es ein paar Minuten dämpfen, gießt einen Schöpflöffel voll Fleischbrühe dazu und einen Eßlöffel voll Senf, läßt es mit einander aufkochen, schlägt 2 Eiergelb in ein Geschirr, thut einen Eßlöffel voll kaltes Wasser daran und zieht die Sauce langsam durch ein Haarsieb an die Eier.

87. Kalte Kräutersauce.

Eine Hand voll Schnittlauch schneidet man recht fein, wiegt eine Hand voll Körbelkraut, eben so viel Petersilie, 2 Schalotten-zwiebeln recht fein zusammen, rührt 2 hartgesottene Eiergelb mit Essig und Oel ganz glatt, Salz und Pfeffer nach Belieben, das Gewiegte dazu, richtet es in eine Sauceschüssel an und gibt es zum Rindfleisch.

88. Meerrettig.

An den geriebenen Meerrettig gießt man Essig, damit er nicht blau wird, versüßt ihn mit Zucker und gibt ihn zum Ochsenfleisch.

89. Gekochter Meerrettig.

2 Loth Butter läßt man in einer kleinen Kachel zerlaufen, nimmt einen Kochlöffel voll Mehl dazu, den Meerrettig darein, dämpft Alles 3 Minuten miteinander, rührt ihn dann mit 3 Löffeln voll süßem Rahm glatt und macht ihn mit Fleischbrühe in der Dicke zurecht.

90. Meerrettig mit Mandeln.

Guter geriebener Meerrettig und 2 Loth abgezogene, fein geſtoßene Mandeln werden in einer Caſſerolle mit 2 Loth Butter,
1 Loth Zucker und ein wenig Rahm oder Milch aufgekocht.

Man kann den Meerrettig zu Fiſchen, Gänſen und Enten geben.

Paſtetchen.

91. Häringspaſtetchen.

Man wellt mürben Butterteig meſſerrückendick aus, legt blecherne Paſtetenmödelchen damit aus (zu 12 Törtchen müſſen 24
Fleckchen ausgeſtoßen werden), beſtreicht 12 davon mit Waſſer, die
andern ſticht man mit einem runden Mödelchen aus, legt ſie umgekehrt auf das Beſtrichene und macht fort bis alle bedeckt ſind,
ſtupft ſie mit einem heißen Meſſer ein wenig, beſtreicht ſie mit Eiergelb und backt ſie gelb im Ofen. Sodann macht man folgende Fülle
darein: gereinigte Häringe wiegt man nicht zu fein; ferner wiegt man
eine Hand voll Zwiebeln und Peterſilie, nebſt dem Gelben von einer
Citrone fein und dämpft das Gewiegte mit hühnereigroß Butter in
einer Caſſerolle eine Zeit lang, legt die Häringe dazu, wendet
es einige Mal um und gießt ein paar Eßlöffel voll Fleiſchbrühe
daran. Iſt es Zeit zum Anrichten, ſo legt man von der Maſſe
einen Kaffeelöffel voll in die Paſtete und deckt den Deckel darauf,
dann thut man ſie auf eine Platte und gibt ſie nach der Suppe
zur Tafel.

92. Gerührte Rahmpaſtetchen.

Man rührt 3 Loth Butter mit 1 Schoppen ſauren Rahm leicht,
rührt 6 Eiergelb daran, eine halbe Muskatnuß, 1 Meſſerſpitze voll
Salz, den Schnee von den 6 Eierweiß, miſcht 6 Loth Mehl unter
die Maſſe, beſtreicht kleine Paſtetenmödelchen mit Butter, füllt die
Maſſe darein und backt die Paſtetchen gelb. Man kann ſie zu Roth-
wildbret und zu eingemachtem Kalbfleiſch geben.

93. Fülle zu Paſtetchen auf franzöſiſche Art.

1 Pfund abgehäutetes Kalbfleiſch, ein halbes Pfund Ochſennierenfett
und die Schale einer Citrone hackt man miteinander wie einen Teig,
nimmt den Saft der Citrone und gedämpfte Zwiebeln dazu, ſo wie
einen abgeriebenen, eingeweichten und ausgedrückten Wecken. Nun
kommt Alles in einen Reibſtein, wird mit 4 Eiern, 1 Meſſerſpitze
voll geſtoßenem Pfeffer, eben ſo viel Muskatnuß und Zimmt, 2 Eßlöffeln voll kaltem Waſſer ganz ſchaumig gerührt. Man macht nun
einen Butterteig, wellt ihn 2 Meſſerrücken dick aus, legt ihn auf
ein ſchwarzes, mit Mehl beſtreutes Blech, macht einen runden Boden
davon, belegt dieſen mit Speck, thut das Gewiegte darauf, belegt

3

die Paſtete oben wieder mit Speck, läßt aber einen 2 Finger breiten
Rand leer, macht einen Deckel von dem Butterteig darüber, beſtreicht
ihn mit kaltem Waſſer, faßt den Deckel mit einem 2 Finger breiten
Reif von Butterteig ein, ſchneidet allerlei Blumen mit einem warmen
Meſſer darein, beſtreicht ihn mit Eiern, backt die Paſtete und gibt ſie
kalt zu Tiſche.

Gemüſe.

94. Bohnen.

Den Bohnen werden die Fäden abgezogen und ſie 1 oder 2 Mal
geſpalten, dann werden ſie mit kochendem Waſſer zugeſezt, weich
gekocht, das Waſſer abgeſchüttet und die Bohnen mit heißer Butter
und Zwiebeln geſchmälzt. Vor dem Auftragen kommt noch Pfeffer
und Muskatnuß dazu; wenn man will, auch ein paar Eßlöffel voll Jus.

95. Bohnen auf engliſche Art.

Die Bohnen werden ebenfalls gekocht, wie bei Nro. 94, nur mit
dem Unterſchied, daß ſie nicht ſo weich gekocht werden, wie die
vorigen; hierauf werden in einer Caſſerolle Zwiebeln und Peterſilie in
einem Stück Butter gedämpft, dann die Bohnen dazu gethan und
Alles vollends mit einander weich gedämpft. Sind die Bohnen weich,
ſo ſtreut man ein wenig Mehl darauf, ein wenig Fleiſchbrühe, Mus=
katnuß und etwas Zucker. Die Bohnen ſind auf dieſe Art ſehr
ſchmackhaft und gut.

96. Bohnen auf gewöhnliche Art.

Die Bohnen werden ebenfalls gepuzt, gewaſchen und mit kochen=
dem Waſſer ans Feuer geſezt. Sind ſie weich, ſo werden ſie abge=
ſchüttet, man nimmt ein Stück Fett in eine Pfanne, röſtet 2 Löffel
voll Mehl braun darin und thut Zwiebeln, Peterſilie und Bohnen=
kraut dazu; dieſes wird mit einem halben Schöpflöffel voll Fleiſchbrühe
abgelöſcht und damit aufgekocht. Man ſchüttet dieſes an die Bohnen
und läßt ſie noch eine halbe Stunde kochen.

Anmerkung. Die Gemüſe ſind ſehr ſchmackhaft und gut, wenn ſie
alle mit kochendem Waſſer ans Feuer geſezt werden. Sie behalten dann die
ſchöne grüne Farbe.

97. Erbſen.

Die Erbſen werden ausgeleſen, über Nacht in kaltes Waſſer
gelegt, gewaſchen, mit kaltem Waſſer zugeſezt, weich gekocht, durch
einen Seiher getrieben, in einem Stück Butter oder Schweinsfett ein
wenig Mehl geröſtet, an die Erbſen geſchüttet und nochmals mit
dieſem aufgekocht.

98. Brockelerbsen.

Die Brockelerbsen werden ausgemacht, ausgelesen, daß die von Würmern angefressenen Erbsen wegkommen, Petersilie und Zwiebel in einer Casserolle mit einem Stück Butter gedämpft, die Brockel= erbsen dazu gethan und Alles weich gedämpft; dann streut man ein wenig Mehl darüber, gießt etwas Fleischbrühe daran und läßt sie eine Viertelstunde kochen.

99. Brockelerbsen mit Hühnern (für eine Tafel von 40 Personen).

Die Brockelerbsen werden in einer Casserolle mit einem Stück Butter, einer Hand voll gewiegter Petersilie und Zwiebel eine halbe Stunde gedämpft; dann werden 6 sauber gepuzte junge Hühner auch eine halbe Stunde lang gedämpft, der Saft von den Hühnern wird an die Brockelerbsen gethan, ein kleiner Kochlöffel voll Mehl, nebst 2 Loth Zucker dazu; man läßt es miteinander aufkochen, schneidet die Brust und die Schlägelchen von den Hühnern weg, richtet die Brockelerbsen auf eine Platte an, garnirt sie mit den Hühnern und streicht sie mit zerlassenem Consommé an.

100. Linsen mit Fasan.

Man bratet den Fasan halbgar (siehe unter Braten), läßt ein Achtel gute böhmische Linsen, welche sauber gelesen und ge= waschen worden sind, im Salzwasser weich kochen, treibt sie durch einen Seiher, gießt ein Glas Essig daran und thut die Hälfte von den Linsen in eine Schüssel, legt den Fasan, dem man die Brust sammt Schenkeln und Schlägeln ausschneidet, auch in die Schüssel, die andere Hälfte von den Linsen darüber, stellt sie in ein Bratrohr und läßt sie eine Kruste ziehen.

101. Hopfen mit Kalbshirn.

2 bis 3 Hände voll in Büscheln gebundene Hopfen werden mit einer Hand voll Salz weich gekocht. Sodann werden 4 Kalbshirn in einer Pfanne mit halb Essig halb Wasser so gesotten, daß nur ein einziger Sud darüber geht. Petersilie und Körbelkraut, je eine Hand voll, Schnittlauch, Schalottenzwiebeln werden gewiegt und in einer Casserolle, worin zerlaufene Butter ist, mit Salz, Pfeffer, Mus= katnuß und dem Hirn eine Viertelstunde lang gedämpft; nach diesem ein wenig Fleischbrühe, der Saft von einer halben Citrone daran gegossen, 3 Finger voll Mehl daran gestreut und das Ganze ein wenig gerüttelt. Beim Anrichten wird das Hirn mitten auf die Platte, um das Hirn her der Hopfen gelegt und die Sauce darüber gegossen.

102. Kartoffelbrei.

Weiße Kartoffeln schält man roh ab, thut ein Stück Butter in eine Casserolle, die Kartoffeln dazu, einen Schöpflöffel voll Wasser daran und läßt sie darin weich kochen; dann reibt man sie durch ein

3 *

Haarsieb, thut sie wieder in eine Casserolle, gießt eine halbe Maas Milch dazu und ein Stück Butter, rührt den Brei eine Viertelstunde miteinander und stellt ihn wieder auf Kohlen, daß er heiß wird. Beim Anrichten läßt man Butter in einem Pfännchen heiß werden, richtet den Kartoffelbrei auf eine Platte an und gießt die Butter darüber.

103. Gefüllte Kartoffeln.

Man sucht schöne gleiche Kartoffeln von mittlerer Größe aus, schält sie ab, schneidet oben ein Deckelchen weg, höhlt sie aus und macht folgende Fülle: einen halben Vierling geschnittenen Speck läßt man in einer kleinen Kachel zergehen und dämpft sein ge= wiegte Zwiebeln und Petersilie darin, dann kommt noch ein abge= riebener, eingeweichter, fest ausgedrückter Wecken dazu, ein halbes Pfund fein gewiegtes übriggebliebenes Fleisch, 2 bis 3 Eier, Salz, Mus= katnuß, Pfeffer, Citronen und Citronensaft; die Kartoffeln werden damit ausgefüllt, das Deckelchen oben darüber gedeckt und in einer Bratpfanne mit einem Stück Butter weich gekocht. (Es ist noch besser, wenn man einen Deckel mit Kohlen auf die Bratpfanne sezt.)

104. Kartoffeln mit Schinken.

Die Kartoffeln werden roh geschält und zu einem Stück Butter in eine Casserolle gethan; man gießt etwas Milch dazu, läßt sie darin weich dämpfen, wiegt ein halbes Pfund Schinken, thut ihn unter die Kartoffeln, thut noch einen halben Schoppen sauren Rahm, Salz und Muskatnuß daran, schüttelt Alles durcheinander (man darf es aber nicht rühren) und läßt es vollends auskochen.

105. Kartoffeln mit Häring.

Man siedet gute Kartoffeln nicht sehr weich, schält sie, schneidet sie in kleine Stückchen, drückt von 6 hartgesottenen Eiern das Gelbe durch ein Haarsieb an einen halben Schoppen sauren Rahm, thut Salz und Pfeffer dazu, rührt Alles gut durcheinander, bestreicht eine Platte mit Butter, überlegt sie mit den geschnittenen Kartoffeln, dar= auf mit etwas Häring und dann mit etwas von den gerührten Eiern; so macht man fort bis Alles auf der Platte ist, legt oben darauf etwas Butter und stellt die Platte in ein Bratrohr, daß die Speise oben gelb wird.

106. Karviol.

Die Blumen werden vom Stängel genommen, abgezogen und im Salzwasser weich gekocht. Man macht folgende Sauce daran: 3 Kochlöffel voll Mehl rührt man in einer Casserolle mit kaltem Wasser glatt, 3 Eier und ein Stückchen Butter dazu, Salz und Muskatnuß darein; diese Sauce richtet man über den Karviol an.

107. Karviol anderer Art.

Der Karviol wird ebenso behandelt, wie der vorige. Man siedet 25 Krebse, löst die Schwänze ab, das Uebrige stößt man im

Mörfer ganz fein mit Butter, läßt es in einer Cafferolle in einem Stück Butter fo lange dämpfen, bis es einen Schaum wirft, dann läßt man es mit Waffer oder Fleifchbrühe dämpfen, nimmt die Krebs= butter ab, röftet diefe in einer Cafferolle mit 2 Löffeln voll Mehl, löfcht fie mit kaltem Waffer ab und läßt fie mit Fleifchbrühe auf= kochen. Dann werden 2 Eier in einem Gefchirr verklopft, von der Krebsbrühe daran gegoffen und Alles über den Karviol gefchüttet.

108. Kohl oder Wirfing.

Der Kohl wird verlefen, die Rippen davon gefchnitten, dann wird er im Salzwaffer weich gefotten, in einen Durchfchlag gefchüttet, daß das Waffer abläuft, und wenn er auf der Platte ift, mit Zwie= beln und Peterfilie, welche mit einem Stück Butter gedämpft worden, abgefchmälzt.

109. Wirfing anderer Art.

Der Wirfing wird verlefen, die Rippen davon gefchnitten, gewafchen, eine Viertelftunde in einem Stück Butter mit Zwiebeln und Peterfilie gedämpft, ein wenig Mehl, Pfeffer und Muskatnuß darauf geftreut und Fleifchbrühe daran gegoffen.

110. Wirfing mit geräuchertem Fleifch und Feldhühnern.

Der Wirfing wird wie blaues Kraut gekocht, die Feldhühner ganz fervirt und etwas geräuchertes Fleifch dazu gegeben, damit er defto fchmackhafter ift.

111. Wirfing mit Schweinsfüßen und Ohren.

Der Strunk und die Rippen werden vom Wirfing gefchnitten, dann läßt man ihn im kochenden Waffer nur 2 Sud thun, legt ihn in kaltes Waffer, nimmt ein Stück Butter oder Schweinsfett in eine Cafferolle, wiegt einige Schalottenzwiebeln, legt diefe mit 2 Lorbeer= blättern, 4 Nelken und die ausgedrückten, in 4 Theile gefchnittenen Wirfingköpfen in die Cafferolle, deckt fie zu und läßt fie auf Kohlen ftark dämpfen. Man gießt nun einen Löffel voll Bouillon daran, legt ein Stück rohen Schinken dazu, läßt Alles mit einander weich kochen, thut noch ein Stück Butter und noch einen Kochlöffel voll Mehl daran, etwas Mußkatnuß und Salz, richtet den Wirfing auf eine Platte an, zieht die Sauce, worin er kochte, durch ein Haar= fieb an den Wirfing und garnirt die Platte mit Schweinsfüßen und Ohren.

112. Gefüllter Kohl.

Der Kohl wird verlefen, gewafchen und im Salzwaffer gekocht. Man macht folgende Fülle: Fleifch, was man nun für welches hat, wiegt man, nebft Zwiebeln und Peterfilie, fein, nimmt 2 abgeriebene, eingeweichte, feft ausgedrückte Werken dazu, rührt 3 bis 4 Eier daran, taucht ein Tuch in kaltes Waffer, legt eins ums andere von den Kohlblättern darauf, ftreicht auf jedes einen Löffel voll von der

angegebenen Fülle, bindet das Tuch feſt zuſammen und kocht den
Kohl ſo im Salzwaſſer weich. Man kann entweder eine Butterſauce
daran machen, oder Jus dazu geben.

113. Roſenkohl.

Der Kohl wird ſauber geputzt, gewaſchen, mit kochendem Waſſer
zugeſezt, weich gekocht, in einen Durchſchlag geſchüttet, kaltes Waſſer
darüber gegoſſen, in einer Caſſerolle, worin Zwiebeln und Peterſilie in
einem Stücke Fett gedämpft worden, eine Viertelſtunde gekocht, Mehl,
Salz, Pfeffer, Muskatnuß, Fleiſchbrühe daran gethan und mit dieſen
vollends ausgekocht.

Anmerkung. Bei dieſer Art von Gemüſen iſt das Mehlſtreuen beſſer
als das Röſten.

114. Winterkohl.

Der Kohl wird abgeſtreift, gewaſchen, mit einem Stück Fett
und kochendem Waſſer beigeſezt, weich gekocht, abgeſchüttet und eine
Viertelſtunde in kaltem Waſſer liegen gelaſſen; dann wird er feſt
ausgedrückt, nebſt Zwiebeln fein gewiegt, in einer Caſſerolle mit einem
Stück Schweins= oder Gänſefett, worin 3 Löffel voll Mehl geröſtet
worden, eine Viertelſtunde gedämpft, ein Schöpflöffel voll Fleiſch=
brühe daran gegoſſen, nebſt Salz und Muskatnuß. — Man kann
ihn, wenn er auf der Platte iſt, mit glacirten Kaſtanien garniren.

115. Gedämpfte Kohlrabi.

Die Kohlrabi werden ſauber geſchält, fein geſchnitten, geſalzen,
zugedeckt, eine Stunde ſtehen gelaſſen, mit kochendem Waſſer zugeſezt,
weich gekocht, abgeſchüttet und kaltes Waſſer daran gegoſſen, daß ſie
weiß bleiben; dann dämpft man in einer Caſſerolle mit einem Stück
Butter fein gewiegte Zwiebeln und Peterſilie, läßt die Kohlrabi eine
Stunde darin kochen und ſtreut 3 Finger voll Mehl darauf, rührt
ſie um und gießt 1 Löffel voll weiße Bouillon daran; auch Pfeffer
und Muskatnuß.

116. Gefüllte Kohlrabi.

Man nimmt ſchöne, halb ausgewachſene, gleich große Kohlrabi,
ſchält ſie, ſchneidet das Herzblatt ſammt dem Deckel oben weg, kocht
ſie weich, gießt ſie durch ein Haarſieb ab und ſchüttet kaltes Waſſer
darüber. Nun höhlt man die Kohlrabi aus und macht folgende Fülle
dazu: ein Stück kalter Braten wird gewiegt, ein eingeweichter und
ausgedrückter Wecken, nebſt 3 Eiern, Salz, Muskatnuß, fein ge=
wiegten Zwiebeln und Peterſilie miteinander vermengt, in einer Caſ=
ſerolle in einem Stück Butter gedämpft, die Kohlrabenköpfe damit
angefüllt, in einer Bratpfanne mit ein wenig Fleiſchbrühe auf Kohlen
geſezt, die abgeſchnittenen Deckelchen wieder darauf gelegt, Alles noch
ein wenig gedämpft und eine Butterſauce daran gemacht.

117. Gelbe Bodenkohlrabi.

Diefe werden gefchält, gewafchen, in Blätter oder in vier=
eckige Stückchen gefchnitten, in einem Stück Butter weich gedämpft,
Mehl darauf geftreut, Fleifchbrühe daran gegoffen und noch eine
Weile gekocht; wenn man will, kann man auch ein wenig Zucker
dazu nehmen.

118. Baierifch Kraut.

Daffelbe wird fein eingefchnitten, ein wenig gefalzen und mit
einem Stück Schweinefett und Zwiebeln in einer Cafferolle weich ge=
dämpft; ift es weich, fo gießt man ein halbes Glas Effig daran,
ein Glas Wein, etwas Fleifchbrühe, ftreut ein wenig Mehl darauf,
macht es unter einander und läßt es auskochen.

119. Blaues Kraut.

Das Kraut wird fein eingefchnitten, in einer Cafferolle eine fein=
gefchnittene Zwiebel gedämpft, das Kraut dazu gethan, ein Gläschen
Effig daran gegoffen, eine Stunde lang gedämpft und wenn es recht
weich ift, ein wenig Mehl darauf geftreut, Fleifchbrühe daran gefchüttet,
und Zucker nach Belieben, noch ein halbes Glas Wein und Pfeffer
und Salz nach Gutdünken daran gethan.

120. Weißes Kraut mit faurem Rahm.

Man fticht den Strunk von 2 bis 3 Krautköpfen aus, legt
fie eine Stunde in frifches Waffer, kocht fie im Salzwaffer halb weich,
läßt fie in einem Seiher ablaufen, fchneidet jeden Kopf in zwei Theile,
bindet ihn mit Bindfaden wieder feft zufammen, legt das Kraut mit
einem Stück Butter in eine Cafferolle, thut gewiegte Zwiebeln, Peterfilie,
Körbelkraut, Eftragon, Thimian und Bafilikum dazu, auch ein Stück
geräuchertes Fleifch, deckt die Cafferolle zu, kehrt das Kraut öfters
um und gießt etwas Jus daran, wenn es keinen Saft mehr haben follte.
Ift das Kraut nun bald weich, fo ftreut man ein wenig Mehl
darauf, falzt es, thut Muskatnuß und Pfeffer dazu, gießt eine halbe
Stunde vor dem Serviren eine halbe Maas dicken, fauren Rahm
daran, nimmt das Fleifch heraus, fchneidet es in Stückchen, richtet
das Kraut an, macht die Bindfäden los und garnirt es mit dem
geräucherten Fleifch.

121. Gedämpftes weißes Kraut.

Das Kraut wird fein gefchnitten, die Rippen davon genommen,
ein Stück Butter und ein Stück Zucker, fo groß wie ein Hühnerei,
in eine Cafferolle gethan; ift der Zucker und Butter fchön gelb, fo legt
man das Kraut hinein, läßt es weich dämpfen, ftreut Mehl darauf,
gießt einen halben Schöpflöffel voll Fleifchbrühe oder Jus daran und
läßt es auskochen.

122. Gefülltes weißes Kraut.

1 Kopf weißes Kraut wird in Salzwasser halb weich gekocht und eine Fülle von Folgendem dazu gemacht: zu 1 Pfund Schweinbrät wird 1 eingeweichte, fest ausgedrückte Wecke, Zwiebeln, Petersilie, fein gewiegt und 3—4 Eier genommen, der Kopf bis auf das Herzblatt abgeblättert, 1 Löffel voll von der Fülle auf jedes Blatt gestrichen, der Kopf wie vorher zusammengemacht, mit einem Bindfaden fest gebunden, in eine Bratpfanne gesezt, ein wenig Fleischbrühe daran gegossen, im Ofen gebacken und entweder eine Buttersauce daran gemacht oder mit Jus gegeben.

123. Baierische Rüben.

Die Rüben werden rein gewaschen, geschabt, in einer Casserolle mit Schweinfett, ein wenig Fleischbrühe oder warmem Wasser eine Stunde gekocht, und wenn sie weich sind, legt man ein Stück Schweinfleisch dazu, röstet in einer Pfanne ein paar Löffel voll Mehl in einem Stück Fett braun, löscht es mit Fleischbrühe ab, rührt es glatt, schüttet es an die Rüben und läßt diese noch eine halbe Stunde kochen.

124. Baierische Rüben mit Kastanien.

Die Rüben werden, wenn sie gepuzt und geschnitten sind, im Zucker gebräunt, die Kastanien, gebraten mit einem Schweinsfuß und einem Schweinsohr, dazu gelegt; wenn Alles weich ist, schneidet man etliche gebratene Bratwürste in kleine Stückchen, nimmt sie auch dazu und richtet nun die Rüben an.

125. Gelbe Rüben.

Die gelben Rüben werden abgeschabt, lang und fein geschnitten und in einer Schüssel voll lauem Wasser mit der Hand gerieben, daß alles Unreine davon kommt. Dann werden sie mit einem Stück Butter in einer Casserolle nebst fein gewiegten Zwiebeln weich gedämpft, hierauf kleine geschälte Kartoffeln dazu gethan und Alles miteinander weich gekocht. Man schüttet etwas Fleischbrühe daran und beim Anrichten kommen die gelben Rüben mitten in die Platte, die Kartoffeln werden um die Platte herumgelegt.

126. Gelbe Rüben anderer Art.

Die Rüben werden ebenso wie die vorigen zubereitet; sie werden in einer Casserolle mit feingewiegten Zwiebeln und Petersilie in Butter weich gedämpft, ein halber Schoppen guter süßer Rahm daran gegossen, mit ein wenig Mehl und Zucker bestreut und so noch eine Viertelstunde gekocht.

127. Weiße Rüben.

Die Rüben werden abgeschabt, fein und lang geschnitten, wie geschnittene Nudeln, gewaschen und in einer Casserolle mit einem Stücke Fett weich gedämpft. Dann streut man ein wenig Mehl darüber und gießt 2 Eßlöffel voll sauren und eben so viel süßen Rahm daran.

128. Weiße Rüben anderer Art.

Die Rüben werden ebenfalls wie bei No. 127 vorbereitet; 3 Loth Zucker röstet man in einer Casserolle mit Fett schön gelb, thut die Rüben dazu und läßt sie eine Stunde lang kochen; sind sie weich, so streut man einen Löffel voll Mehl darüber und macht sie mit einem Kochlöffel untereinander, gießt einen Löffel voll Fleischbrühe daran und läßt sie noch eine Stunde kochen.

129. Weiße Rüben auf polnische Art.

Nachdem die Rüben geschält und geschnitten sind, werden sie im heißen Schmalz gebacken, in einer Casserolle mit Bouillon oder Jus gekocht, ein wenig Mehl darauf gestreut, Zucker dazu genommen und noch einmal mit aufgekocht. Man kann Carbonade, Schaf- oder Schweinfleisch dazu geben.

130. Sauerkraut mit saurem Rahm.

Man drückt das Kraut fest aus, legt ein Stück geschnittenen Speck, 2 große Zwiebeln, fein geschnitten, und das Kraut in eine Casserolle, legt ein Stück von einem Hasen, einer wilden Ente, oder ein Stück geräuchertes Fleisch dazu und läßt Alles miteinander dämpfen; sollte das Kraut keinen Saft mehr haben, so muß saurer Rahm daran gegossen werden. Eine Viertelstunde vor dem Serviren streut man 3 Finger voll Mehl und 1 Messerspitze voll Pfeffer auf das Kraut und gibt es mit dem Fleisch zu Tische.

331. Sauerkraut mit Hecht.

Das Sauerkraut wird mit Wein, Cognak oder Arak weich gekocht; dann läßt man es in einem Haarsieb gut ablaufen. Hat man einen übrig gebliebenen Hecht, so ist es gut, wo nicht, so siedet man einen solchen blau ab, gräthet ihn aus und schneidet ihn in kleine Stückchen. Frisch gesottene Kartoffeln werden nun geschält, in Scheiben geschnitten, und in ein Aufzugblech zuerst Kartoffeln, dann Kraut, dann der Hecht gelegt, wieder Kraut, oben darauf noch einmal Kartoffeln, und so fort, bis das Geschirr voll ist. Man rührt einen halben Vierling Butter und einen Kochlöffel voll Mehl mit einem Ei an, gießt dieses über das Kraut, backt es im Ofen und stürzt es vor dem Auftragen auf eine Platte.

132. Sauerkraut mit Lerchen.

Das Kraut wird mit Schweinfett, Zwiebeln und einer Bouteille Champagner weich gekocht; die Lerchen rupft man, nimmt die Augen heraus, steckt den Kopf auf die Brust, dreht die Füße, steckt 6—7 Lerchen an einen hölzernen Zweck und läßt sie in einer Casserolle mit einem Stück Fett, Zwiebeln, Lorbeer, ganzem Pfeffer und Nelken eine Stunde kochen. Wenn sie schön gelb sind, richtet man das Kraut an, legt die Lerchen schön darauf, aber so, daß man ihre Köpfe sehen kann, und legt oben darauf wieder Kraut; doch müſſen die Köpfe immer ſichtbar bleiben.

133. Sauerkraut mit Feldhühnern.

Das Kraut wird in einer Caſſerolle mit Schweinfett, Zwiebeln und einem Glas Wein weich gekocht; die Feldhühner werden dreſſirt, in Speck eingebunden, Salz, Pfeffer, Citronen, Nelken, Muskatblüthe, Lorbeerblätter, Zwiebeln, gelbe Rüben, Sellerie und Citronenkraut dazu gelegt, ein wenig Fleiſchbrühe daran gegoſſen und in einer zugedeckten Caſſerolle eine Stunde lang gedämpft. Man nimmt nun den Deckel von der Caſſerolle, läßt die Hühner ſchön gelb braten, ſchneidet die Bruſt von ihnen ab, richtet das Kraut an, legt die Brüſte ſchön darauf und gießt das Fett, worin ſie gebraten wurden, über das Kraut.

134. Schwarzwurzeln.

Man ſchabt die Wurzeln ſauber ab und legt ſie in ein Geſchirr mit kaltem Waſſer, worein man eine Hand voll Mehl thut; ſind die Wurzeln alle geſchabt, ſo reibt man ſie mit der Hand ſauber aus (ſie dürfen nur halbfingerlang geſchnitten werden), thut ſie in eine Caſſerolle, knetet einen halben Vierling Butter mit einer Hand voll Mehl, legt es auf die Schwarzwurzeln, gießt ein wenig Fleiſchbrühe, Salz und Muskatnuß nach Belieben daran und läßt ſie weich kochen.

135. Schwarzwurzeln anderer Art.

Sie werden gewaſchen, gepuzt, gereinigt und im Salzwaſſer weich geſotten; dann ſchält man Kartoffeln ab, ſchneidet ſie in 4 Theile, nimmt ein Stück Butter in die Caſſerolle, die Kartoffeln und ein wenig ſüße Milch dazu und dämpft ſie weich. Salz und Muskatnuß kommt auch daran. Iſt Alles weich, ſo legt man die Schwarzwurzeln zu den Kartoffeln und gießt noch einen halben Schoppen ſauren Rahm daran.

136. Gebackene Schwarzwurzeln.

Diese werden gepuzt, gewaſchen, in fingerlange Stückchen geſchnitten, im Salzwaſſer weich gekocht und folgender Teig gemacht: 2 Hände voll Mehl rührt man mit 1 Schoppen Weißbier oder Wein glatt, drückt die Schwarzwurzeln in dieſen Teig, backt ſie in einer Pfanne mit heißem Schmalz ſchön gelb und macht entweder eine Butterſauce dazu, oder gibt man ſie trocken zum Spinat.

137. Spargeln.

Die Spargeln werden gepuzt, geſchabt, das Weiße davon geſchnitten, und in einer meſſingenen Pfanne in kochendem Waſſer mit einer großen Hand voll Salz weich gekocht, auf eine Platte angerichtet und folgende Sauce dazu gemacht: 2 Kochlöffel voll Mehl rührt man in einer meſſingenen Pfanne mit kaltem Waſſer glatt an, ſchlägt 3 Eiergelb darein, den Saft von einer halben Citrone, drei Löffel voll dicken ſauren Rahm, Salz, Muskatnuß, etwas Fleiſchbrühe und läßt dieſes unter immerwährendem Rühren, damit es nicht gerinnt, auf den Kohlen aufkochen.

138. Spinat.

Der Spinat wird sauber gelesen und gewaschen, mit Salzwasser zugesezt und weich gekocht, eine Stunde in kaltes Wasser gelegt, fest ausgedrückt, mit einem Zwiebel fein gewiegt, 2 Löffel voll Mehl in einem Stück Butter hellgelb geröstet, der Spinat darin gedämpft, ein Löffel voll Fleischbrühe daran gegossen und so gekocht. (Muskatnuß kann man auch daran reiben.)

139. Fischpudding.

Ein Pfund Fischbrät, ein eingeweichter, fest ausgedrückter Wecken, eine große, feingewiegte Zwiebel, welcher in ½ Viertl. Butter gedämpft wurde, wird mit 3 Eiern eine Viertelstunde gerührt, ½ Quart Milch, Salz und Muskatnuß dazu genommen, Alles noch einmal durcheinander gemacht, die Masse in ein nasses Tuch fest eingebunden, in kochendem Wasser eine Stunde gelassen und eine Brieschensauce dazu gemacht. — Ein Brieschen wird gereinigt, mit einer Zwiebel und dem Gelben von einer Citrone fein gewiegt, in einer Casserolle mit einem Stück Butter und dem Gewiegten gedämpft, ein halber Kochlöffel voll Mehl darauf gestreut, mit kaltem Wasser glatt gerührt, mit einem Löffel voll guter Fleischbrühe aufgekocht, Salz und der Saft von einer halben Citrone dazu genommen, der Pudding auf die Platte gelegt und die Sauce darüber gegossen. — Fischbrät wird auf folgende Art gemacht: Man schuppt und puzt den Fisch sauber, schabt das Fleisch von den Gräten, legt es ein wenig in Milch und wiegt es dann recht fein.

140. Kartoffelknopf mit Schinken.

Gesottene, kalte Kartoffeln reibt man am Reibeisen, wiegt ein halbes Pfund magern Schinken, nimmt einen eingeweichten und ausgedrückten Wecken, nebst feingewiegten Zwiebeln, läßt ein Viertelpfund Butter in einer Schüssel zerlaufen, thut alles Obige nebst 5 bis 6 Eiern dazu, auch Schnittlauch, Salz und Muskatnuß, bindet die Masse in ein nasses Tuch, läßt sie eine Stunde im Salzwasser kochen, richtet den Knopf an und schmälzt ihn mit Butter und Brod ab.

141. Krebspudding.

Von 25 Krebsen nimmt man die Galle und Schwänze weg, stoßt leztere mit Butter recht fein, dämpft mit einem Viertelpfund Butter in einer Casserolle das Gestoßene so lange, bis es Schaum gibt, läßt sie mit Wasser oder Fleischbrühe aufkochen, nimmt die Krebsbutter oben weg, gießt sie in kaltes Wasser, rührt sie in einer Schüssel ganz weiß, nimmt die Hälfte davon zu 2 eingeweichten, fest ausgedrückten Wecken, 5 Eiergelb, 1 geriebenen Muskatnuß, Salz, dem Schnee von den 5 Eierweiß, rührt Alles recht untereinander, legt die Krebs-

ſchwänze auf ein naſſes Tuch, füllt die Maſſe darauf, bindet das Tuch
zu, kocht den Pudding in kochendem Waſſer eine Stunde lang, und
macht folgende Krebsſauce: die zweite Hälfte der Krebsbutter kommt
mit 1 Kochlöffel voll Mehl in eine Caſſerolle, wird einige Mal darin
umgewendet, mit Waſſer abgelöſcht, mit Fleiſchbrühe aufgefüllt, etwas
von der Krebsbrühe, 1 Meſſerſpitze voll Muskatblüthe, Salz, 1 Löffel
voll ſaurer Rahm dazu genommen und miteinander aufgekocht, wenn
es Zeit zum Anrichten iſt, rührt man 2 Eiergelb daran und gießt
die Sauce an den Pudding.

142. Italieniſcher Makaronipudding mit Schinken.

Man kocht ein Viertelpfund Makaroni im Salzwaſſer oder in
Fleiſchbrühe, zieht ſie durch kaltes Waſſer und läßt ſie ablaufen;
ſodann wiegt man ein halbes Pfund magern Schinken und macht dieſes
Alles in einer Schüſſel mit einer Hand voll geriebenem Parmeſankäs,
einem halben Schoppen ſauren Rahm, geriebener Muskatnuß unter=
einander, bindet die Maſſe in ein naſſes Tuch, läßt ſie eine Stunde
im Salzwaſſer kochen, richtet den Pudding auf eine Platte an und
ſchmälzt ihn mit naſſer Butter.

143. Nudelnpudding mit Morcheln.

Man macht Nudeln von 2 Eiern, gießt Salzwaſſer daran, zieht
ſie durch kaltes Waſſer, läßt ſie ablaufen, rührt in einer Schüſſel
1 Schoppen ſauren Rahm, 3 ganze Eier, 2 geſchnittene Brieschen,
1 große Hand voll Morcheln, Salz und Muskatnuß mit den Nudeln
durcheinander, bindet Alles in ein naſſes Tuch, kocht den Knopf eine
Stunde in kochendem Salzwaſſer und gibt folgende Butterſauce dazu:
ein Stück Butter, 1 feingewiegte Zwiebel und gewiegte Citronenſchalen
läßt man in einer kleinen Caſſerolle mit 1 Kochlöffel voll Mehl
gelb anlaufen, löſcht es mit kaltem Waſſer ab, gießt 1 Schöpflöffel
voll Fleiſchbrühe, ein halbes Glas Wein, von einer halben Citrone
den Saft daran, läßt Alles eine Viertelſtunde mit einander kochen,
ſezt den Pudding auf eine Platte und gibt die Sauce dazu.

144. Speckknopf.

Ein halbes Pfund Speck ſchneidet man in kleine Würfel und legt
die Hälfte davon in eine Schüſſel, die andere Hälfte läßt man in einer
Caſſerolle zerlaufen und röſtet für 2 Kreuzer Weißbrod, auch in Wür=
fel geſchnitten, darin; dann ſchneidet man noch einmal für 2 Kreuzer
Weißbrod in Würfel, feuchtet ſie mit heißer Fleiſchbrühe an, macht
das Geröſtete, nebſt 4 Eiern, Salz, Muskatnuß und 2 kleinen Koch=
löffeln voll Mehl untereinander, bindet Alles in ein naſſes Tuch, läßt
den Knopf eine Stunde kochen und gibt ihn zu eingemachtem Kalbfleiſch.

145. Spinatknopf.

2 Hände voll Spinat brüht man im Salzwaſſer ab, ſchüttet
ihn in einen Seiher, gießt kaltes Waſſer darüber, daß er ſchön grün

bleibt, drückt ihn fest aus und wiegt ihn recht fein. Nun wird ein halbes Pfund Kalbs= oder Schweinebraten mit einer halben Citrone fein gewiegt, 2 Wecken abgerieben, eingeweicht ausgedrückt, eine fein= gewiegte, gedämpfte Zwiebel dazu genommen, 6 Loth Butter in einer Schüssel schaumig gerührt, alles Obige dazu gethan, mit 6 Eiergelb, Salz, Muskatnuß, den Schnee von den 6 Eierweiß untereinander ge= mischt, die Masse in ein nasses Tuch gebunden und eine Stunde im kochenden Salzwasser gekocht und ein Fricassée daran gemacht auf folgende Art: ein Kochlöffel voll Mehl wird in einer messingenen Pfanne mit kaltem Wasser glatt gerührt, 2 Eiergelb daran geschlagen, 1 Schöpflöffel voll Fleischbrühe, 2 Löffel voll saurer Rahm mit Obigem gekocht und dieses über den Pudding angerichtet.

146. Arakpudding.

6 Löffel voll gestoßenen Zucker und 6 Eiergelb rührt man ganz dick, wie einen Biscuitteig, nimmt 4 Loth feines Mehl, ein halbes Glas Arak, den Schnee von den Eierweiß dazu, mischt Alles unter= einander, bestreicht eine blecherne Kapsel sammt Deckel mit Butter, füllt die Masse darein, bindet die Kapsel fest zu, stellt sie eine Vier= telstunde in kochendes Wasser und macht folgende Sauce zu dem Pudding: man schält 4 gute Aepfel, nimmt das Kernhaus heraus, dämpft sie in einem Stück Butter, treibt sie durch ein Haarsieb, läßt sie mit einem Schoppen Wein, einer Messerspitze voll Zimmt und einem Stück Zucker aufkochen und gießt die Sauce an den Pudding.

147. Schwarzbrodpudding.

5 Loth schwarzes Brod, das aber nicht sauer seyn darf, wird gerieben, wie auch eine ganze Muskatnuß, 2 Messerspitzen gestoßener Zimmt, 6 Loth abgeriebene, gestoßene Mandeln, 1 Messerspitze gestoßene Nelken, wird Alles mit einem Glase voll Malaga angefeuchtet, ein Vier= telpfund Butter in einer Schüssel leicht gerührt, obiges Alles darein gethan, 6 Eiergelb, ein Viertelpfund gestoßener Zucker, von einer halben Citrone die am Reibeisen abgeriebene Schale, der Schnee von den 6 Eierweiß recht miteinander verrührt, ein schönes Flädlein gebacken, dieses in ein nasses Tuch in Streifen kreuzweise in das Tuch gelegt, die Masse darauf gefüllt, das Tuch fest zugebunden, eine Stunde im kochenden Wasser gelassen und folgende Glühweinsauce dazu gemacht: Eine Bou= teille Wein läßt man in einem Geschirr mit 8 Loth Zucker zu einem Schoppen einkochen, richtet nun den Pudding an und gießt den Wein durch ein Haarsieb, in welchem ein Stück ganzer Zimmt und 6 Stück Nelken sind, an den Pudding.

148. Chokoladepudding.

Ein Viertelpfund Chokolade wird am Reibeisen abgerieben, von 2 Wecken oder Milchbroden die Rinde abgeschnitten, das Brod einge= weicht und ausgedrückt, ein Viertelpfund Butter leicht gerührt, ein Vier= telpfund abgezogene, mit Milch recht fein gestoßene Mandeln, ein

Viertelpfund fein gestoßener Zucker, 6 Eiergelb, der Schnee von den 6 Eierweiß wird Alles untereinander gerührt, eine blecherne Kapsel mit Butter
bestrichen, dann mit Zucker bestreut, die Masse in die Kapsel gefüllt,
diese eine Stunde im Dunst gekocht und folgende Sauce dazu gemacht:
3 Loth Chokolade werden mit so viel Milch, als dazu nöthig ist, in
einer messingenen Pfanne verrührt, eine Messerspitze gestoßener Zimmt
dazu genommen, miteinander aufgekocht, schaumig gesprudelt und an
den Pudding gegossen.

Anmerkung. Es ist üblich, daß die Sauce nur von der Seite an den
Pudding gegossen wird, weil es schöner aussieht.

149. Chokoladepudding auf feine Art.

Ein Viertelpfund Vanillechokolade, eine halbe Tasse voll guten süßen
Rahm, 8 Loth Butter und 4 Loth feines Mehl läßt man in einer messingenen Pfanne unter beständigem Rühren kochen, bis es sich von der
Pfanne ablöst, läßt es nun in einer Schüssel erkalten, rührt ein Viertelpfund abgezogene, gestoßene Mandeln, 6 Eiergelb, ein Viertelpfund gestoßenen Zucker, den Schnee von 6 Eierweiß miteinander, mengt dieses mit dem
Obigen zusammen, bestreicht eine Puddingkapsel mit Butter, bestreut sie
mit Zucker, stellt sie in ein Geschirr mit kochendem Wasser, läßt den
Pudding eine Stunde lang kochen und macht folgende Sauce dazu:
eine halbe Maas Milch, ein Stück Vanille und ein Stück Zucker läßt
man miteinander kochen, verklopft 2 Eiergelb, 3 Finger voll Mehl,
rührt sie mit kalter Milch glatt, schüttet dieses an die kochende Vanillemilch, läßt Alles unter beständigem Rühren miteinander aufkochen,
gießt die Sauce durch ein Haarsieb und schüttet sie über den Pudding.

150. Citronenpudding.

Ein Viertelpfund abgezogene Mandeln stößt man recht fein mit
Eierweiß oder Rosenwasser, rührt ein Viertelpfund Butter in einer
Schüssel leicht, nimmt ein Viertelpfund fein gestoßenen Zucker und
die Mandeln dazu, schlägt 7 Eiergelb daran, rührt es eine Viertelstunde miteinander, das Gelbe einer ganzen Citrone, am Reibeisen
abgerieben, und den Saft derselben nebst 2 Loth Geigenmehl und
2 Messerspitzen voll feines Mehl dazu, schlägt von 5 Eierweiß einen
dicken Schnee und mengt ihn mit dem Uebrigen zusammen. Sodann
wellt man einen Butterteig messerrückendick aus, schneidet mit einem
Backrädchen fingerbreite Streifen davon, belegt eine Casserolle
oder sonst ein Blechgeschirr so damit, daß die Streifen über das
Blech hängen und ineinander geflochten sind; dann füllt man die
Masse darein, schneidet die Streife ringsum davon und läßt es im
Backofen schön backen (es braucht 1½ Stunde dazu), stürzt es auf
eine Platte und macht folgende Sauce dazu: man nimmt 1 Schoppen Wein in eine messingene Pfanne, thut 4 Loth Zucker darein, läßt
es miteinander kochen, schlägt 2 Eiergelb in ein Geschirr, 2 Messerspitzen voll feines Mehl dazu, rührt es mit kaltem Wasser glatt an,
gießt ein halbes Glas Arak dazu, rührt den kochenden Wein dazu,

thut es nochmals in die Pfanne und läßt es anziehen, zieht es durch ein Haarsieb und gibt es besonders zur Tafel.

151. Citronenpudding in Aprikosensauce.

In einer messingenen Pfanne läßt man einen Schoppen Wasser mit einem Viertelpfund Butter eine Viertelstunde kochen, dann werden ein Viertelpfund Zucker, woran 2 Citronen abgerieben wurden, der Saft von einer Citrone, 4 Loth feines Mehl, 2 Loth bittere und 2 Loth süße Mandeln ebenfalls so lange mit Obigem gekocht, bis sich die Masse von der Pfanne losschält. Dann nimmt man es in eine Schüssel, schlägt nach und nach 6 Eiergelb daran, das Weiße von den Eiern, zum Schnee geschlagen, langsam darunter, streicht eine blecherne Kapsel mit Butter, bestreut sie dann mit Zucker und füllt die Masse darein, macht die Kapsel fest zu, stellt sie in eine bedeckte Casserolle mit siedendem Wasser, läßt den Pudding 1½ Stunden kochen und macht folgende Sauce dazu: 8 Stücke ausgesteinte Aprikosen läßt man in einer kleinen Casserolle mit 1 Schoppen Wein, 1 Schoppen Wasser und 6 Loth Zucker eine Viertelstunde kochen, treibt dieses durch einen Seiher, thut es dann noch einmal in die Casserolle, läßt es wieder heiß werden, richtet den Pudding an und gießt die Sauce darüber.

152. Englischer Pudding.

Von 1 Pfund Ochsennierenfett, sauber abgehäutet und fein gewiegt, einem halben Pfund großen und eben so viel kleinen Weinbeeren, einem halben Pfund gestoßenem Zucker, dem gewiegten Gelben von einer Citrone, 8 Loth geriebenen Wecken, 1 Kochlöffel voll feinem Mehl, einem halben Glas Arak und 5 Eiern macht man auf einem Nudelnbrett, worauf ein wenig Mehl gestreut worden, einen gutgearbeiteten Teig, treibt ihn aus, so gut man kann, legt ein reines Tuch auf ein Kopfkissen und zieht ihn auf diesem so fein wie möglich aus, läßt ihn ein wenig darauf abtrocknen, legt ihn dann wieder aufs Nudelnbrett, streicht den halben Theil von dem Angerührten darüber, alle Arten von eingemachten Früchten, nebst ungefähr 8 Stück geschälten, in Scheiben geschnittenen guten Aepfeln dazu, auf diese die andere Hälfte von dem Gerührten, rollt nun den Pudding zusammen, formirt ihn zu einer Schnecke, bindet ihn fest in ein nasses Tuch ein, läßt fingerbreit oben leer, läßt ihn im kochenden Wasser 4 Stunden lang fortkochen und macht folgende Sauce dazu: 1 Schoppen Milch wird mit einem Stück Zucker siedend gemacht, 3 Eiergelb in einem Topfe verklopft und diese an die siedende Milch gegossen, ein halbes Glas Arak dazu genommen, und wenn der Pudding auf der Platte liegt, diese Sauce darüber gegossen.

153. Englischer Pudding anderer Art.

Ein Viertelpfund Butter rührt man in einer Schüssel ganz schaumig, stößt ein Viertelpfund abgezogene Mandeln mit Eierweiß recht fein, sodann werden ein Viertelpfund Zucker, woran eine Citrone abgerieben wurde, ein abgeriebener, eingeweichter und fest ausgedrückter

Wecken, 6 Eiergelb, das Weiße davon zu Schnee geschlagen, ein Viertelpfund Zibeben und Rosinen mit den gestoßenen Mandeln recht schaumig gerührt (nur darf der Schnee zuletzt dazu gethan werden); nun breitet man ein nasses Tuch auseinander, legt in die Mitte desselben eine halbe, ausgesteinte Aprikose, neben herum große Zibeben, füllt die Masse darauf, bindet das Tuch so zu, daß Finger breit leer bleibt, läßt ihn eine Stunde in wenig gesalzenem Wasser kochen und macht folgende Citronensauce dazu: 2 am Zucker abgeriebene Citronen werden mit einem Kochlöffel voll Mehl und kaltem Wasser gerührt, 1 Schop=pen Wein daran gegossen, der Citronenzucker dazu genommen, so wie auch der Saft derselben, und diese Sauce an den Pudding gegossen.

Anmerkung. Das Brod muß zu allem Pudding in Wasser eingeweicht werden; es ist viel feiner und luftiger, als in der Milch.

154. Englischer Pudding anderer Art.

9 Loth Ochsennierenfett wird recht fein gewiegt, 20 Loth Mehl werden mit der Hand gerieben und in das gewiegte Fett gerührt; an 8 Loth fein gestoßenen Zucker, eine halbe Citrone, am Reibeisen abge=rieben, 8 Loth Citronat und Pomeranzenschalen, fein gewiegt, 8 Loth kleine Weinbeeren, 8 Loth große Weinbeeren, sauber gewaschen, schlägt man 4 ganze Eier, macht Alles mit einem Kochlöffel durcheinander, wie einen Spatzenteig, bindet die Masse in ein in kaltes Wasser ge=tauchtes Tuch fest ein und thut sie ins kochende Wasser. Sie braucht drei Stunden zum Kochen. Man kann den Pudding mit Arak aus=brennen oder sonst eine beliebige Sauce dazu geben.

155. Pudding von geriebener Gerste.

Man macht von 2 Eiergelb und so viel Mehl, als diese an=schlucken, einen Teig, wiegt ihn recht fein, kocht ihn in einem Schoppen Milch und läßt ihn erkalten. Nun rührt man ein Viertelpfund Butter, 4 Loth an einer Citrone abgeriebenen Zucker, 2 Loth abgezogene, gestoßene Mandeln, 6 Eiergelb und den Schnee von 6 Eierweiß miteinander, füllt die Masse in eine mit Butter bestrichene und mit Zucker bestreute Kapsel, läßt den Pudding eine Stunde im kochenden Wasser und macht folgende Sauce: ein Viertelpfund Kirschen stößt man sammt den Steinen tüchtig, kocht sie eine halbe Stunde in einem Schoppen Wasser, treibt sie durch ein Haarsieb, gießt einen Schoppen Wein daran, nebst einem Kochlöffel voll Mehl, Zimmt und Nelken, rührt Alles recht glatt und läßt es mit einem Stück Zucker aufkochen. Wenn der Pudding angerichtet ist, gießt man die Sauce daran.

156. Hamburger Pudding.

Einen Schoppen Wasser und ein Viertelpfund Butter läßt man in einer messingenen Pfanne miteinander kochen, rührt es in einer Schüssel mit ein wenig Mehl locker durcheinander, daß es keine Knollen bekommt, nimmt ½ Viertl. kleine Weinbeeren und 3 Loth gestoßenen Zucker dazu, macht Alles untereinander, bindet es in ein nasses Tuch ein, läßt es eine halbe Stunde in kochendem Wasser und gibt gekochtes Obst, Zwetschgen, Kirschen oder Aprikosen dazu.

157. Kaiserpudding.

Man stößt ein halbes Pfund Mandeln mit Eierweiß so fein wie Brei, wiegt die Schale einer Citrone, ein Viertelpfund Zitronat und Pomeranzenschalen auch recht fein, rührt ein halbes Pfund Butter ganz schaumig, rührt Obiges mit 10 Eiergelb, einem am Reibeisen abgeriebenen, durch einen Seiher getriebenen weißen Kreuzerwecken und dem Schnee von 8 Eierweiß recht gut zusammen, wie zu einer Man= deltorte, bestreicht einen Puddingmodel mit Butter, bestreut ihn mit Zucker, füllt die Masse hinein, bestreicht auch den Deckel des Models mit Butter, macht ihn fest zu, stellt ihn in kochendes Wasser und läßt ihn eine starke halbe Stunde kochen. — Man macht folgende Sauce dazu: 1½ Schoppen Wein werden mit ein wenig Citronenschalen und ganzem Zimmt gekocht, 3 Eiergelb und 3 Finger voll Mehl mit kaltem Wasser glatt gerührt, der kochende Wein wird daran gegossen, mit dem Chokoladesprudel Alles so lange gesprudelt, bis es über sich steigt, der Pudding nun angerichtet und die Chaudeausauce durch ein Haar= sieb dazu gegossen.

158. Kirschenpudding.

Von 3 Wecken schneidet man die Rinde ab, weicht sie ein, drückt sie aus, stößt ein Viertelpfund abgeschälte Mandeln mit Eierweiß, rührt ein Viertelpfund Butter schaumig, nimmt ein Viertelpfund gestoßenen Zucker, die Wecken, 6 Eiergelb, ein halbes Pfund ausgesteinte Kirschen und den Schnee von 6 Eierweiß dazu, rührt Alles tüchtig untereinan= der, füllt die Masse in ein nasses Tuch, bindet dieses fest zu, läßt den Pudding eine Stunde in kochendem Wasser und gibt folgende Pome= ranzensauce dazu: Man reibt eine Pomeranze an Zucker ab, zieht die weiße Haut davon ab, schneidet das Mark in kleine Stückchen, läßt in einer Casserolle das Obige mit 1 Schoppen süßen Wein, dem abgeriebenen Zucker eine Zeit lang kochen, gießt dann 1 Schoppen Milch dazu, läßt es wieder kochen, gießt ein kleines Glas voll Kir= schengeist nebst 2 Eiergelb daran, zieht die Sauce durch ein Haarsieb und schüttet sie an den Pudding.

159. Mutschelpudding.

1 Vierling Butter wird in einer Schüssel leicht gerührt, 1 Vierling abgezogene, fein gestoßene Mandeln dazu gethan, 8 Eiergelb, eins nach dem andern, daran gerührt, von 6 Eiern ein steifer Schnee geschlagen, 8 Loth Geigenmehl mit dem Schnee unter die Masse gemengt, 1 Citrone am Reibeisen abgerieben, auch dazu genommen, eine Puddingkapsel mit Butter bestrichen und mit Zucker besäet, die Masse darein gefüllt und im kochenden Wasser 3 Viertelstunden gelassen. — Dazu macht man folgende Sauce: Eine halbe Maas Milch, von einer halben Citrone das Gelbe und 3 Loth Zucker läßt man in einer messingenen

4

Pfanne miteinander kochen; hierauf schlägt man 8 Eiergelb in ein Geschirr, gießt ein halbes Glas Marasquino und die kochende Milch langsam daran, thut es nochmals in die Pfanne und läßt es anziehen; dann stürzt man den Pudding auf eine Platte und gibt die Sauce dazu.

160. Neunlothpudding.

Für 6 bis 8 Personen sind 6 Loth hinreichend. In einer messingenen Pfanne wird 1 schwacher Schoppen Wasser, 6 Loth Butter, 6 Loth Zucker, woran eine halbe Citrone abgerieben wurde, 6 Loth fein gestoßene Mandeln, 6 Loth feines Mehl zu einem dicken Brei zusammen gekocht, die Masse in eine Schüssel gethan und 6 Eiergelb nacheinander dazu genommen, das Weiße davon zu Schnee geschlagen, zulezt damit vermischt, ein Puddingmodel mit Butter bestrichen, mit Zucker bestreut, die Masse hineingefüllt und in kochendem Wasser eine Stunde gekocht. — Man macht eine Hagenbuttensauce auf folgende Art dazu: Man rührt 2 Löffel voll Hagenbuttenmark und 1 Löffel voll feines Mehl in einer messingenen Pfanne untereinander, gießt 1 Schoppen guten Wein daran, thut auch Zucker dazu und läßt es miteinander aufkochen. Wenn der Pudding auf der Platte liegt, gießt man die Sauce von der Seite daran.

161. Pudding von süßen Nudeln.

Von 1 Ei und 1 Dotter und so viel Mehl, als diese anschlucken, macht man einen festen Teig, wellt Kuchen davon aus, schneidet diese 2 Messerrücken dick, siedet sie im Salzwasser, zieht sie durch kaltes Wasser und läßt sie ablaufen; nun rührt man 1 Pfund Butter schaumig, auch rührt man 5 Eiergelb, die Nudeln, 1 Pfund gewiegten Citronat und Pomeranzenschalen, eine halbe Citronenschale, fein gewiegt, 4 Loth Zucker, 2 kleingeschnittene Aepfel, den Schnee von 5 Eierweiß untereinander, füllt die Masse in ein nasses Tuch, bindet es fest zu, kocht den Pudding 5 Viertelstunden lang in kochendem Wasser und macht folgende Weinsauce dazu: Man läßt 1 kleinen Löffel voll Mehl mit einem Stückchen Butter gelb anlaufen, löscht es mit Wein ab, Zucker, 1 Messerspitze voll Zimmt, eben so viel Muskatblüthe, läßt Alles mit einander aufkochen und gießt diese Sauce an den Pudding.

162. Plumpudding.

1 Pfund Ochsennierenfett häutet man sauber ab, schneidet es in ganz kleine Stückchen, 1 Pfund geriebenes weißes Brod dazu, ¾ Pfund fein gestoßenen Zucker, ¾ Pfund kleine und eben so viel gewaschene große Weinbeeren, das gewiegte Gelbe von 1 Citrone, 1 Quint gestoßenen Zimmt, 2 Messerspitzen gestoßene Muskatblüthe, ein Glas Cognac, dieses Alles macht man mit 13 Eiern untereinander, bindet den Pudding in ein nasses Tuch ein und läßt ihn in kochendem, ein wenig gesalzenem Wasser 4 bis 5 Stunden lang kochen, stürzt ihn dann auf eine Platte, schneidet oben eine kleine Oeffnung in den Pudding, worein

man Zucker streut, Arak gießt, diesen anzündet und den Pudding brennend aufträgt.

163. Reispudding.

Ein Viertelpfund sauber gewaschenen Reis kocht man ganz weich mit einer halben Maas Milch, treibt ihn durch ein Haarsieb; dann rührt man ein Viertelpfund Butter in einer Schüssel leicht, thut 8 Loth fein gestoßene Mandeln und 6 Loth Zucker dazu, legt 1 Löffel voll Reis in die Butter und 1 Eiergelb dazu; so macht man fort bis zum Ende. Zulezt rührt man die Mandeln auch daran, schlägt von dem Eierweiß einen steifen Schnee, rührt ihn langsam unter die Masse, bestreicht einen Melonenmodel mit Butter, thut die Masse darein, stellt sie in den Ofen und läßt sie gut ausbacken. In einer kleinen Stunde ist der Pudding gebacken. Daran macht man eine Aprikosensauce aus 3 Löffel voll Aprikosen=Marmelade und 1 Schoppen Rheinwein, läßt es miteinander aufkochen und gießt es auf den Pudding.

164. Gefüllter Reispudding.

Ein Viertelpfund Reis brüht man mit kochendem Wasser an, läßt ihn eine Viertelstunde stehen, kocht ihn mit ½ Viertel. Butter weich, rührt ihn mit einem Viertelpfund gestoßenem Zucker und noch ½ Viertel. Butter bis er kalt ist, schlägt 6 Eiergelb daran, eine halbe am Reibeisen abgeriebene Citrone, den Schnee von den 6 Eierweiß, rührt Alles miteinander, füllt die Hälfte der Masse in ein Aufzugblech, legt oben darauf eine Oblate, auf diese etwas Eingemachtes, auf dieses die andere Hälfte der Masse, backt den Pudding im Ofen und macht folgende Sauce: 3 Loth abgezogene, feingestoßene Mandeln läßt man mit 1 Schoppen süßen Rahm, 1 Schoppen Milch, 1 Citronenschale und einem Stück Zucker aufkochen, verrührt 3 Eiergelb, gießt die kochende Milch daran, läßt Alles noch einmal anziehen und gießt diese Sauce an den Pudding.

165. Russischer Pudding.

1 Pfund gereinigtes Ochsenmark wird zu kleinen Stückchen geschnitten und mit 6 Loth geriebenem Weißbrod, 7 Kochlöffeln feinem Mehl, einem halben Pfund Zucker, einem halben Pfund großen und eben so viel kleinen Weinbeeren, einem Glas starken Arak, dem gewiegten Gelben von 1 Citrone, Zimmt und 10 Eiern gut durcheinander gemacht, in ein nasses Tuch, aber nicht fest, eingebunden und 2 Stunden in kochendem Wasser gekocht. — Man gibt folgende Sauce dazu: 1 Pomeranze reibt man am Zucker, zieht die weiße Haut ab, nimmt die Kerne heraus, schneidet das Mark in Stückchen, läßt dieses mit dem abgeriebenen Zucker, dem Saft von 1 Citrone und 1 Bouteille Wein miteinander aufkochen, schlägt 3 Eiergelb in einen Topf, thut 3 Finger voll Mehl dazu, rührt es mit kaltem Wasser glatt, nimmt den kochenden, gewürzten Wein dazu, läßt es noch einmal, während es stark sprudelt, aufkochen und gießt die Sauce über den angerichteten Pudding.

4 *

166. Aepfelauflauf.

Man rührt ein Viertelpfund Butter leicht, schneidet gute Aepfel in kleine Stückchen, thut sie in die Butter, schneidet die harte Rinde von 2 Wecken oder Milchbroden ab, das Weiche davon kocht man, klein geschnitten, in einer messingenen Pfanne mit 1 Schoppen Milch wie einen Brei, läßt es erkalten, nimmt es zu der Butter, 6 Loth Zucker, 5 Eiergelb, wenn es nöthig ist, noch 3 Löffel voll sauren Rahm dazu, zulezt mischt man den Schnee von den 5 Eierweiß darunter, füllt den Auflauf in eine mit Butter bestrichene Schüssel, zieht ihn gelb auf und streut Zucker darüber.

167. Aepfelauflauf anderer Art.

Man dämpft 14 bis 16 Borsdorfer-Aepfel mit einem Stück Butter und einem Stück Zucker in einer Casserolle nicht sehr weich, bestreicht das Geschirr, in welchem man den Auflauf auftragen will, mit Butter und sezt die Aepfel darein. Dann nimmt man gleich viel Eier, Zucker und Mandeln an Gewicht, der Zucker wird fein gestoßen, die Mandeln geschält und mit Eierweiß zu einem Brei am Reibstein gerieben; dann der Zucker, die Eiergelb und die mit Eierweiß zerriebenen Mandeln wie zu einer Mandeltorte gerührt, von den übrigen Eierweiß wird ein steifer Schnee geschlagen und ebenfalls unter die Masse gemischt. Hiemit werden die Aepfel übergossen und im Bratrohr schön gelb aufgezogen.

168. Aepfelscharlott.

Man schält die Aepfel, kocht sie in einer Casserolle mit einem Viertelpfund Butter, einem Viertelpfund Rosinen und Zibeben, 2 Messerspitzen voll gestoßenem Zimmt und der halben Schale einer fein gewiegten Citrone zu einem Brei und läßt sie erkalten. Dann schneidet man Wecken- oder Milchbrodschnitten, backt sie im Schmalz gelb, bestreicht ein ziemlich tiefes Backblech mit Butter, bestreut es mit Zucker, legt den Boden mit einem Theil der gebackenen Schnitten aus, legt auf diese eine Lage von den gekochten Aepfeln, darauf eingemachte Früchte, dann wieder Aepfel und wieder Früchte, so macht man fort, bis die Aepfel zu Ende sind; zulezt überlegt man die Speise oben mit gebackenen Schnitten, stellt das Geschirr anderthalb Stunden in ein Bratrohr, gießt nun 2 Löffel voll Himbeer-Gelée darüber und eben so viel an die Seite des Geschirres, daß die Schnitten weich werden.

169. Aepfelkunzen.

6 bis 8 Stück Breitling (Bachäpfel) werden geschält, geschnitten, in einem Stück Butter und mit einem Stück Zucker nicht ganz weich gedämpft, in einer Schüssel 10 Loth Butter, 4 Loth Zucker, woran eine Citrone abgerieben wurde, leicht gerührt, 8 Eiergelb, eins nach dem andern, dazu genommen, zu einem jeden Eiergelb ein kleiner Kaffeelöffel voll Mehl, von den 8 Eierweiß ein Schnee geschlagen,

Alles untereinander vermischt, in eine mit Butter bestrichene Schüssel gefüllt, gelb aufgezogen und Zucker darüber gestreut.

170. Aprikosenauflauf.

Man rührt 1 Schoppen sauren Rahm mit 4 Eiergelb und einem Viertelpfund Zucker ganz dick, mengt 3 Loth Mehl und den Schnee von den 4 Eierweiß unter die Masse, legt das mit Butter bestrichene Geschirr, das man zu Tische gibt, mit Aprikosen (frischen oder ein= gemachten) aus, füllt die Masse darauf, zieht den Auflauf gelb auf und streut Zucker darüber.

171. Breiauflauf.

Man kocht einen Kindsbrei von einer halben Maas Milch, rührt ihn mit 4 Loth Butter in einer Schüssel leicht, thut 5 Eiergelb, eins nach dem andern, 4 Loth Zucker, woran eine Citrone abgerieben, fein gestoßen, nebst 4 Loth Rosinen und dem Schnee von den 5 Eierweiß unter die Masse, bestreicht eine Porzellanschüssel mit Butter, füllt den Auflauf hinein und zieht ihn bei geringer Hitze auf.

Anmerkung. Bei allen diesen Aufläufen ist ein Porzellangeschirr besser als ein blechernes.

172. Schwarzbrodauflauf.

Ein Viertelpfund Butter wird in einer Schüssel schaumig ge= rührt und nach und nach 6 Eiergelb daran gerührt, 8 Loth schwarzes Brod reibt man am Reibeisen, feuchtet es mit einem Glas rothen Wein an, nimmt noch eine geriebene Muskatnuß, eine Messerspitze voll Zimmt, eben so viel Muskatblüthe, ein Viertelpfund Zucker, an einer Citrone abgerieben, 4 Loth Citronat und Pomeranzenschalen, fein gewiegt und zuletzt die Eierweiß zu einem Schnee geschlagen, dazu, mengt die Masse recht untereinander und zieht nun den Auflauf in einer mit Butter bestrichenen Porzellanschüssel im Ofen recht schön gelb auf.

173. Butterauflauf.

Ein Viertelpfund Butter wird schaumig gerührt, eine ganze Citrone an einem Viertelpfund Zucker abgerieben, dieser fein gestoßen und mit 12 Eiergelb, zu welchem jedesmal eine Messerspitze voll feines Mehl genommen wird, zu dem Obigen gerührt; sind nun die Eier alle daran, so kommen noch 3 Eßlöffel voll saurer Rahm dazu, nebst dem Schnee von den 14 Eierweiß, man vermischt die Masse gut miteinander und zieht sie in einem mit Butter bestrichenen Aufzug= blech auf.

174. Chokoladeauflauf.

8 Loth Chokolade läßt man in einer messingenen Pfanne in 3 Eßlöffel voll Wasser zerlaufen; dann thut man 2 Loth Butter und 3 Loth fein gestoßene Mandeln dazu und läßt es ein wenig miteinander kochen, thut es sodann in eine Schüssel, rührt 6 Eiergelb, eines nach dem andern, daran, schlägt das Weiße zu Schnee, bestreicht

ein Geschirr, das man zur Tafel geben will, mit Butter, thut die Masse darein, stellt sie in den Ofen und läßt sie schön aufziehen. In einer starken Viertelstunde ist er fertig.

175. Gerührter Chokoladeauflauf.

6 starke Löffel voll Zucker werden mit 6 Eiergelb so lange gerührt, bis die Masse ganz dick ist, dann kommt eine Messerspitze voll Zimmt, ein Viertelpfund geriebene Vanillechokolade, 1 Loth seines Mehl und der Schnee von den 6 Eierweiß dazu; Alles wird miteinander vermischt, eine Schüssel mit Butter bestrichen, die Masse darein gefüllt, im Ofen schön gelb aufgezogen und Zucker darauf gestreut.

176. Chokoladeauflauf mit Brod.

3 Wecken oder Milchbrod, welche sein geschnitten werden, wie zur Suppe, kocht man mit 1 Schoppen Milch wie Brei, nimmt sie in eine Schüssel, rührt 6 Loth Butter, 4 Loth gestoßenen Zucker, 5 Eiergelb und ein Viertelpfund geriebene Chokolade mit dem Brei eine starke Viertelstunde, schlägt von den 5 Eierweiß einen Schnee, mengt diesen auch unter die Masse, bestreicht eine Schüssel mit Butter, schüttet die Masse hinein, läßt den Auflauf schön gelb aufziehen und streut Zucker darauf.

177. Gerührter Citronenauflauf.

Man rührt in einer Schüssel 6 Löffel voll Zucker, 6 Eiergelb, Salz, 2 am Reibeisen abgeriebene Citronen, den Saft von diesen, so lange bis die Masse dick ist, schlägt einen steifen Schnee von den 6 Eierweiß, mischt mit diesem 2 Loth Mehl darunter, bestreicht eine Schüssel mit Butter, füllt die Masse hinein, läßt den Auflauf in einem nicht sehr heißen Ofen schön gelb backen und streut Zucker darauf.

178. Citronenauflauf anderer Art.

Von einer halben Maas Milch kocht man einen dicken Brei, thut ihn in eine Schüssel, 8 Loth Butter, 8 Loth gestoßenen Zucker, 2 am Reibeisen abgeriebene Citronen, das Mark von diesen in Blätter geschnitten, 5 Eiergelb daran, rührt Alles eine Viertelstunde recht stark, schlägt von den 5 Eierweiß einen steifen Schnee, vermischt ihn auch damit, bestreicht die Schüssel, die man zu Tisch geben will, mit Butter, schüttet die Masse darauf, läßt den Auflauf schön gelb aufziehen und streut Zucker darauf.

179. Crêmeauflauf.

An 4 Kochlöffel voll Mehl, in einer messingenen Pfanne, rührt man 4 Eiergelb, gießt einen halben Schoppen Milch dazu und kocht dieses zu einer dicken Crême. Diese thut man in eine Schüssel, 4 Loth sein gestoßenen Zucker, eine halbe Citrone am Reibeisen abgerieben, rührt noch 4 Eiergelb, eines nach dem andern, daran, schlägt das Weiße zu Schnee, mengt es langsam unter die Masse, bestreicht ein Aufzugblech mit Butter und läßt sie im Ofen schön aufziehen. In einer Viertelstunde ist der Auflauf fertig.

180. Auflauf von geriebener Gerste.

2 Eiergelb und so viel Mehl, was diese anschlucken, wiegt man so fein wie möglich miteinander, kocht in einer halben Maas Milch einen dicken Brei davon und läßt ihn in einer Schüssel erkalten. Dann rührt man ein Viertelpfund Butter leicht, nimmt 4 Loth an einer halben Citrone abgeriebenen Zucker, 6 Eiergelb, eine Hand voll Rosinen und Eibeben, 2 Loth geschnittenen Citronat, nebst dem Schnee von den 6 Eierweiß zu der Butter, den Brei dazu, mischt alles wohl untereinander, bestreicht ein Geschirr mit Butter, füllt die Masse darein, läßt den Auflauf schön gelb aufziehen und streut Zucker darauf.

181. Süßer Kartoffelauflauf.

Man reibt 1 Pfund gesottene, kalte Kartoffeln, stoßt 1 Viertelpfund abgezogene Mandeln und 1 Viertelpfund an einer Citrone abgeriebenen Zucker recht fein und thut es zu den Kartoffeln; dann läßt man ein Viertelpfund Butter in einer Schüssel zergehen, thut das Obige mit 6 Eiergelb und einem halben Schoppen saurem Rahm dazu, rührt Alles eine Viertelstunde lang miteinander, mischt den Schnee von den 6 Eierweiß damit, läßt den Auflauf in einer mit Butter bestrichenen Schüssel gelb aufziehen und streut Zucker darauf.

182. Kapuzinerauflauf.

2 feingeschnittene Wecken feuchtet man mit einem Glas siedendem Wein an, rührt 1 Pfund Butter schaumig, thut das Brod, nebst 1 Viertelpfund Zucker, an welchem eine Citrone abgerieben wurde, fein gestoßen, dazu; schält 4 Rosenäpfel, schneidet sie zu kleinen dünnen Schnittchen, 1 Viertelpfund Eibeben und Rosinen, alle Arten gekochter Früchte, 6 Eiergelb, zuletzt den Schnee von den Eierweiß darunter, mischt die ganze Masse gut untereinander und zieht den Auflauf in einem mit Butter bestrichenen Aufzugblech im Ofen auf.

183. Mandelauflauf.

1 Viertelpfund geschälte Mandeln werden im Mörser mit Milch fein gestoßen, in einer Pfanne mit 3 Kochlöffeln voll feinem Mehl glatt gerührt, 4 Loth an einer Citrone abgeriebener Zucker dazu genommen, 1 Schoppen Milch daran geschüttet und nun ein nicht gar dicker Brei davon gekocht, 4 Loth Butter dazu geschnitten, 6 Eiergelb daran gerührt, das Weiße davon zu einem Schnee geschlagen, damit vermischt, Alles recht untereinander gekocht, eine Schüssel mit Butter bestrichen, die Masse darein gefüllt, in einem nicht sehr heißen Ofen aufgezogen und Zucker darauf gestreut.

184. Nudelauflauf.

Man macht von 3 Eiern ganz feine Nudeln, röstet sie mit einem Stück Butter gelb, läßt sie in einem Haarsieb ablaufen, läßt

4 Loth Butter in einer Schüssel zergehen, mischt diese und 3 Löffel voll sauren Rahm, 6 Loth gestoßenen Zucker, woran eine Citrone abgerieben wurde, 5 Eiergelb und zulezt den Schnee von diesen mit den Nudeln untereinander, füllt die Masse in eine mit Butter bestrichene Schüssel, backt den Auflauf schön gelb und streut Zucker darauf.

185. Nudelnauflauf anderer Art.

Von einem ganzen Ei, einem Dotter und Butter von Hühnereigröße macht man einen Nudelnteig, wellt die Kuchen so fein wie möglich aus, schneidet sie aber nicht sehr fein, kocht sie in Milch, daß sie saftig sind, schneidet 6 geschälte, gute Aepfel in kleine Stückchen, nimmt 4 Loth Rosinen, 4 Loth gestoßenen Zucker, bestreicht eine Schüssel mit Butter, legt unten von den Nudeln darein, dann geschnittene Aepfel und Rosinen, Nudeln, Aepfel und Rosinen und macht so fort, bis Alles zu Ende ist. Nun schlägt man 3 Eier in ein Geschirr, einen halben Schoppen sauren Rahm und einen halben Schoppen süße Milch dazu, rührt es durcheinander, gießt es über die Nudeln, zieht sie auf und streut Zucker darüber.

186. Pomeranzenauflauf.

Ein halbes Pfund Butter wird schaumig gerührt: eine Pomeranze an einem Viertelpfund Zucker abgerieben, dieser fein gestoßen und mit dem Mark der Pomeranze, welches in Blätter geschnitten wird, mit dem Obigen gekocht; dann läßt man 4 Loth Zucker in einer messingenen Pfanne so lange kochen, bis er Fäden spinnt, kocht dieses wieder mit dem Besagten eine Viertelstunde, schlägt 6 Eiergelb daran, den Schnee von den 6 Eierweiß dazu, nebst 2 Löffel voll feinem Mehl, bestreicht ein Porzellangeschirr mit Butter, füllt den Auflauf darein und backt ihn schön gelb im Backofen.

187. Pomeranzenauflauf anderer Art.

4 Kochlöffel voll Mehl rührt man in einer messingenen Pfanne mit Milch glatt an, schlägt 6 Eiergelb daran, reibt 1 Pomeranze an 4 Loth Zucker ab, thut diesen auch in die Pfanne, nebst dem Saft der Pomeranze, gießt 1 Schoppen Milch daran, kocht von Allem einen dicken Brei, rührt ihn (vom Feuer weggenommen) bis er ein wenig erkaltet ist, nimmt zulezt den Schnee von den 6 Eierweiß noch dazu und backt den Auflauf in einem mit Butter bestrichenen Porzellangeschirr schön gelb im Ofen.

188. Gefüllter Reisauflauf.

Ein Viertelpfund Reis brüht man in kochendem Wasser 2= bis 3mal, läßt ihn durch ein Haarsieb ablaufen, kocht ihn mit einer halben Maas Milch und 4 Loth Butter in einer Casserolle, rührt 4 Loth Butter in einer Schüssel, den Reis dazu, so lange, bis er erkaltet ist, mengt 1 Vierling Zucker, an welchem eine Citrone abgerieben wurde, fein gestoßen, 6 Eiergelb und den Schnee von den 6 Eierweiß unter die Masse, bestreicht ein Auszugblech mit Butter, füllt die Hälfte der

Masse hinein, 2 bis 3 Löffel voll eingemachte Johannisbeeren darauf, die andere Hälfte der Masse darüber und backt den Auflauf im Ofen.

189. Reisauflauf anderer Art.

Ein Viertelpfund Reis brüht man in kochendem Wasser 2= bis 3mal, läßt ihn in einem Haarsieb ablaufen, kocht ihn mit einer halben Maas Milch und 4 Loth Butter in einer Casserelle; schält 12 Borsdorfer Aepfel, nimmt das Kernhaus heraus, dämpft in einer Casserolle die Aepfel mit einem Glas Wein in Butter halb weich, legt sie auf eine Platte und macht folgende Fülle: man wiegt 2 Loth Pomeranzenschalen und Citronat, etwas Citronenschale, 6 Stück abgezogene Mandeln nicht sehr fein, nimmt eine Hand voll Rosinen dazu, füllt die Aepfel damit aus, rührt 5 Eiergelb, den Schnee von den 6 Eierweiß, 4 Loth gestoßenen Zucker unter die Masse, thut die Hälfte davon in ein mit Butter bestrichenes Aufzugblech, legt die gefüllten Aepfel darauf, die andere Hälfte darüber und läßt den Auflauf in einem Bratrohr aufziehen. Ist er fertig, so kommt er auf die Platte, ein Schnee von 4 Eierweiß, mit Zucker vermischt, darauf, und wird auf einem schwarzen Blech, auf dem Sand oder Salz ist, noch einmal ins Rohr gestellt.

190. Weichselnauflauf.

Man legt 6 Loth Mandel=Makronen zu der Wärme, damit sie geröstet werden, dann stoßt man sie im Mörser fein, legt sie in eine messingene Pfanne, rührt sie mit 3 Kochlöffeln voll feinem Mehl, 3 Loth Zucker, 4 Eiergelb und einem halben Schoppen süßen Rahm glatt und kocht sie zu einer dicken Crème. Dann rührt man 4 Loth Butter und die Crème in einer Schüssel, hernach noch 5 Eiergelb, eines nach dem andern, daran, schlägt das Weiße von diesen Eiern zu Schnee, mischt ihn unter die Masse, eine halbe Citrone, am Reibeisen abgerieben, dazu, bestreicht ein Aufzugblech mit Butter, thut etwas von der Masse darein, eine Lage ausgesteinte Weichseln darauf, gießt wieder etwas von der Crème daran, wieder Weichseln darauf, die andere Crème darüber, stellt es in Ofen und läßt es aufziehen.

191. Im Dampf Aufgezogenes.

3 Hände voll feines Mehl werden mit 1 Schoppen Milch glatt gerührt und zu einem dicken Brei gekocht, man läßt ihn erkalten, rührt 6 Eiergelb, sammt 4 Eßlöffeln voll Marasquino, einer Hand voll fein gestoßenem Zucker und dem Schnee von den 6 Eierweiß dazu, rührt die Masse recht untereinander, füllt sie in ein Geschirr, welches zu Tische kommt; stellt dieses in ein Geschirr mit kochendem Wasser, deckt es fest zu, legt glühende Kohlen auf den Deckel und gibt die Speise, nachdem sie eine halbe Stunde gekocht hat, zu Tische.

192. Götterspeise.

Von einer halben Maas Milch kocht man einen dicken Kindsbrei, rührt ein Viertelpfund Butter leicht, thut 1 Löffel voll Brei an die Butter, schlägt ein Eiergelb daran, rührt es miteinander und macht auf diese Art fort, bis der Brei zu Ende ist; dann werden 4 bittere Mandeln abgezogen, im Mörser fein gestoßen, unter die Masse gerührt, 3 Loth gestoßener, an einer Citrone abgeriebener Zucker, das Weiße von den Eiern, die man zum Brei rührte, zu Schnee geschlagen, Alles zusammen unter das Obige gemischt, eine blecherne Form mit Butter bestrichen, mit Zucker bestreut, die Masse darein gefüllt, die Form fest zugemacht und 1 Stunde im kochenden Wasser gekocht. Man stürzt diese Götterspeise auf eine Platte und gibt Himbeer- oder Aprikosen-Gelée dazu.

193. Citronenbrei.

Man kocht einen guten dicken Brei, rührt 2 Eiergelb darein, reibt das Gelbe von einer Citrone am Zucker ab, stößt diesen und mischt ihn unter den Brei.

194. Citronenbrei anderer Art.

Man kocht von einer halben Maas Milch einen dicken Brei, rührt 5 bis 6 Eiergelb in eine Casserolle, nebst 2 Loth Butter und 3 Loth gestoßenem Zucker, woran vor dem Stoßen eine Citrone abgerieben werden, nimmt 2 Eßlöffel voll kalte Milch dazu, läßt die Eier so lange kochen, bis sie anfangen, dick zu werden, rührt dann den Brei dazu, läßt ihn eine Scharre ziehen, richtet ihn auf eine Platte an, sticht die Scharre sorgfältig von der Pfanne und legt sie oben auf den Brei.

195. Eierbrei.

Es wird ein dicker Brei gekocht, dann läßt man in einem Geschirr ein Stückchen Butter zergehen, schlägt 2 bis 3 Eier hinein, rührt sie auf dem Feuer, bis die Eier anfangen dick zu werden, rührt sie alsdann mit dem Brei an und läßt an diesen eine Kruste kochen.

196. Aufgezogener Eierbrei.

Ein halbes Pfund Butter, 8 Eierdotter, Zucker und Citronen werden miteinander verrührt, das Weiße von den Eiern zu Schnee geschlagen, dazu genommen, in ein dazu taugliches Geschirr gethan, oben und unten Gluth dazu und aufgezogen.

197. Aufgezogener Mandelbrei.

Ein halbes Pfund geschälte, fein gestoßene Mandeln, ein halbes Pfund Zucker, 8 Eiergelb, 2 Trinkgläser voll süßer Rahm und eine Hand voll geriebener Wecken werden gut durcheinander gerührt, von dem Eiweiß ein Schnee geschlagen, dazu genommen und in einem passenden Geschirr, unten und oben in Gluth, aufgezogen.

198. Milchbrei.

Einen kleinen Kochlöffel voll Mehl rührt man mit süßem Rahm glatt an, schlägt 6 ganze Eier daran, etwas Zucker, an einer Citrone abgerieben, gießt eine halbe Maas Milch dazu, schmiert eine Schüssel mit Butter, füllt die Masse darein und backt sie schön gelb.

199. Schneckenbrei.

Die Schnecken werden behandelt, wie schon öfters beschrieben wurde, dann wiegt man sie, nebst einer halben Citronenschale, 1 Zwiebel und einer Hand voll Petersilie sehr fein, läßt ein Achtelpfund Butter in einer Casserolle zerlaufen, dämpft das Gewiegte mit den Schnecken darin, streut 3 Finger voll Mehl darauf, gießt 1 Löffel voll Fleischbrühe daran, thut Salz und Pfeffer dazu, nebst dem Saft einer halben Citrone und läßt Alles mit einander noch einmal aufkochen.

200. Vanillebrei.

2 Eßlöffel voll geriebenes Weckenmehl und 2 Eßlöffel voll feines Mehl rührt man mit kalter Milch glatt an, läßt einen Schoppen Rahm und ein Stückchen Vanille eine Viertelstunde miteinander kochen, gießt das Gerührte daran, läßt es gut miteinander auskochen, richtet es auf eine Platte an und streut Zucker darauf.

201. Eierkuchen.

Man wiegt ein Viertelpfund abgezogene, fein gestoßene Mandeln, worunter aber 6 bis 8 bittere seyn müssen, und von einer Citrone das Gelbe recht fein, schüttet einen Schoppen süßen Rahm daran, schneidet ein Viertelpfund Ochsenmark recht fein, nimmt 2 Messerspitzen voll gestoßenen Zimmt, etwas Rosenwasser, 1 Messerspitze voll Salz, 8 Eier dazu, rührt Alles durcheinander, bestreicht einen Plafond mit Butter, füllt die Masse darein und backt den Kuchen im Ofen gelb aus.

202. Eierkuchen mit Aepfeln.

Rosenäpfel schält und schneidet man in kleine Stückchen, dämpft sie in einem kleinen Stück Butter weich, thut sie in eine Schüssel, steint 4 bis 6 Stück Aprikosen aus, nimmt 4 Loth Zucker, 2 Messerspitzen voll Muskatblüthe, 6 ganze Eier und einen halben Schoppen sauren Rahm dazu, reibt eine halbe Citrone am Reibeisen ab, mengt Alles wohl untereinander, bestreicht einen Plafond mit Butter, füllt die Masse darein und backt den Kuchen auf dem Kohlenfeuer schön aus. Man macht ein Citroneneis darüber, wie schon öfter beschrieben worden ist.

203. Gerührte Eier mit Sardellen.

Zu 8 Eiern nimmt man 4 Loth Sardellen, wascht die letzteren, gräthet sie aus, legt sie eine Viertelstunde in frisches Wasser, läßt in einer Casserolle ein Viertelpfund Butter zergehen, schlägt die Eier hinein, schneidet die Sardellen in kleine Stückchen, rührt sie mit fein geschnittenem Schnittlauch an die Eier und kocht Alles so lang auf dem Feuer, bis es dick, aber nicht hart, wird.

204. Gefüllte Flädlein mit saurem Rahm und Rosinen.

Man macht gewöhnliche Flädlein, bestreicht sie mit dickem, saurem Rahm, bestreut sie mit gewaschenen Rosinen und Zibeben, streut Zucker und Zimmt darüber, rollt sie zusammen, bestreicht ein Geschirr, welches man zu Tisch geben will, mit Butter und legt die gefüllten Flädlein über's Kreuz hinein, thut noch 2 Löffel voll Milch daran und läßt sie im Ofen aufziehen.

205. Gefüllte Flädlein in Vanillecrême.

Man macht einen Teig von einer Hand voll feinem Mehl, rührt dieses mit kalter Milch glatt, schlägt 4 Eier daran, bestreicht eine mittelgroße Flädleinspfanne mit Speck, backt die Flädlein darin, legt sie auf einem Nudelnbrett auseinander und macht folgende Vanillecrême: 1 Schoppen Milch, ein Stück Vanille, 2 Loth Zucker und 3 Finger voll Mehl kocht man miteinander, verklopft 4 Eiergelb, rührt sie an die kochende Milch, läßt alles auf dem Feuer noch einmal anziehen, gießt die Crême durch ein Haarsieb in ein Geschirr, läßt sie erkalten, streicht 2 Löffel voll davon auf den Flädlein herum, rollt sie zusammen, legt sie in ein mit Butter bestrichenes Geschirr quer übereinander, gießt 2 Löffel voll süßen Rahm dazu, zieht sie im Ofen auf und streut Zucker darauf.

206. Hosenbändel.

Man nimmt so viel Mehl auf's Nudelnbrett als 3 Eier annehmen, Welschnuß groß Butter, arbeitet den Teig gut zusammen, wellt ihn recht dünn aus, schneidet halbfingerbreite Nudeln daraus, thut einen Theil davon in eine Pfanne mit kochendem Wasser, worin eine Hand voll Salz aufgelöst ist, fängt die Nudeln mit einem Schaumlöffel heraus auf eine Platte, läßt die übrigen Nudeln in einem Pfändlein mit heißem Schmalz schön gelb werden, gießt sie auf die gekochten Nudeln herum und streut etwas fein geschnittenen Schnittlauch darauf.

207. Abgetrocknete Knöpflein (Klöße, Knödel).

Man dämpft 3 in Wasser eingeweichte, fest ausgedrückte Wecken in einer Casserolle mit einem Stück Fett, nimmt eine Hand voll gedämpfte Zwiebeln und Petersilie, 4 bis 5 Eier, Salz und Muskatnuß dazu, macht Knöpflein von dem Teig, so groß wie ein Hühnerei, kocht sie eine Viertelstunde in kochendem Wasser und schmälzt sie mit Butter und geriebenem Brod ab.

208. Frankfurter Brodknöpflein.

Man schneidet 4 Wecken in Würfel, röstet die Hälfte davon in Butter, dämpft Zwiebeln und Petersilie, fein geschnitten, auch in Butter, schlägt 6 Eier daran, 2 Kochlöffel voll feines Mehl, die ungerösteten Weckenwürfel, Salz und Muskatnuß, mischt alles untereinander und macht Knöpflein in der Größe eines Hühnereies aus dieser Masse, läßt sie eine Viertelstunde im Salzwasser kochen, schmälzt sie mit Butter und Brod ab und gibt sie zum Wildbret.

209. Leberknöpflein.

Eine Kalbsleber wird abgehäutelt, die Adern davon geschnitten, so fein als möglich gewiegt, eine große Hand voll Zwiebeln in einem Stück Fett gedämpft, 3 Eier und 2 Wecken dazu genommen, dieses alles eine halbe Stunde gerührt, Knöpflein von der Masse im Salzwasser gekocht und mit Butter und Zwiebeln geschmälzt.

210. Tyrolerknöpflein.

6 geschnittene Wecken werden in einer Schüssel mit 1 Schoppen heißer Milch angefeuchtet, 1 Pfund geräucherter Speck und 1 Pfund geräuchertes Fleisch, fein gehackt, eine Hand voll im Speck gedämpfte Zwiebeln, 3 Kochlöffel voll feines Mehl, Salz, 7 bis 8 Eier, alles durcheinander gemischt, eine halbe Stunde zugedeckt stehen ge= lassen, damit es anzieht, und nun von der Masse runde Kugeln ge= macht und eine halbe Stunde im Salzwasser gesotten. Man kann sie zu eingemachten Hühnern geben.

211. Krapfen von Lebkuchen.

Von einem Viertelpfund geriebenem, braunem Lebkuchen, 2 Loth fein gestoßenem Zucker, 3 Eßlöffel voll Honig, etwas feinem Gewürz, 2 Loth am Reibeisen geriebenen Mandeln, 1 Ei, 1 Eierklar, macht man auf einem Nudelbrett einen festen Teig, wellt ihn aus, sticht ihn mit einem zackigten Mödelchen aus, legt die ausgestochenen Stückchen auf ein schwarzes Blech und backt sie bei gelinder Hitze im Ofen, so daß sie noch weiß, beinahe nur getrocknet sind.

212. Krautwürste.

Die Rippen werden vom Kraut ausgeschnitten, die Blätter mit kochendem Wasser zugesezt und verwällt; worauf man sie ablaufen läßt. Dann wird in einem Stück Butter ein abgeriebener, einge= weichter, ausgedrückter Wecken, Zwiebel und Petersilie, nebst einem halben Pfund feingewiegten Rindfleisch eine halbe Stunde miteinander gedämpft, 3 bis 4 Eier, Salz und Muskatnuß dazu genommen, die Krautblätter mit dieser Fülle bestrichen, zusammengerollt wie die Würste, in einer Bratpfanne mit einem Stück Fett gelb gebacken, Fleischbrühe daran geschüttet und so aufgekocht.

213. Lumsen oder Ulmerspeise.

Von 4 oder 5 Eiern macht man einen Nudelteig, nimmt Welsch= nuß groß Butter dazu, wellt ihn aus wie einen gewöhnlichen Nudel= teig, läßt 4 Loth Butter und Milch nach Gutdünken miteinander kochen, zerreißt diesen Nudelnkuchen in Stücken, legt die Stücke in die gekochte Milch, thut sie in einen Backofen, damit sie auf beiden Seiten eine

Farbe bekommt; hernach richtet man sie auf eine Platte an und streut Zucker und Zimmt darauf.

214. Gebackene Milch.

5 ganze Eier, 5 Eierdotter und eine halbe Maas Milch rührt man gut zusammen, nimmt ein Stück Zucker, an welchem eine Citrone abgerieben wurde, dazu, röstet in heißem Schmalz 3 Löffel voll Mehl hellgelb, gießt die Milch sammt den Eiern dazu, kocht alles so lang, bis es dick wird, rührt es immerfort um, und sollte das Schmalz herauskochen, so muß es abgeschöpft werden. Wenn der Brei auf der Platte ist, streut man Zucker und Zimmt darauf.

215. Milchcrême mit einem Schneeberg.

Man läßt in einer messingenen Pfanne eine Maas Milch mit 4 Loth Zucker und der Hälfte einer Citronenschale kochen. Dann schlägt man von 8 Eierweiß einen steifen Schnee, macht ihn mit der Hand recht hoch, läßt ihn 3 bis 4 Minuten in der gekochten Milch kochen, wendet ihn behutsam um, läßt ihn nochmals so lange kochen, nimmt ihn behutsam heraus, sezt ihn in ein Haarsieb, daß er ab- lauft, rührt die 8 Eierdotter mit einem kleinen Kochlöffel voll Mehl ganz glatt, schüttet die kochende Milch daran, läßt es in der Pfanne nochmals anziehen, gießt die Hälfte von der Milch durch ein Haar- sieb auf die Platte, sezt den Schneeberg darein, die übrige Milch darüber, streut rothen Streuzucker darauf und gibt die Milchcrême im Sommer kalt, im Winter warm zu Tische.

216. Kachelmuß.

Zu einem Schoppen Milch nimmt man 6 Eier, zu jedem Ei 1 Kochlöffel voll Mehl, rührt es mit der Milch glatt an, nimmt Zucker und Zimmt nach Belieben dazu; alles wohl untereinander ge- rührt; dann bestreicht man eine irdene Kachel mit Butter, füllt den Brei darein und stellt die Kachel in ein Bratrohr oder auf Kohlen.

217. Kachelmuß anderer Art.

In einer messingenen Pfanne wird eine halbe Maas Milch mit einem Stück Zucker, woran eine Citrone abgerieben wurde, siedend gemacht, dann ein Löffel voll Mehl mit kalter Milch glatt gerührt, 3 Eier darein geschlagen und an die Milch gerührt; eine Kachel mit Butter bestrichen, das Angerührte mit einem kleinen Händchen voll Wein= beeren darein gegossen und in einem Ofen oder zwischen Kohlen gebacken.

218. Karlsruher Muß.

Man rührt 6 Löffel voll feines Mehl und 8 Loth gestoßenen Zucker in einer messingenen Pfanne mit Milch glatt an, nimmt 7 Eier= gelb und eine am Reibeisen abgeriebene Citrone dazu, gießt eine halbe Maas Milch daran, kocht eine dicke Crême davon, stellt es vom Feuer, rührt es, bis es ein wenig kalt ist, mischt den Schnee von den 7 Eierweiß darunter, gießt alles in eine mit Butter bestrichene Platte, streut grobgestoßenen Zucker, feingewiegte Mandeln darüber und läßt das Muß schön backen. In einer halben Stunde ist es fertig.

219. Muß von Eierweiß.

4 Eierweiß werden mit 1 Löffel voll Zucker zu einem steifen Schnee geschlagen (man kann den Zucker an einer Citrone abreiben), mit 1 Schoppen Milch in einer messingenen Pfanne gekocht, bis es anfängt dick zu werden.

220. Kräftiges Muß für Schwache.

Gebähte Milchbrod- oder Weckschnitten werden mit Zimmt, Rosenwasser und einem kleinen Stückchen Butter gekocht, mit Rosenwasser glatt gerührt und Zimmt, nachdem das Muß angerichtet ist, darauf gestreut.

221. Maienmuß.

Ein halbes Pfund abgezogene Mandeln stößt man mit Rosenwasser ganz fein, rührt ein Viertelpfund Zucker darein, ¼ Pfund Butter, rührt alles eine halbe Stunde miteinander, formirt auf einem Geschirr, das nicht sehr groß ist, einen Berg davon, bestedt ihn mit Mandeln und Blumen und gibt es zur Tafel; man kann auch Zimmt darüber streuen.

222. Rahmmuß.

In einen halben Vierling feingeriebenen Zucker, 1 Eierweiß und 1 Eßlöffel voll Wasser rührt man eine halbe Stunde lang so viel Mehl, daß es so dick wie ein Kindsbrei wird, bestreicht eine Kachel mit Butter, füllt das Gerührte darein, stellt es in ein Rohr oder zwischen Kohlen und backt es schön gelb.

223. Gefüllte Omelette.

4 starke Löffel voll gestoßenen Zucker, 4 Eiergelb und eine halbe am Reibeisen abgeriebene Citrone rührt man miteinander, bis es ganz dick ist, mischt den Schnee von den 4 Eierweiß und 3 Finger voll Mehl darunter, macht in einer Flädchenpfanne ein Stückchen Schmalz, so groß wie ein Hühnerei, heiß, läßt es ein wenig erkalten, gießt die Masse langsam hinein, deckt die Pfanne zu und läßt nun die Omelette auf heißer Asche langsam backen, wendet sie um, backt sie auf der andern Seite auch und schlägt sie übereinander; wenn alle gebacken sind, stellt man sie in einer langen Platte noch eine Weile in den Bratofen und zieht sie auf.

224. Pfannenkuchen mit Gänseleber.

Man wiegt die Gansleber fein, schält 6 bis 8 Schalottenzwiebeln, eine Hand voll Petersilie, dämpft dieses eine Weile miteinander, dann die gewiegte Gansleber dazu, dämpft alles noch einmal, drückt von einer halben Citrone den Saft und das gewiegte Gelbe von einer andern

halben Citrone dazu und macht nun folgenden Teig: Man schneidet
4 Wecken so fein wie zu einer Suppe, läßt in einer messingenen
Pfanne einen Schoppen Milch mit einem Stück Butter aufkochen, gießt
dieses an die geschnittenen Wecken, deckt sie zu und läßt sie ein wenig
stehen; nimmt 3 fein gewiegte Schalottenzwiebeln und einen Kochlöffel voll Mehl an die Wecken, auch 4 Eier, eins nach dem andern,
und ein wenig Salz; dann macht man in einer flachen Pfanne Schmalz
heiß, schüttet die Hälfte von dem Teig darein, in die Mitte kommt
die Gansleber, oben darauf die andere Hälfte des Teiges, und so
wird alles wie ein Kuchen gebacken; ist er auf einer Seite fertig, so
wendet man ihn um und backt ihn auch auf der andern.

225. Aufgezogene Nudeln mit Krebsragout.

So viel Mehl als 2 ganze Eier und 3 Dotter annehmen, bearbeitet man auf dem Nudelnbrett, wellt den Teig nicht sehr fein aus,
schneidet Nudeln so breit wie ein Messerrücken dick ist, siedet sie in
kochendem Wasser ab, gießt sie in einen Seiher und kaltes Wasser
darüber. Unterdessen siedet man 15 große Krebse in kochendem Wasser,
macht die Schwänze und Scheeren davon ab, reinigt die Körper
sauber, stößt sie im Mörser mit einem Viertelpfund Butter, thut
sie in eine Casserolle, stellt sie auf Kohlen und läßt sie gut aufdäm-
pfen. Ist die Krebsbutter schön roth, so treibt man sie durch ein
Haarsieb, damit die Butter schön abläuft, rührt sie leicht, schlägt
3 Eier darein, mengt die Nudeln langsam darunter, streicht einen
Melonenmodel mit Butter aus, schüttet den halben Theil Nudeln
darein, legt die Krebsschwänze und Scheeren auf die Nudeln, die
andere Hälfte darüber, stellt sie in den Ofen und läßt sie schön backen.

226. Baierische Dampfnudeln.

Man macht in einer Schüssel mit 2 Pfund feinem Mehl, 3 Löffel
voll Bierhese und einem Schoppen lauer Milch ein Teiglein an, läßt
es in gelinder Wärme gut gehen, schneidet ein Viertelpfund Butter
dazu, nebst 2 ganzen Eiern und Dottern, arbeitet nun den Teig so
lange, bis er Blasen wirft, läßt ihn in der Wärme gehen, und wenn
er ganz reif ist, nimmt man ein Tuch auf ein Nudelnbrett, streut Mehl
darauf, setzt die Nudeln, so groß wie ein Hühnerei, darauf und läßt
sie noch ein wenig gehen. Nun läßt man ein Viertelpfund Butter
in einem passenden Geschirr zergehen, aber nicht heiß werden, gießt
ungefähr 1 Schoppen Milch daran, 1 Loth gestoßenen Zucker, setzt
die Dampfnudeln in das Geschirr und einen Deckel mit schwachen
Kohlen darauf, stellt das Geschirr auf einen Dreifuß, thut ein wenig
Kohlen darunter und läßt es gar werden.

227. Krebsdampfnudeln.

Mit 2 Pfund feinem Mehl, 3 Löffeln voll guter Bierhese und
einem Schoppen lauen Rahm macht man ein Teiglein und läßt es
in der Wärme gehen. Dann macht man ein halbes Pfund Krebsbutter,

wie es öfters schon beschrieben wurde, rührt ein Viertelpfund davon in einer Schüssel mit 3 Eiergelb, 2 Loth gestoßenem Zucker, 1 Messerspitze voll Salz recht leicht, thut das angemachte Teiglein sammt dem Mehl zu der Krebsbutter, macht einen guten Teig an, schlägt ihn eine Viertelstunde, stellt ihn zur Wärme und läßt ihn gehen. Hierauf läßt man den andern Vierling Krebsbutter in einem Dampfnudelngeschirr zergehen, gießt 1 Schoppen Milch daran, sezt die Nudeln darein, deckt sie zu und läßt sie schön backen. Man macht folgende Sauce dazu: Eine halbe Maas Milch, das Gelbe von 1 Citrone, ein Stück ganzen Zimmt, 2 Loth Zucker, läßt man miteinander kochen, schlägt 3 Eiergelb in einen Topf, rührt dieses mit 3 Fingern voll Mehl und mit kalter Milch glatt an, gießt die kochende Milch nach und nach daran, läßt alles nochmals miteinander aufkochen, gießt es durch ein Haarsieb und gibt es besonders zur Tafel. Die Dampfnudeln werden auf eine Platte angerichtet.

228. Dukatennudeln.

Zu 1 Pfund feinem Mehl nimmt man 2 Löffel voll gute dicke Bierhefe, einen halben Schoppen lauen süßen Rahm, macht ein Teiglein davon an, läßt es schön gehen, schneidet ein Viertelpfund Butter und thut 4 Eiergelb dazu; sollte der Teig noch zu fest seyn, so nimmt man noch ein wenig süßen Rahm dazu, klopft ihn dann eine halbe Stunde, thut 1 Loth Zucker nebst einer Messerspitze voll Salz daran, läßt ihn nochmals gehen, ist er halb reif, so sticht man mit dem Löffel Küchlein, so groß wie eine Welschnuß aus, legt sie auf ein mit Mehl bestreutes Blech, läßt sie auf diesem vollends reif werden, läßt einen halben Vierling Butter in einer Bratpfanne zergehen, gießt nagelhoch Milch daran, sezt die Nudeln darein, deckt das Geschirr zu, legt heiße Asche auf den Deckel, auch unter das Geschirr Kohlen, läßt die Nudeln aufkochen, gießt ein halbes Glas Milch daran und legt sie nun mit Hülfe einer Backschaufel auf eine Platte. Man kann Compote oder Citronensauce dazu geben.

229. Baierische Käsnudeln.

Man nimmt Mehl in eine Schüssel, macht darin von 2 Löffel voll Bierhefe und einem halben Schoppen lauer Milch einen Vorteig, läßt in einem Geschirr ein Viertelpfund Butter zergehen, rührt diesen mit ¾ Pfund Käs leicht, nimmt 3 Eierdotter dazu, arbeitet alles mit dem obenbesagten Teig und Mehl zusammen, nimmt eine große Hand voll gewiegten Schnittlauch und Salz dazu, stellt den Teig zur Wärme, daß er geht, macht mit einem Löffel kleine Nudeln davon und backt diese in heißem Schmalz.

230. Saure Rahmnudeln.

Man läßt 1 Schoppen sauern Rahm in einer messingenen Pfanne sieden, rührt Mehl darein, bis es ein dicker Brei ist, nimmt diesen vom Feuer, schlägt so viel Eier daran, bis er ein fester Spatzenteig

5

ift, fezt 1 Maas Milch aufs Feuer und fchabt von dem Teig, den man auf ein Spazenbrett gelegt hat, Nudeln in die kochende Milch; nachdem fie zugedeckt find, läßt man fie gut auskochen, nimmt fie mit dem Schaumlöffel heraus und läßt fie auf einem Brett gut ab= laufen, beftreicht fodann ein Gefchirr, das man zur Tafel geben will, mit Butter, legt die Nudeln oben über's Kreuz darein. Dann wer= den 2 Eier in etwas Milch und faurem Rahm verrührt, über die Nudeln gegoffen und diefe im Ofen fchön gelb gebacken.

231. Schneckennudeln mit Mandeln.

Mit 2 Pfund feinem Mehl, 3 Löffel voll Bierhefe und 1 Schop= pen lauer Milch macht man in einer Schüffel ein Teiglein an und läßt es in der Wärme gehen. Nun ftoßt man ein Viertelpfund ge= fchälte Mandeln fein mit Eierweiß, nimmt 3 Loth geftoßenen Zucker, nebft 2 Eiergelb und dem Gelben einer Citrone, rührt alles eine Viertelftunde miteinander, thut noch 4 Loth Butter dazu, arbeitet alles mit dem Teig recht zufammen (follte er noch zu feft feyn, fo gießt man fauren Rahm dazu), klopft ihn eine Viertelftunde, deckt ihn zu und läßt ihn fchön gehen; ift er reif genug, fo macht man Nudeln, fo groß wie ein Hühnerei, zieht diefe auseinander, daß fie fingerlang werden, beftreicht fie zuerft mit zerlaffener Butter mit den gerührten Mandeln mefferrückendick, rollt fie zufammen, wie Schnecken, fezt fie in ein Gefchirr, worin vorher Butter zerlaffen wurde, läßt fie in diefem noch eine Viertelftunde ftehen und backt fie in einem Bratrohr fchön gelb. Man gibt Compote von Brünellen dazu.

232. Tyrolernudeln.

Man macht von 1¼ Pfund Mehl, 3 Löffeln voll Bierhefe, 3 Eier= gelb, einem halben Schoppen faurem Rahm, 3 Loth Zucker und einem Viertelpfund kleinen Weinbeeren einen feften Teig, arbeitet ihn eine Viertelftunde, läßt ihn in der Wärme gehen, macht Küchlein mit einem Löffel daraus, legt diefe auf ein mit Mehl beftreutes Tuch, formt fingerlange Stängel daraus, backt fie in heißem Schmalz und ftreut Zucker und Zimmt darauf.

233. Rahmftrauben.

In 1 Schoppen Rahm und 4 ganze Eier rührt man feines Mehl, bis es ein Teig ift, nimmt eine Mefferfpize voll Salz dazu, rührt noch 2 Eier daran, und wenn der Teig fo dünn ift, daß er durch den Straubentrichter läuft, läßt man ihn in eine Pfanne mit heißem Schmalz laufen, backt ihn fchön gelb und ftreut Zucker und Zimmt darauf.

234. Saure Rahmftrudeln.

Man nimmt ungefähr ein halbes Pfund Mehl auf ein Nudeln= brett, 2 Eierweiß, Butter in der Größe einer Welfchnuß, etwas laue Milch, macht einen Teig an wie zu Nudeln, doch nicht fo feft, ver= arbeitet ihn eine Viertelftunde recht ftark, läßt ihn, wenn es die Zeit

erlaubt, eine halbe Stunde ruhen, weßt die Kuchen, ſo fein man kann,
aus, zieht den Strudel auf einem Tuch, ſo fein wie Poſtpapier, aus,
läßt ihn gut abtrocknen, nimmt dicken ſauren Rahm, rührt 2 Meſ=
ſerſpitzen voll Salz darein, ſchlägt von 4 Eiern einen ſteifen Schnee,
mengt es unter den Rahm, legt den Strudel auf's Nudelnbrett, über=
ſtreicht ihn mit Rahm, rollt ihn zuſammen; dann thut man 1 Schop=
pen Milch und ein kleines Stück Butter in eine Bratpfanne, läßt es
miteinander aufkochen, legt die Strudeln darein, ſtellt das Geſchirr
in ein Bratrohr und läßt ſie aufziehen.

235. Gewöhnliche Spätzlein.

An ein Viertelpfund Mehl in einer Schüſſel ſchlägt man 4 Eier,
mengt es mit Waſſer oder Milch durcheinander (geklopft darf der
Teig nicht werden, weil er ſonſt zähe wird), macht dann in einer
Pfanne kochendes Waſſer, thut eine Hand voll Salz dazu, taucht den
Seiher in's Waſſer, treibt den Teig darein mit dem Kochlöffel
durch; hernach thut man die Spätzlein in den Seiher und gießt kal=
tes Waſſer darüber. Gehören ſie zu einer Suppe, ſo darf kein kaltes
Waſſer, ſondern es muß gleich Fleiſchbrühe daran gegoſſen werden.
Will man ſie geröſtet geben, ſo läßt man ſie in einer Pfanne mit
heißem Schmalz auf beiden Seiten ſchön gelb anſchlagen, verrührt
2 Eier mit 3 Löffel voll ſaurem Rahm, gießt ſie über die Spätzlein,
läßt ſie anziehen, wendet ſie nochmals um und richtet ſie an.

236. Leberſpätzlein.

Man häutet eine halbe Kalbsleber mit einem Meſſer und ſchnei=
det die Adern ſauber heraus, wiegt die Leber recht fein, thut ſie in
eine Schüſſel, macht 2 Loth Butter oder Schmalz heiß, gießt ſie an
die Leber, ſchlägt 2 ganze Eier daran, dieſes rührt man eine Weile
miteinander, thut ein halbes Mäßchen Mehl dazu und macht es unter=
einander; ſollte dieſer Teig noch zu feſt ſeyn, ſo kann noch ein wenig
Milch oder Waſſer dazu genommen werden. Dann macht man in
einer Pfanne kochendes Waſſer, taucht den Seiher darein, treibt den
Teig durch den Seiher mit einem Kochlöffel durch, legt die Spätzlein
wieder in einen Seiher und gießt ein wenig Waſſer darüber. Man
kann ſie zur Suppe geben oder auch abröſten. Eine Hand voll Salz
kommt dazu.

237. Milchſpätzlein.

Man ſchlägt 3 Eier an hinreichend Mehl in einer Schüſſel und
macht es mit Milch zu einem Spatzenteig, macht in einer Pfanne
Milch kochend, taucht den Durchſchlag in kaltes Waſſer, treibt den
Teig darein durch und läßt ihn langſam in die kochende Milch laufen,
rührt die Spätzlein oftmals um, damit ſie keine Knollen bekommen,
ſchneidet 4 Loth Butter daran und läßt ſie gut kochen, doch ſo, daß
ſie noch ſaftig ſind. Man kann ſie ſalzen oder zuckern.

5 *

238. Aufgezogene Milchspätzlein.

Man rührt ein Viertelpfund Butter in einer Schüssel, 4 Eier, eines nach dem andern, daran, zu jedem Ei 1 gehäuften Eßlöffel voll Mehl (es dürfen auch 5 Eier seyn), macht in einer Casserolle Milch kochend, taucht den Seiher darein, treibt den Teig mit einem Kochlöffel in die kochende Milch, fängt mit einem Schaumlöffel die Spätzlein auf, thut sie in eine Schüssel, bestreicht ein Aufzugblech mit Butter und legt sie darauf. Dann stößt man 4 Loth Zucker, an einer Citrone abgerieben, recht fein, gießt 1 Schoppen gute Milch dazu, schlägt 3 Eier daran, verklopft es gut miteinander, gießt ein wenig über die Spätzlein, thut die übrige Spätzleinsauce daran, gießt das Uebrige auch darüber und stellt sie in den Ofen; in einer halben Stunde sind sie fertig.

239. Spinatkuchen.

2 Hände voll Spinat wird recht fein gewiegt, 2 Mundbrode mit kochender Milch angebrüht, die Milch wieder abgegossen, der Spinat zu dem Brod genommen, 4 Eiergelb, 1 Messerspitze voll Salz, 2 Loth Zucker und eine halbe geriebene Muskatnuß mit dem Obigen recht schaumig, zulezt der Schnee von den 4 Eiweiß dazu gerührt, ein Aufzugblech mit Butter bestrichen, die Masse darein gefüllt und der Kuchen im Ofen gebacken.

240. Spinatkuchen anderer Art.

Der Spinat wird sauber gewaschen, mit kochendem Wasser ans Feuer gesetzt, Salz daran gethan und ausgekocht. Hierauf läßt man ihn durch einen Seiher ablaufen, gießt kaltes Wasser darüber, drückt ihn fest aus, wiegt ihn so fein wie möglich mit Zwiebeln und Petersilie. Sodann reibt man 2 Mundbrode am Reibeisen ab, weicht sie im Wasser ein, drückt sie fest aus, mengt sie unter den Spinat und schlägt 4 Eier daran, eines nach dem andern. Alsdann läßt man einen halben Vierling Butter zergehen, gießt ihn unter die Masse, thut Salz und Muskatnuß daran, rührt sie eine Viertelstunde lang untereinander, streicht ein Backblech (Potageblech, Plafond) mit Butter aus, füllt die Masse darein und backt sie auf Kohlen oder im Ofen.

241. Gebackene Vanillecrème.

Ein fingerlanges Stück Vanille wird mit 1 Schoppen Milch eine Viertelstunde gekocht; 4 Kochlöffel voll Mehl werden mit kalter Milch in einer messingenen Pfanne glatt angerührt, 4 Loth Zucker, 6 Eiergelb und noch 1 Schoppen Milch dazu genommen, wie auch die Vanillemilch, von Allem nun auf dem Feuer ein dicker Brei gekocht, der Schnee von den 6 Eiweiß langsam unter die Masse gemischt, ein Geschirr mit Butter bestrichen, die Crème eingefüllt und gelb gebacken.

242. Bienennester.

Mit 2 Pfund Mehl, 3 Löffeln voll Bierhefe, 1 Schoppen Milch macht man ein Teiglein an, läßt es in der Wärme gehen, schneidet ein Viertelpfund Butter daran, 2 Eierdotter, 2 ganze Eier, klopft den Teig eine Viertelstunde, läßt ihn nochmals gehen, bestreut ein Tuch mit Mehl, macht aus dem Teig Nudeln, wie ein Hühnerei so groß, zieht sie auf dem Tuche auseinander, bestreicht sie mit Butter, füllt ein Viertelpfund kleine und ein Viertelpfund große Weinbeeren darein, rollt die Nudeln auf, läßt sie in einem mit Butter bestrichenen und mit Zucker bestreuten Geschirre schön gelb backen und macht nun folgende Compote dazu: Gute Birnen (Zweipatzernen sind die besten dazu) werden geschält, mit heißem Wasser in einem irdenen Geschirr zugesezt, 1 Schoppen Wein daran gegossen, das Gelbe von 1 Citrone, ein Stück ganzer Zimmt und 3 Loth Zucker damit gekocht; wenn die Birnen weich sind, werden sie mit den Nestern angerichtet.

243. Gefüllte Eier mit Hirn.

Man schält so viel hartgesottene Eier, als man braucht, schneidet sie in 2 Theile, nimmt das Gelbe heraus, treibt es durch ein Haarsieb, nimmt 2 Löffel voll sauren Rahm dazu, häutelt ein Kalbshirn ab, läßt ein Stück Butter in einer Casserolle heiß werden, dämpft das Hirn darin, rührt dieses sammt Salz und Pfeffer an das Eiergelb, füllt mit dem Gerührten die weißen Eier aus, sezt diese in eine Bratpfanne, gießt ein wenig fette Fleischbrühe dazu, stellt sie eine Viertelstunde in ein Bratrohr und läßt sie schön gelb backen.

244. Gefüllte Eier mit Spinat.

Man siedet die Eier hart, schält sie, legt sie in kaltes Wasser, kocht ein wenig Spinat, wie zu einem Gemüse, drückt die Eiergelb darein, läßt in einer Casserolle ein Stück Butter zergehen, dämpft den Spinat und die Eiergelb darin, Salz und Muskatnuß dazu, füllt die Eierweiß damit aus, drückt sie zusammen, daß sie aussehen wie ganze Eier; wendet die Eier in verklopften Eiern und dann in geriebenem Brodmehl um und backt sie in heißem Schmalz schön gelb.

245. Gefüllte Eier anderer Art.

Man siedet Eier hart, so viel man braucht, schält sie, legt sie in kaltes Wasser, schneidet die Rinde von einem Wecken ab, weicht ihn in Milch ein, drückt ihn aus, läßt ein Stück Butter in einer Casserolle zerlaufen, dämpft den Wecken und das Eiergelb eine Viertelstunde darein, schlägt noch ein ganzes Ei daran, füllt die Eierweiß damit aus, schneidet hierauf für 2 Krenzer mürbes Brod in Schnitten, gießt ein wenig Milch darauf, daß sie weich werden, bestreicht ein Aufzugblech mit Butter, bestreut es mit Zucker, legt die weichen Brodschnitten hinein, sezt auf diese die Eier, schneidet 6 Stück gewaschene, ausgegrätkete Sardellen und etwas Schinken in Stückchen, legt sie um die Eier herum, schlägt 3 ganze Eier an 1 Schoppen süßen Rahm, salzt es, reibt 4 Loth Parmesankäs dazu, rührt Alles miteinander, gießt es über die Eier, stellt das Aufzugblech in ein Bratrohr und läßt sie schön aufziehen.

246. Farcirte Eier.

Eier, so viel man braucht, siedet man hart, schält sie, legt sie in kaltes Wasser, schneidet sie der Länge nach entzwei, nimmt das Gelbe behutsam heraus, schneidet die harte Rinde von einem weißen Kreuzerbrod ab, weicht es in's Wasser ein, drückt es fest aus, läßt ein Stück Butter in einer Casserolle zerlaufen, thut das Brod und die hartgesottenen Eiergelb dazu, nebst einer Hand voll sauber gewaschener kleiner Weinbeeren, kocht dieses alles auf dem Feuer miteinander, schlägt noch ein Ei daran, 2 Löffel voll sauren Rahm, Salz und Muskatnuß, rührt es nochmals auf dem Feuer durcheinander, füllt die hartgesottenen Eierweiß damit aus, verstopft auf der Platte, die man zur Tafel geben will, 3 Eiergelb in einem halben Schoppen süßen Rahm, gießt es über die Eier und läßt sie in einem Bratrohr schön gelb werden; schlägt dann 3 Eiergelb in eine messingene Pfanne, ein Stückchen Butter und einen halben Schoppen süßen Rahm dazu, läßt dieses auf dem Feuer miteinander anziehen und gießt die Sauce über die Eier.

247. Gerührte Eier auf Pariser Art.

Man schlägt 4 Eier in eine Schüssel (zu 6 Personen nimmt man 8 Eier), salzt sie nach Belieben, läßt ein halbes Pfund Butter in einer Casserolle zerlaufen, rührt die Eier langsam daran, unterm Kochen werden 2 Eßlöffel voll gute Jus daran gerührt; sind die Eier fertig, so thut man sie auf die Platte, die man zur Tafel geben will, macht einen Kranz davon, schlägt das Gelbe von 6 Eiern auf die Mitte der Platte, streut ein wenig Salz und Pfeffer darüber, stellt sie auf kochendes Wasser, daß die Eier anziehen, unterdessen schneidet man ein Stück Schinken in kleine Stückchen, legt diese auf den Eierkranz und dazwischen eine schöne Petersilie.

248. Verdeckte Eier.

Man siedet Eier hart, so viel man braucht, schält sie, legt sie eine Weile ins kalte Wasser und schneidet sie in 4 Theile, bestreicht das Geschirr, das man zur Tafel gibt, mit Butter, sezt die hartgesottenen Eier darein, nimmt 3 Hände voll Geigenmehl, rührt es mit einem Schoppen Milch glatt an, schlägt 3 ganze Eier daran, eine Hand voll feingeschnittenen Schnittlauch, rührt Alles gut durcheinander, thut Salz und Muskatnuß dazu, gießt es behutsam über die Eier, stellt das Geschirr in ein Bratrohr und läßt es schön gelb aufziehen.

249. Sardellen mit verlornen Eiern (nach der Suppe zu serviren).

Verlorene Eier werden in eine Platte, wie bei der Eierzubereitung beschrieben worden ist, gethan; ein Stück schwarzes Brod wird in Schmalz schön gelb gebacken und in eine Casserolle, nebst einem Stück braunen Lebkuchen, einem Schoppen Wein und etwas Fleischbrühe gekocht, durch ein Haarsieb gepreßt, wieder in der Casserolle mit dem Saft und dem feingewiegten Gelben von einer Citrone aufgekocht, dann nimmt man ein halbes Pfund sauber gewaschene Sardellen, macht die Gräthe davon los, schneidet sie in kleine Stückchen, legt sie auf die Platte, auf der die Eier sind, richtet die Sauce darüber an und gibt sie zur Tafel.

250. Verlorene Eier mit Jus.

In eine messingene Pfanne mit halb Wasser, halb Essig, schlägt man, wenn das Wasser kocht, behutsam frisch gelegte Eier, nimmt sie so mit einem Schöpflöffel heraus, legt sie ins kalte Wasser und macht so fort, bis die Eier gar sind. Beim Anrichten nimmt man die Eier heraus, schneidet sie zurecht, legt sie auf die Platte, die man zur Tafel geben will, gießt einen Schöpflöffel voll starke Jus dazu, läßt es miteinander anziehen und legt Pfeffer darauf. Das Wasser muß aber gesalzen werden.

251. Kaiserkuchen.

Man schneidet die Rinde von 4 Mundbroden ab, weicht die Brode in Wasser ein und drückt sie aus, dämpft sie in einer messingenen Pfanne mit einem Stück Butter ganz trocken, thut sie in eine Schüssel, rührt 10 Loth abgezogene, feingestoßene Mandeln, ein Viertelpfund Zucker, auch fein gestoßen, 1 am Reibeisen abgeriebene Citrone und 6 Eiergelb recht gut untereinander, nimmt noch ein Viertelpfund Zibeben und Rosinen nebst dem Schnee der Eierweiß zu der Masse, backt den Kuchen in einem mit Butter bestrichenen und mit Zucker bestreuten türkischen Bund (Gugelhopfenmodel) schön gelb und macht eine Kirschensauce: Ein halbes Pfund Kirschen stößt man sammt den Steinen in einem Mörser recht zusammen, läßt sie eine Viertelstunde mit einem Glas Wasser kochen, treibt sie durch einen Seiher mit 1 Schoppen Wein, rührt in einem andern Geschirr 2 Kochlöffel voll Mehl mit Wein glatt an, thut die durchgetriebenen Kirschen dazu, läßt alles nebst 4 Loth Zucker, 2 Messerspitzen voll Zimmt und eben so viel Nelken mit einander kochen, legt den Kaiserkuchen auf die Platte und gießt die Sauce daran.

252. Regenwürmer.

Man nimmt nach Belieben Mehl auf das Nudelbrett, schlägt 3 Eierweiß nebst 1 Messerspitze voll Salz daran, Hühnerei groß Butter und Milch, bis man den Teig verarbeiten kann, wellt ihn mit der Hand so dünn wie ein Federkiel und 1 Elle lang, macht in einem Plafond Milch heiß, thut ein großes Stück Butter nebst den Nudeln darein und läßt es miteinander kochen. Sie müssen etwas Saft haben; auch kann man sauren Rahm dazu geben nebst Zucker und Zimmt.

253. Regenwürmer mit Brandteig.

Eine halbe Maas Wasser und ein Stückchen Butter, so groß wie ein Hühnerei, läßt man in einer Pfanne kochen, rührt seines

Mehl darein, bis es einen dicken Teig gibt, rührt in einer Schüssel 2 bis 3 Eier, Salz und Zucker daran, streut Mehl auf ein Nudeln- brett, macht fingerdicke Nudeln von dem Teig, bestreicht einen Pla- fond mit Butter, gießt nagelhoch Milch darein, setzt die Nudeln, neben einander, aber nicht zu nahe, hinein, deckt den Plafond zu, stellt es auf Kohlen oder in einen Bratofen, läßt die Nudeln so lange kochen, bis kein Saft mehr sichtbar ist, wendet sie mit dem Backschäufelchen um und streut Zucker und Zimmt darauf.

254. Gefülltes Reis.

Man brüht ein halbes Pfund Reis in kochendem Waffer zwei- bis dreimal an, wascht es sauber, thut es in eine Casserolle, gießt 2 Schöpflöffel voll Fett dazu; hat man das nicht, so nimmt man ein Stück Butter, stellt es auf schwache Kohlen und läßt es nur auf- wallen; man nimmt ein altes Huhn (auch junge Hühner können dazu genommen werden), kocht es halb weich, steckt es in den Reis und läßt es gut weich kochen. Beim Anrichten wird das Huhn nach dem Glied tranchirt, man thut 1 Löffel voll Reis auf die Platte, streut 1 Hand voll Parmesankäs darüber, legt von dem Huhn auf das Reis, dann wieder Reis und wieder von dem Huhn, so lange bis es zu Ende ist. Dann läßt man ein Stück Butter in einem Pfännchen heiß werden und schmälzt den Reis beim Anrichten ab; man kann auch noch Par- mesankäs dazu geben, wenn man es zur Tafel trägt.

255. Brodschnitten.

Mundbrode, so viel man braucht, werden am Reibeisen abge- rieben, zu Schnitten geschnitten, in ein Plafond gelegt, 4 Eier mit einer halben Maas Milch verrührt, an die Schnitten gegossen und diese eine halbe Stunde stehen gelassen. Dann werden noch einmal 2 Eier mit 1 Schoppen Milch verrührt, die Schnitten darin umge- kehrt und gelb gebacken.

256. Gebackene Griesschnitten.

Man kocht eine halbe Maas Milch und 4 bis 5 Hände voll Griesmehl zu einem dicken Brei, rührt in einer Schüssel nach und nach 6 Eier daran, ziemlich viel Schnittlauch, Muskatnuß und Salz dazu, backt den Teig in einer mit Butter bestrichenen Form, schneidet es zu kleinen Schnitten und gibt diese zur Suppe. Man kann sie zu Jussuppen oder zu Suppen à la Reine geben.

257. Schalotteis mit Schlagrahm.

Ein halbes Pfund Speckschwarten setzt man mit kaltem Waffer ans Feuer, läßt sie zwei Minuten miteinander kochen, schüttet das Waffer davon, nimmt die Schwarten auf ein reines Brett, schabt das Fett sauber ab, thut die Schwarten wieder in ein reines Geschirr, gießt eine Maas Waffer daran, läßt es bis auf 3 Schoppen einkochen, zieht es durch ein Haarsieb oder ein wollenes Tuch, läßt es eine

Viertelstunde stehen, gießt es dann in eine messingene Pfanne, thut 6 Loth Zucker dazu, woran eine Citrone abgerieben ist, gießt 3 Schoppen dicken süßen Rahm dazu, läßt es miteinander so lang kochen wie ein hartes Ei, zieht es durch ein Haarsieb und läßt es erkalten. Unterdessen schlägt man einen Schoppen Schlagrahm in einer Schüssel mit einem weißen Beselchen oder einem Chokoladesprudel ganz dick, legt ihn auf ein Haarsieb und läßt ihn ablaufen; ist die Crème kalt, so mengt man den Schnee darunter, belegt eine glatte tiefe Form durchaus mit Zuckerbrod, so daß eines an dem andern ist, wie bei der Aepfelschalott, füllt die Crème darein, läßt es fest stehen und stürzt es dann auf eine Platte.

258. Frankfurter Speise.

Man dämpft 16 bis 18 geschälte Borsdorferäpfel, von welchen das Kernhaus ausgestochen wurde, in einer Casserolle mit 4 Loth Zucker und einem Schoppen weißen Wein. Dann macht man eine Crème von Marasquino wie folgt: 3 Schoppen Milch, 4 Loth Zucker und ein Stück Zimmt läßt man eine Zeit lang miteinander kochen, rührt 8 Eiergelb und einen Kochlöffel voll Mehl glatt an, gießt die kochende Milch daran, nebst einem halben Glas Marasquino, läßt Alles noch einmal in der Pfanne anziehen, sprudelt es in einem Topf recht stark, sezt die Aepfel auf eine Platte, macht einen festen Wasserteig an und von diesem einen Kranz um die Platte, bestreicht sie mit einem Ei, gießt die Crème über die Aepfel und läßt sie in einem Bratrohr gelb backen.

259. Schweizerspeise.

Die abgeschälte Rinde von 3 Wecken oder Milchbroten backt man in heißem Schmalz und kocht sie mit einem Schoppen Wein in einer Casserolle wie einen Brei, rührt sie dann in einer Schüssel mit 6 Loth feingestoßenem Zucker, einer am Reibeisen abgeriebenen Pomeranze, 4 bis 5 Eiergelb und dem Schnee von den Eiern miteinander und backt diese Masse in einem Aufzugblech, worein man zuvor Butterteig legte. Dann läßt man ein Viertelpfund Zucker mit 2 Eßlöffeln voll Wasser kochen bis er Fäden spinnt, schlägt einen steifen Schnee von 4 Eierweiß, den Saft von einer Pomeranze dazu, rührt es untereinander, stürzt den gebackenen Kuchen auf eine Platte und gießt das Eis darüber. Diese Speise kann auch als Pudding im Dampf gekocht und eine Pomeranzensauce dazu gegeben werden.

260. Stuttgarter Speise.

Man kocht eine halbe Maas Wasser, 3 Loth Butter, 1 Loth Zucker und Mehl zu einem dicken Teig, thut ihn in eine Schüssel, schlägt 6 bis 8 Eiergelb daran, macht Welschnuß große Kügelchen von dem Teig, backt sie im Schmalz und macht folgende Crème dazu: Man kocht eine halbe Maas Milch, 3 Loth Zucker und einer halben Citronenschale, rührt 5 Eiergelb mit 3 Fingern voll Mehl und kalter Milch glatt an, rührt die kochende Milch dazu, läßt Alles nochmals in der Pfanne anziehen, gießt einen Theil der Crême durch ein Haarsieb auf eine Platte, macht von den gebackenen Küchlein eine Pyramide in die Crême, gießt die andere Hälfte auch daran, schlägt einen Schnee von den 10 Eierweiß, macht einen handhohen Kranz davon um die Pyramide herum, streut Zucker darauf und stellt die Küchlein eine kleine Weile in den Ofen.

261. Wiener Speise.

Aepfel von gleicher Größe werden geschält, das Kernhaus heraus genommen, die Aepfel in einem Stück Butter und einem Stück Zucker halbweich gedämpft und, wenn sie kalt sind, in 2 verklopften Eiern, dann in feingeriebenem Brod umgewendet, in ein Kuchenblech gesezt und im Backofen schön gelb gebacken. Nun stößt man 10 Loth Mandeln in der Schale recht fein, ein Viertelpfund gestoßenen Zucker, eine Muskatnuß, eine Messerspitze voll gestoßene Nelken, 4 Loth geriebenes schwarzes Brod, schlägt 10 Eiergelb daran, rührt Alles so stark mit- einander wie eine Torte; zulezt kommt noch der Schnee von den 10 Eierweiß dazu; dann legt man die Aepfel auf die Platte, füllt das Gerührte darauf und läßt es im Backofen gelb backen.

262. Timbal von Makaroni.

Man siedet ein halbes Pfund italienische Makaroni recht weich, legt sie in eine Schüssel und macht sie mit einem Pfund mageren, feingewiegten Schinken, einem Schoppen sauren Rahm, 3 Eiern und einem Viertelpfund geriebenen Parmesankäs untereinander, legt einen Melonenmodel mit Butterteig aus, füllt die Masse darein, backt sie im Ofen und stürzt sie hernach auf eine Platte.

263. Schlacht bei Austerlitz.

Ein altgebackenes Biscuit schneidet man zu fingerslangen Stück- chen, bestreicht eine blecherne Kapsel mit Butter, legt eine Lage Biscuit und Weinbeeren, Biscuit und eingemachte Nüsse, Biscuit und Apri- kosen darein, und macht so fort, bis die Form voll ist, doch so, daß sie fingersbreit leer bleibt, rührt 2 Eiergelb mit einem Schoppen süßen Rahm an, übergießt die Masse damit, macht den Deckel fest zu, läßt den Pudding eine halbe Stunde kochen und macht folgende Sauce dazu: Man stößt 2 Loth abgezogene Mandeln recht fein mit Milch, gießt einen Schoppen süßen Rahm, 2 Loth Zucker, an einer Citrone abgerieben, läßt Alles miteinander aufkochen, gießt ein halbes Glas voll Marasquino an die Sauce und schüttet sie an den Pudding.

264. Königin von Brasilien.

Man macht den Tag zuvor einen feinen Gugelhopfen oder ein Münchner Butterlaibchen. Dazu rührt man ein halbes Pfund Butter in einer Schüssel eine halbe Stunde lang schaumig, legt 10 Eier in warmes Wasser und rührt eines nach dem andern in die Butter (1 Ei muß 3 Minuten gerührt werden), hierauf rührt man einen

halben Schoppen dicken, füßen, warmen Rahm, 1 Messerspitze voll
Salz und 1 Loth Zucker noch eine halbe Viertelstunde lang darunter,
dann werden 10 Eßlöffel voll feines Mehl daran gerührt, bis nichts
mehr vom Mehl zu sehen ist, und nach diesem 3 Löffel voll gute
weiße Bierhefe; sodann bestreicht man ein hohes Geschirr mit Butter,
füllt die Masse darein, stellt sie in gelinde Wärme, läßt sie so lange
gehen bis sie wieder zu sinken anfängt, und backt sie in gelinder Hitze
schön gelb aus. Nun stellt man das Gebackene aufrecht auf eine
Platte und schneidet an dem Tage, wo man es auftragen will, den
Deckel behutsam und eben ab, nimmt das Muß mit einem Löffel
aus, aber so, daß es kein Loch gibt, löst 3 Bierling Chokolade in
einer messingenen Pfanne mit 1 Schoppen Wasser auf, schlägt 24
Eiergelb in einen Topf, gießt 1 Maas Milch an die Chokolade und
läßt sie aufkochen, gießt sie kochend an die Eiergelb, thut 1 Kochlöffel voll Mehl dazu, kocht sie nochmals in der Pfanne unter beständigem Umrühren auf, gießt sie durch ein Haarsieb in ein anderes
Geschirr, rührt sie ein wenig kalt, füllt die Crème in das ausgehöhlte
Münchner Laibchen, sezt den abgeschnittenen Deckl behutsam darauf,
stellt es auf eine große runde Platte, schlägt von den 24 Eierweiß
einen steifen Schnee und bedeckt damit das Brod und die Platte bis
an den mittleren Reif. Diesen Aufguß macht man so hoch als möglich, er darf auch nicht glatt gemacht werden, sondern er muß aussehen, wie ein Felsenberg; oben macht man einen Kreuzschnitt, um
der Bergspitze das Aussehen einer Krone zu geben, löst nochmals
3 Bierling Chokolade in einer messingenen Pfanne mit 1 Glas Wasser
auf, thut sodann ein halbes Pfund Zucker daran, gießt noch 1 Glas
Wasser dazu, läßt dieses Alles eine Viertelstunde miteinander kochen
und die Chokolade über einen Pinsel auf den Schneeberg laufen, so
daß er ganz bedeckt wird. Auf die 4 Ecken der Krone steckt man
je eine schöne Kirsche und in die Mitte derselben eine schöne Aprikose.
Ehe der Schnee auf die Torte kommt, wird sie noch eine Viertelstunde in den Ofen gestellt, daß sie nochmals warm wird, nachher
aber nicht wieder.

265. Prinzeffin Louis.

1 Schoppen Wasser, 4 Loth frische Butter und 6 Loth Zucker
läßt man in einer messingenen Pfanne miteinander kochen, rührt so
viel feines Mehl daran, bis es dick ist, thut es dann in eine Schüssel,
reibt eine ganze Citrone am Reibeisen ab, welche mit 12 Eiergelb
auch an den Teig gerührt wird, backt in einer eisernen Pfanne,
die Tellergröße hat, 1 Schöpflöffel voll von dem Teig schön gelb,
wendet den Kuchen um, backt ihn auf der andern Seite auch, bestreicht
die Platte, die man zur Tafel geben will, mit Butter, legt den
Kuchen darauf, bestreicht diesen mit eingemachten Johannisbeeren,
backt einen ähnlichen Kuchen, legt ihn auf den ersten, bestreicht diesen
zweiten mit Aprikosenmarmelade, backt den dritten, legt ihn wieder
auf den zweiten, bestreicht ihn mit Himbeeren und macht nun so fort,

bis der Teig zu Ende ist; er wird ungefähr zu 4 bis 5 Kuchen reichen. Dann schlägt man von den 12 Eierweiß einen steifen Schnee, macht damit einen Kranz um die Kuchen herum, streut Zucker darüber, damit sie einen schönen Glanz bekommen, läßt Alles eine halbe Stunde im Backofen gelb backen und streut Zucker darauf.

266. Ein altes Weib.

1 Schoppen Wasser und Butter, so groß wie ein Hühnerei, läßt man in einer messingenen Pfanne kochen, rührt so viel feines Mehl hinein, bis es ganz dick ist, kocht es so lange, bis sich der Teig von der Pfanne losmacht und rührt ihn mit 3 Eiern glatt (der Teig muß so seyn, daß er an einem Löffel hinunterläuft). Nun schneidet man ein kleines Stückchen weißes Brod, macht es schön rund, taucht es in den Teig und backt es in einer tiefen Pfanne mit heißem Schmalz schön gelb, steckt es an eine starke Gabel, wendet es wieder in dem Teig um und macht nun 12 bis 15 Mal so fort, ist das Brod groß genug, so legt man es auf Brodschnitten, läßt es gut darauf ablaufen und macht eine englische Sauce, wie folgt, dazu: 1 kleinen Kochlöffel voll Mehl rührt man mit kaltem Wasser an, gießt 1 Schoppen rothen Wein daran, Zucker, bis es süß genug ist, 1 Messerspitze voll gestoßenen Zimmt, 1 Vierling Weinbeeren und läßt dieses miteinander aufkochen; nun nimmt man in ein kleines Pfännchen ein Stückchen Zucker, gießt einen Eßlöffel voll Wasser daran, läßt dieses kochen, bis es Fäden zieht, gießt es an die Sauce und läßt Alles noch einmal aufkochen, sezt das alte Weib auf die Platte und gießt die Sauce über sie.

Pasteten.

267. Butterteig zu machen.

Zu einem Pfund guter Butter wiegt man ein Pfund feines Mehl ab, nimmt das Mehl auf das Rudelnbrett, macht in die Mitte eine Vertiefung, gibt 2 Löffel voll sauern Rahm, 2 Messerspitzen voll Salz, ein ganzes und ein halbes Ei und etwas kaltes Wasser dazu, schafft diesen Teig zu gelinder Stärke und wellt ihn fingerdick aus. Nun nimmt man die Butter, zerknetet sie mit ein wenig Mehl und legt sie in den Teig, überschlägt den Teig, wellt ihn aus und wiederholt dieses dreimal.

Anmerkung. Auf diese Art wird der Butterteig am allerbesten; viele Köchinnen nehmen Kirschengeist, Wein und sonst noch vielerlei dazu; allein derselbe ist keineswegs besser und auch nicht so einfach.

268. Butterteig zu Pasteten.

Man nimmt ebenfalls ein Pfund Butter, ein Pfund Mehl und macht den Teig an, wie bei No. 267, nur mit dem Unterschied, daß

dieser Teig 5mal übereinander geschlagen wird, weil er nicht so auf-
gehen darf.

269. Aufgezogene Pastete.

Man macht ein melirtes Ragout: Dieses besteht in Kalbsbrieschen, Hirn, Hühnerbrüsten, Kalbseutern, Ochsenbriesen, schönem weißem Kalbfleisch und Krebseutern; alles dieses, die Krebseuter ausgenommen, wird in einem großen Seiher in kochendes Wasser gehalten und so lange gekocht wie harte Eier. Dann nimmt man es
wieder heraus und legt es in kaltes Wasser, damit es schön weiß
bleibt. Nun wiegt man 3 Schalottenzwiebeln und von einer halben
Citrone das Gelbe, dämpft diese in einer Casserolle, deckt sie eine Viertelstunde zu, läßt das Fleisch ablaufen und in der Casserolle eine
halbe Stunde mitdämpfen, streut einen kleinen Kochlöffel voll Mehl
darüber, gießt ein wenig kaltes Wasser daran, wendet es um, gießt
1 Schöpflöffel voll gute Fleischbrühe und von 1 Citrone den Saft
daran und läßt es eine Viertelstunde miteinander kochen; sodann nimmt
man $\frac{1}{4}$ Pfund Krebsbutter in eine kleine Casserolle, schlägt 4 Eier
daran, gießt einen halben Schoppen süßen Rahm dazu, rührt es auf
schwachem Kohlenfeuer so lange, bis es anfängt dick zu werden, läßt
es in einem Seiher gestehen, rührt 1 Schoppen sauren Rahm in einer
Schüssel dick, schlägt 6 Eiergelb daran, macht von den 6 Eierweiß
einen steifen Schnee, mischt 6 Löffel voll Mehl, eine Messerspitze voll
Salz, eine halbe Muskatnuß langsam unter die Masse und thut das
Ragout ohne Sauce in eine Schüssel; die Krebsbutter schneidet man
nach Belieben und legt sie oben auf das Ragout, gießt die Hälfte
von der gerührten Masse auf dasselbe und läßt es in einem Bratrohr schön aufziehen. Ist es beinahe fertig, so gießt man die andere
Hälfte darüber und läßt es im Ofen ganz fertig aufziehen. Ist es
Zeit zum Anrichten, so legt man das Aufgezogene auf eine Platte
und gibt die Sauce besonders dazu.

270. Gerührte Brieschenpastete.

2 bis 3 Brieschen schneidet man zu viereckigen Stückchen,
dämpft sie mit einer Hand voll geschnittenen Zwiebeln und Petersilie,
etwas Citronenschale und einem Stückchen Butter eine Viertelstunde.
Nun reibt man 2 Mundbrod ab, weicht sie ein, drückt sie fest aus,
rührt ein Viertelpfund Butter leicht, nimmt das Brod, 4 Eier, Salz
und Muskatnuß dazu, rührt alles miteinander recht schaumig, bestreicht Pastetenmödelchen mit Butter, füllt die Masse darein, legt
von den gedämpften Brieschen einen Löffel voll auf jedes Mödelchen
und backt sie gelb aus.

271. Casserollepastete auf deutsche Art.

Man macht einen Nudelteig, schneidet kleine viereckige Fleckchen
davon und bereitet die Pastete wie die Casserollepastete auf genuesische
Art; man kann Schinken oder geräucherte Fische dazu nehmen.

272. Caſſerollepaſtete auf genueſiſche Art.

Man nimmt, anſtatt Makaroni, Nudelnteig von Eierdottern, ſchneidet lange Bändel, wie Makaroni daraus, ſo breit wie der kleine Finger, nimmt ſauren Rahm dazu und bereitet die Paſtete auf die nämliche Art, wie Makaroni-paſteten.

273. Paſtete mit weißer Farce.

Die Farce wird von Geflügel bereitet, wie oft erklärt wird, runde oder lange Knödel davon gemacht, in Bouillon geſotten, trocken mit Bechemelle in eine Caſſerolle gethan, daß ſie recht heiß werden und in die Paſtete gelegt.

274. Feldhühnerpaſtete.

Von 6 Feldhühnern ſchneidet man die Brüſte aus und die Knochen von 2 Brüſten weg, ſtoßt das Fleiſch im Mörſer fein, reibt ein halbes Pfund Schweinsbrät, ein eingeweichtes, feſt ausgedrücktes Kreuzerbrod und 2 Eier in einem Reibſtein wie Schaum, thut das Geriebene in eine Schüſſel, ſtoßt 3 Loth gereinigte Sardellen mit 3 Loth Butter, das gewiegte Gelbe einer Citrone, Salz, Pfeffer, Muskatnuß und Muskatblüthe dazu, ſpickt 4 Hühnerbrüſte und die Schlägelchen, legt ſie mit geſchnittenem Speck, Butter, Zwiebeln, Wacholderbeeren, gelben Rüben und Sellerie in eine Caſſerolle, deckt ſie zu und dämpft ſie eine halbe Stunde; die Körper der Hühner werden zuſammengehackt und gleichfalls mitgedämpft. Man legt nun einen Melonenmodel mit Butterteig aus, legt den halben Theil der gerührten Maſſe darein, die Brüſte und Schlägelchen darauf, 1 Löffel voll Kapern, 2 bis 3 gereinigte Trüffeln darüber, deckt die andere Hälfte des Gerührten darüber, gießt das Fett, worin ſie gedämpft worden ſind, dazu, macht einen Deckel von Butterteig darauf, beſtreicht ihn mit Eiern, zwickt ihn gut zuſammen und backt die Paſtete im Ofen.

275. Hachispaſtete.

Man wiegt 1 Pfund gebratenes Fleiſch, 2 Löffel voll Kapern, 1 gereinigten Häring, von einer Citrone das Gelbe und das Mark von 2 Citronen nicht ſehr fein, ſchneidet die Rinde von einem Mundbrod ab, weicht es in Waſſer ein, drückt es feſt aus, thut es an das gewiegte Fleiſch, ſchlägt 2 Eier daran, Salz, Pfeffer, Muskatblüthe dazu und macht Alles untereinander. Man macht nun einen mürben Teig, wellt ihn meſſerrückendick zu einem runden Kuchen aus, legt die Maſſe darauf, ſtreicht ſie ſchön glatt, aber ſo, daß 2 Finger breit leer bleibt, macht wieder einen runden Kuchen, zieht ihn darüber, ſchneidet ihn mit einem warmen Meſſer ſchön glatt; beſtreicht die Paſtete mit kaltem Waſſer, faßt ſie mit einem Butterteigſtreifen ein, beſtreicht ſie mit Eiern und backt ſie im Ofen. Man gibt ſie warm zur Tafel.

276. Kalbshirnpastete.

Einen mürben Butterteig schlägt man 3 bis 4 Mal übereinander, wellt ihn 2 Finger dick aus und legt ihn auf ein schwarzes Blech. Hierauf stürzt man einen großen Teller auf den ausgewellten Kuchen und schneidet mit einem heißen Messer um den Teller her den Kuchen ab. Desgleichen schneidet man einen zweiten Kuchen um die Platte her, die man zur Tafel geben will, aus. Dann stupft man den Deckel oder den kleineren Kuchen mit einem heißen Messer und drückt den Rand desselben mit einem heißen Messer zusammen, bestreicht beide Kuchen mit Ei, backt sie auf einem schwarzen Bleche im Back-ofen gelb, und hebt den Deckel behutsam ab. Hierauf kocht man 4 sauber abgehäutete Kalbshirn in einer messingenen Pfanne oder Casserolle mit halb Wasser halb Essig so lange wie harte Eier und macht folgende Sauce dazu: ein Stück Butter läßt man in einer Casserolle zerlaufen, streut einen kleinen Löffel voll Mehl darein, 3 Schalottenzwiebeln fein gewiegt, dämpft dieses eine Zeit lang in der Butter, rührt es mit einem kleinen halben Schöpflöffel voll kaltem Wasser glatt, gießt 1 Schöpflöffel voll helle Fleischbrühe daran, von einer halben Citrone den Saft dazu, ein Glas weißen Wein, eine halbe Muskatnuß, 1 Messerspitze voll Muskatblüthe, läßt es eine Vier-telstunde mit einander kochen, wiegt von einer halben Citrone das Gelbe, thut es auch an die Sauce und läßt es noch eine Weile mit-einander kochen; ist es Zeit zum Anrichten, so stellt man die Pastete noch einmal ins Rohr, läßt sie warm werden, legt sie auf eine Platte, füllt das Hirn darein, deckt den Deckel darauf und gibt sie zur Tafel.

277. Gerührte Krebspastete.

24 Krebse siedet man im Salzwasser, nimmt die Schwänze und Scheeren davon, macht Krebsbutter, rührt einen Theil davon in einer Schüssel leicht, rührt 2 eingeweichte und festausgedrückte abgerindete Mundbrode und 5 Eier daran, bestreicht Pastetenmödelchen mit der übrigen Krebsbutter, füllt die Masse darein, legt die Schwänze und Scheeren der Krebse sauber geputzt auf die Pasteten und backt sie gelb aus.

278. Gerührte Krebspastete anderer Art.

Man siedet 30 bis 40 Krebse im Salzwasser, so lange wie ein hartes Ei, bricht die Scheeren und Schwänze aus, nimmt die Galle weg, schabt den Körper sauber aus, nimmt die Schalen von den Schwänzen und Scheeren, stößt sie recht fein, dämpft sie mit einem Stückchen Butter bis sie schäumen, kocht sie mit ein wenig Wasser auf, stellt sie vom Feuer, schöpft die Krebsbutter in kaltes Wasser ab, rührt die Hälfte davon in einer Schüssel leicht, schlägt 6 Eier daran, zu jedem Ei 1 Löffel voll sauren Rahm, nimmt 6 Löffel voll feines Mehl, 2 Messerspitzen voll Salz und den Schnee von 4 Eier-weiß dazu, bestreicht ein Aufzugblech mit Butter, füllt die Masse darein und backt sie im Ofen gelb. Wenn die Pastete etwas erkaltet ist, schneidet man oben einen Deckel davon ab, nimmt etwas von dem Weichen heraus und macht folgendes Ragout dazu: man reinigt 3 Kalbsbrieschen, schneidet sie in Stückchen, zieht von einem weichgesottenen Ochsengaumen die Haut ab, schneidet ihn recht fein, dämpft die Brieschen und den Gaumen mit einer gewiegten Citronenschale und einer Zwiebel in der zweiten Hälfte der Krebsbutter, thut die Schwänze und Scheeren der Krebse, 3 Finger voll Mehl, ein wenig kaltes Wasser, etwas Fleischbrühe, Salz, Muskatnuß und den Saft von einer halben Citrone dazu, auch 2 Eiergelb und weich gesottene Morcheln, läßt Alles miteinander aufkochen, füllt dieses Ragout in die Pastete, deckt den Deckel darauf und gibt sie zu Tische.

279. Pastete auf englische Art.

Man nimmt Fleisch von einem Hasen, zieht die Haut davon ab, schneidet das Fett von einem Hammelsschlägel, hackt ein halbes Pfund Ochsenmark und 1 Pfund zartes Kalbfleisch zu einem Brei zusammen und thut es in eine Schüssel, schält 2 Citronen ab, wiegt das Gelbe und das Mark derselben recht fein, nimmt dieses ebenfalls zu der Masse, so wie Pfeffer, Muskatnuß, Muskatblüthe, jedes 2 Messerspitzen voll, 2 bis 3 sauber gewaschene Trüffeln, die nicht sehr fein gestoßen werden, 4 bis 6 zerschnittene Champignons, schlägt 2 Eier daran, salzt es nach Gutdünken, arbeitet Alles gut untereinander, legt einen Melonenmodel mit Butterteig aus, füllt die Masse darein, belegt sie oben mit Speckstreifen, deckt einen Deckel darüber, zwickt ihn mit dem Pastetenzwicker fest zu und backt die Pastete in einem Backofen gelb, stürzt sie auf eine Platte und macht oben eine kleine Oeffnung darein. Nun kocht man eine gute Salami-Sauce von Wildbret dazu, gießt die Sauce an die Pastete und gibt sie warm zur Tafel.

280. Pastete auf italienische Art.

Lämmerbrüstchen werden ein wenig gesotten, in kleine Stückchen zerschnitten, in einer Casserolle mit Butter und einer ganzen Zwiebel gedämpft, mit seinem Mehl und guter Bouillon aufgekocht, Petersilienwurzeln in kleine Stückchen geschnitten, ein wenig im Wasser gesotten und nebst ein wenig Muskatnuß und Salz zu dem Fleisch genommen. Die Sauce muß weiß seyn, wie auch das Fleisch, das man in die Pastete legt.

281. Pastete von Makaroni.

Man siedet ein halbes Pfund Makaroni mit einem Stück Butter recht weich, gießt sie ab; dazu kommt 1 Pfund fein gewiegter magerer Schinken, 1 Schoppen saurer Rahm, 3 Eier, 1 Viertelpfund geriebener Parmesankäs; dieses Alles rührt man untereinander, legt einen Model mit Butterteig aus, füllt die Masse daran, macht einen Deckel darauf, bestreicht ihn mit Eiergelb, backt ihn im Ofen gut aus und stürzt die Pastete auf eine Platte.

282. Schnepfenpastete auf Wiener Art.

Man dämpft 3 bis 4 Schnepfen, die gehörig gereinigt und mit Speck eingebunden sind, mit einem Stück Butter und einigen Zwiebeln halbgar, wiegt Herz, Leber, die sauber gereinigten Därme, eine halbe Citronenschale und das Mark davon recht fein, nimmt die Schnepfen aus der Casserolle, wendet das Gewiegte einige Mal darin um, stellt die Casserolle vom Feuer weg und thut noch eine Messerspitze voll gestoßenen Pfeffer, Muskatblüthe, eine halbe Muskatnuß und Salz dazu; dann macht man folgenden Teig: 4 Hände voll Mehl, 12 Loth Butter, eben so viel Schmalz, 2 Eiergelb und ein wenig Salz werden miteinander auf einem Rudelnbrett zu einem festen Teig gearbeitet, dieser fingerdick ausgewellt, eine Pastete nach beliebiger Form davon gemacht, die Schnepfen darauf gelegt, der Schnepfendreck darein gegossen, ein Deckel von dem nämlichen Teig darüber gemacht, die Pastete mit Ei bestrichen und im Ofen gebacken.

283. Schnepfenpastete auf französische Art.

Man macht eine 3 Zoll hohe Pastete von Butterteig; sodann wird 3 gereinigten Schnepfen der Kopf auf die Brust gesteckt, dieselben werden gespickt und in 4 Theile geschnitten, von einer Schnepfe wird die Brust abgeschnitten und nun werden die Schnepfen in einer Casserolle mit einem Stück Butter und Zwiebeln, Wachholderbeeren, Lorbeerblättern und Citronen eine halbe Stunde lang gedämpft. Der sogenannte Schnepfendreck, der fest ausgedrückt wurde, wird mit der Schnepfenbrust, 2 Schalottenzwiebeln, einer halben Citronenschale und Petersilie gewiegt, die gedämpften Schnepfen aus der Casserolle genommen, die Sauce, in der sie lagen, durch ein Haarsieb gezogen, wieder mit dem gewiegten Schnepfendreck in die Casserolle gethan, mit dem Saft einer halben Citrone, einem Glas rothen Wein, Salz, Pfeffer, Nelken, Muskatblüthe, 2 Eßlöffeln voll guter Jus nur noch 1 Minute gekocht, die Hälfte der Sauce in die Pastete gegossen, die gekochten Schnepfen darein gelegt, der andere Theil der Sauce darüber gegossen, ein Deckel von Butterteig darüber gemacht, mit Eiern bestrichen und die Pastete im Ofen gebacken.

284. Schüsselpastete.

Man nimmt junge Hühner, Tauben, Vögel, Brieschen, Kalbfleisch, Bratwürstchen und Fleischknöpflein, schneidet die Hühner und Tauben in Stücke, bratet sie in Butter, schneidet 1 Schalottenzwiebel und Petersilie dazu, läßt sie mitbraten, thut sie in eine Schüssel, die man zur Tafel geben will, legt das gebratene Fleisch darein und thut Kapern, Morcheln, Champignons und Trüffeln daran; dann macht man einen Teig über die Schüssel, stellt sie in einen Ofen und backt die Pastete. Man macht folgende Sauce dazu: 3 Finger voll Mehl streut man in die Casserolle, worin die Hühner gedämpft worden sind, wendet es um, gießt einen halben Schöpflöffel voll Fleischbrühe

6

daran, läßt es auskochen, zieht die Brühe durch ein Haarsieb, gießt sie an die Pastete und drückt von einer halben Citrone den Saft dazu.

285. Sommerpastete.

Ein mürber Butterteig wird zu 2 messerrückendicken Kuchen ausgewellt, der erste derselben wird in ein tiefes Kuchenblech gelegt, Papier, welches aber hohl und rund gemacht werden muß, darauf gelegt, daß man es nach dem Backen wieder herausnehmen kann, und nun ein gleichgroßer Kuchen, eigentlich der Deckel, auf das Papier gelegt. Man bestreicht diese beiden Kuchen mit Wasser, faßt sie mit einem 2 fingerbreiten Reif von Butterteig ein, schneidet sie glatt ab, bestreicht sie mit Eiern, stupft den Deckel der Pastete mit einem warmen Messer, daß er Oeffnungen im Backen bekommt und backt sie so im Ofen gelb. Man macht folgendes Ragout dazu: Man liest 1 Mäßchen halb ausgewachsene Brockelerbsen sauber aus, dämpft sie eine Viertelstunde mit einer Hand voll Petersilie und Schalottenzwiebeln, spickt die Brust und die Schlägelchen von 2 bis 3 gereinigten Hühnern, hackt den Kragen und alles Uebrige zusammen, dämpft dieses mit den Hühnern in einer Casserolle mit einem Stückchen Butter und übergießt die Hühner während des Dämpfens öfters mit Jus. Wenn die Hühner weich sind, nimmt man sie heraus, zieht die Sauce, in der sie gedämpft wurden, durch ein Haarsieb, gießt noch einen halben Schöpflöffel voll Fleischbrühe daran, legt die Hühner wieder hinein und läßt sie noch eine Zeit lang kochen, daß sie eine schöne Glasur bekommen. Nun streut man 3 Finger voll Mehl, eine Hand voll gestoßenen Zucker, Salz, Muskatnuß, Muskatblüthe, einen halben Schoppen sauren Rahm an die Brockelerbsen, füllt sie in eine Platte, legt die Hühner darauf, deckt die Pastete mit dem gebackenen Deckel zu und gibt sie zu Tisch.

286. Stockfischpastete.

Man macht eine Pastete von Butterteig, wie schon oft erklärt wurde, legt 2 Pfund Stockfisch oder ein Stück Laberdan in eine Casserolle mit kochendem Salzwasser, deckt die Casserolle zu und stellt sie zur Wärme. Man macht folgende Sauce dazu: Eine Hand voll gewiegte Zwiebeln und Petersilie dämpft man in Butter, läßt sie mit einem Löffel voll Mehl gelb anlaufen, gießt einen halben Schöpflöffel voll helle Erbsenbrühe dazu, thut Salz, Pfeffer, Muskatnuß daran, rührt es mit einem halben Schoppen sauren Rahm glatt und läßt Alles miteinander kochen; dann schüttet man den Stockfisch in ein Haarsieb, reinigt ihn, kocht ihn ein paar Minuten in der Sauce mit, füllt ihn sammt dieser in die Pastete, deckt den Deckel darauf und gibt sie zur Tafel.

287. Stockfischpastete anderer Art.

Man macht von einem mürben Butterteig einen Kranz, legt ihn auf ein schwarzes Blech und backt ihn gelb; behandelt den Stockfisch wie bei No. 286, schneidet 2 gereinigte Häringe in kleine

Stückchen, Milch und Rogen dazu; wiegt eine Hand voll Petersilie nebst einer Zwiebel fein, legt ein Stück Butter in eine Casserolle, die Häringe dazu, gießt den Stockfisch in ein Haarsieb, reinigt ihn, legt ihn zu den Häringen, schüttelt sie öfters, damit Alles untereinander kommt, treibt das Gelbe von 3 hartgesottenen Eiern durch ein Haarsieb, rührt einen halben Schoppen dicken, sauren Rahm darunter, richtet den Stockfisch auf eine Platte an, legt den Kranz um dieselbe herum, richtet das Gerührte über den Stockfisch an, schneidet das Weiße von den Eiern in Blätter und sticht es mit einem blechernen Modelchen nach Belieben aus, legt das Ausgestochene in rothe Rübenbrühe, thut die Pastete in das Bratrohr und läßt sie anziehen; ist es Zeit zum Anrichten, so wird die Pastete aus dem Ofen genommen und mit den in rother Rübenbrühe liegenden Eiern garnirt.

288. Stockfischpastete auf böhmische Art.

Man wellt mürben Butterteig fingersdick aus, macht einen Boden und einen Deckel daraus zu einer Pastete, bestreicht den Deckel mit Eiern und backt die Pastete gelb. Wenn sie aus dem Ofen kommt, nimmt man den Deckel ab und macht folgendes Ragout: Man behandelt ein Stück Laberdan auf die in No. 286 beschriebene Weise, kocht 2 bis 3 Hände voll böhmische Erbsen so lange, bis die Häute davon abgehen, schüttet das Wasser davon ab, stellt sie zur Wärme, gießt den Laberdan in einen Seiher, reinigt ihn, legt die Pastete auf eine Platte, thut etwas von dem Laberdan darein, dann von den Erbsen, etwas gebackene Kartoffel und macht so fort, bis Alles zu Ende ist. Nun schmälzt man den Laberdan mit einer Hand voll Petersilie und Schalottenzwiebeln, die in heißem Schmalz gedämpft worden, legt den Deckel auf die Pastete und gibt sie zu Tische.

289. Salmigoudis zu Fastenpasteten.

Man schneidet gesottene Karpfenmilch, Hechtleber und Krebsschwänze zu kleinen gewürfelten Stückchen; dann dämpft man Champignons und Morcheln, klein geschnitten, mit Schalottenzwiebeln, Petersilie und Thymian in einem Stücke Butter einige Minuten lang, mischt das Obige darunter, nimmt noch etwas Salz, Pfeffer und einige Eßlöffel voll guter Fleischbrühe dazu, läßt Alles nun einige Minuten miteinander kochen, rührt einige Eiergelb und etwas Citronensaft dazu, läßt es kalt werden und gebraucht es bei vorkommenden Fällen zu Pasteten an Fasttagen.

290. Augsburger Gänsleberpastete.

Man macht einen feinen Butterteig, der aber nicht sehr dünn seyn darf und legt einen Melonenmodel damit aus; sodann wiegt man 3 Gänselebern, deckt sie in einer Schüssel zu, wiegt 4 Citronenschalen, nimmt ein eingeweichtes, ausgedrücktes Mundbrod, das Mark von den 4 Citronen, eine Hand voll gewiegte und gedämpfte Zwiebeln und Petersilie, ein halbes Pfund magern Schinken, Salz,

6 *

Pfeffer, Muskatnuß, Muskatblüthe, 2 Eier und 1 Eierdotter zum Obigen, macht alles gut untereinander, legt den Boden des Models mit einer Hand voll davon aus, schneidet 3 bis 4 Gänselebern der Länge nach, legt sie auf das Angemachte, nimmt 1 Löffel voll Kapern, auf diese einen Champignon, ein Viertelpfund gereinigte Trüffeln in Blätt= chen geschnitten und gestoßen, dann wieder eine Hand voll von dem Angemachten, schneidet wieder 2 Gänselebern der Länge nach, legt sie darauf, geschälte Oliven, 1 Löffel voll Kapern, 4 bis 6 Champignons, Trüffeln, das Angemachte oben darüber, geschnittene Speckscheiben darauf und macht nun einen Deckel vom nämlichen Teig darüber; diesen zwickt man mit dem Pastetenzwicker zusammen, bestreicht die Pastete mit Eiern, backt sie 2 Stunden im Ofen, schneidet eine Oeffnung hinein, daß der Dampf herauskommt, deckt sie wieder zu und macht einen Aspik. Dann kocht man 3 bis 4 abgezogene Kälberfüße mit einem Theil Wein, einem Theil Essig, einem Theil Wasser, Sellerie, gelben Rüben, 2 Lorbeerblättern, 2 großen Zwiebeln, ganzen Nelken, Mus= katblüthe und ganzem Pfeffer 3 Stunden lang miteinander, gießt es durch ein Haarsieb, läßt es eine Viertelstunde stehen, taucht Fließpapier darein, daß das Fett daran hängen bleibt, gießt die Sulz in eine Casserolle, aber so, daß der Satz nicht dazu kommt, thut ein zer= drücktes Ei daran, stellt die Casserolle wieder auf's Feuer, schlägt mit einem Schaumbesen so lange in die Sulz, bis sie kocht, nimmt sie vom Feuer, drückt den Saft von 1 Citrone darein, deckt einen Deckel mit Kohlen darauf und läßt alles eine Viertelstunde stehen, schüttet nun die Sulz durch einen Filzhut und gießt sie, wenn sie kalt ist, an die Pastete (man muß 3 bis 4 Mal darüber gießen); sezt den Deckel darauf und stellt die Pastete an einen kalten Ort.

291. Stuttgarter Gansleberpastete.

Man macht einen halbmürben Teig, bestreicht einen Melonen= model mit Speck, legt den Teig darein und macht folgende Fülle: 3 Gänselebern wiegt man fein, reibt 1 Pfund Schweinebrät und ein Viertelpfund Speck in einem Reibstein, schält 1 Mundbrod ab, weicht es ein, drückt es aus, stoßt ein Viertelpfund gereinigte Trüffeln fein, schneidet 2 Gänselebern in Würfel, schlägt 2 Eier daran, wiegt 4 Loth magern Schinken, dämpft eine Hand voll geschnittene Zwiebeln und Petersilie und macht dieses alles mit Salz, Muskatnuß, Muskat= blüthe, Pfeffer, 3 gewiegten Citronenschalen, dem Mark derselben in einer Schüssel an, füllt die Masse in den Melonenmodel, macht einen glatten Deckel von Butterteig darauf, schneidet einige Löcher hinein, bestreicht den Deckel mit Eiern, backt die Pastete 2 Stunden im Ofen, läßt sie erkalten und stürzt sie auf eine Platte.

292. Straßburger Gansleberpastete.

Man legt 6 Gänselebern auf einen Bogen Papier, diesen auf einen Rost, streut Salz auf die Lebern, daß es das Wasser herauszieht, wiegt 3 davon so fein wie Brei, schneidet die 3 andern zu kleinen

Stückchen und legt sie in ein Geschirr. Nun reibt man ein halbes Pfund Schweinebrät, 2 Eier und 1 eingeweichtes, ausgedrücktes Mund=brod in einem Reibstein zu Schaum, thut dieses zu der gewiegten Gansleber, ein halbes Pfund gestoßene und ein halbes Pfund ge= schnittene Trüffeln, 1 Quint gestoßene Muskatblüthe, 1 gestoßene Muskatnuß, ein halbes Loth Pfeffer, Salz, eine Hand voll gewiegte und gelb gedämpfte Schalottenzwiebeln, 3 Citronen, den Saft von diesen dazu, arbeitet nun alles recht zusammen und stellt es zur Seite. Nun macht man von einer halben Württemberger Metze (¼ Simri) Mehl, 3 Viertelpfund Schmalz, einem halben Pfund Butter und Salz mit kaltem Wasser einen Teig an, arbeitet ihn fest zu= sammen, wellt einen Boden davon kleinfingerdick aus, macht ihn tellergroß, drückt mit dem Finger den Rand fest auseinander, doch so, daß der Teig immer fingersdick bleibt, macht die Pastete 2 bis 3 Hände hoch, streut 4 Loth geriebenen Parmesankäs an die Pastete, legt Speckscheiben und eine Hand voll von der gewiegten Gansleber darauf, dann eine Lage Trüffeln, legt die geschnittenen Ganslebern auf die Trüffeln, auf jedes Stückchen einen Champignon, und macht so fort, bis alles zu Ende ist. Von dem Butterteig macht man nun einen fingerdicken Deckel, zwickt ihn mit dem Pastetenzwicker fest zu= sammen, doch muß der Rand immer 2 Finger breit leer bleiben, macht oben in den Deckel eine kleine Oeffnung und steckt einen Pfropf darein, den man wieder wegnimmt, wenn die Pastete gebacken ist. Es ist besser, wenn man die Pastete erst den andern Tag backt. Man bestreicht sie dann mit Eiern, macht mit dem Pastetenzwicker allerlei Blumen in den Deckel, stellt sie in ein Plafond, daß das Fett nicht in den Ofen läuft, läßt sie 2 bis 3 Stunden backen und gibt sie kalt zu Tisch.

293. Frankfurter Wildbretpastete.

Man macht schöne Stückchen von den dicken Quallen eines Reh=schlägels, klopft sie und spickt sie mit Speck, dämpft sie in einer be= deckten Casserolle mit feingeschnittenen Zwiebeln, Lorbeerblättern, Pfeffer und Salz. Wenn das Fleisch gelb ist, läßt man es auf einer Platte erkalten, häutet das übrige Fleisch des Rehschlägels, wiegt dieses mit einem Pfund Schweinsbrät, einem halben Pfund zartem Kalbfleisch, einem halben Pfund magerm Speck, 2 gereinigten Häringen und dem Gelben einer Citrone zu einem Teig, nimmt 4 Schalottenzwiebeln und 2 gewöhnliche gewiegte und gedämpfte Zwiebeln dazu, weicht ein abgeschältes Kreuzerbrod ein, drückt es aus, thut dieses sammt Salz und allen Arten feinem Gewürz zu dem Fleische und reibt Alles in einem Reibstein zu Schaum. Nun mischt man 2 Eier, 2 Löffel voll gewiegte Kapern, 12 Stück abgeschälte Oliven, ein Viertelpfund ge= reinigte, in Stückchen geschnittene Trüffeln zusammen, belegt einen Melonenmodel mit Butterteig, legt etwas von der Fleischfülle auf den Boden des Models, dann von den Oliven und Trüffeln, hierauf wieder Fleischfülle, die gespickten Fleischstückchen, dann wieder Trüffeln und Kapern und zulezt Fleischfülle. Man deckt den Deckel nun darauf und backt die Pastete im Ofen.

Fische.

294. Gebratener Aal.

Der Aal wird abgezogen, die Haare, Kopf und Schwanz davon geschnitten, die Galle herausgenommen, 2 Finger breite Stückchen von dem Aal geschnitten, mit Pfeffer und Salz eingerieben, diese mit Salbei und Citronenrädchen umwickelt und in einer Bratpfanne in einem Stück Butter gebraten. Vor dem Anrichten nimmt man den Faden, womit die Salbei und Citronen festgebunden wurden, davon und legt Citronen dazu.

295. Aal auf französische Art.

Der Aal wird abgezogen, ausgenommen, ganz gelassen, mit einem Stück Butter im Ofen in einer Bratpfanne gebraten, dicker, saurer Rahm darüber gegossen, ein Eßlöffel voll Kapern, eine halbe Citrone dazu gethan und der Aal vollends ausgebraten, damit er von dem Rahm und den Kapern eine Sauce zieht.

296. Gedämpfte Felchen.

Man schuppt den Fisch ab, nimmt ihn aus, trocknet ihn mit einem Tuch sauber ab, schneidet ihn in Stückchen, reibt ihn gut mit Salz und Pfeffer ein, legt ihn mit einem Stück Butter in eine Casserolle, gewiegte Citronen, Petersilie und Zwiebel dazu, deckt die Casserolle zu, stellt sie auf schwache Kohlen und läßt den Fisch eine halbe Stunde kochen; streut dann 3 Finger voll Mehl darauf, thut ein wenig Fleischbrühe daran, läßt ihn noch ein wenig aufkochen, legt ihn auf die Platte und richtet die Sauce darüber an.

297. Felchen auf dem Rost gebraten.

Der Fisch wird geschuppt, ausgenommen, mit einem Tuch abgetrocknet, mit Pfeffer und Salz eingerieben, queerüber ein Schnitt über dessen Rücken gemacht, ein Citronenschnitz darein gesteckt, der Fisch auf den Rost gelegt, mit Butter übergossen, schön gebraten, und wenn er auf der Platte liegt, mit Citronensaft begossen.

298. Fischotter.

Die Fischotter wird ausgezogen, in Stückchen geschnitten, 5 bis 6 Tage ins kalte Wasser gelegt, aber alle Tage in frisches; am sechsten Tage nimmt man sie heraus, legt sie 2 Tage in guten Wein, worein Zwiebeln, Nelken, Muskatblüthe, Citronen und allerlei Kräuter und Gewürze kommen. Man sezt sie mit einer Bouteille Porto- oder

Steinwein zum Feuer, läßt sie eine Stunde lang kochen und macht folgende Trüffelsauce dazu: Eine Casserolle wird dick mit Zwiebeln belegt, dann ein Stück Fett und 1½ Pfund klein geschnittenes Kalbfleisch miteinander gelb gedämpft, ein halber Schöpflöffel von dem Sud, worein die Otter gekocht wurde, die Rinde von einem Kreuzerbrod, etwas Mehl miteinander gekocht und durch ein Haarsieb getrieben, 2 bis 3 Trüffeln, von denen die rauhe Haut abgeschnitten wird, mit dem Gelben von einer Citrone gewiegt, nebst dem Saft, eine Messerspitze voll Muskatblüthe, etwas weißer Pfeffer, 3 Kernkubeben dazu genommen, die Fischotter in die Sauce gelegt, noch eine Weile gekocht, auch Champignons, Trüffeln, in Scheiben geschnitten, dazu gethan und dann Alles noch ein wenig gekocht.

299. Forellen, blau gesotten.

Man macht eine Sulz von halb Wein, halb Essig, Citronen, ganzem Pfeffer, allen Arten Kräutern, einer Hand voll Salz, läßt Alles eine Viertelstunde miteinander kochen, schneidet die Forelle oben am Schlund so weit auf, daß man die Galle herausnehmen kann, legt die Forelle in die Sulz, stellt diese vom Feuer, legt den Fisch auf eine Platte und schüttet Essig und Oel darauf.

Anmerkung. Alle Arten Forellen dürfen nicht lange in den Händen herumgezogen, auch nicht gewaschen werden, damit sie das schöne Blau nicht verlieren; nur das Blutige wird mit einem Tuche sauber abgewischt.

300. Seeforellen.

Die Seeforellen werden ganz anders behandelt, als die Flußforellen, weil sie stärkeres Fleisch haben, als jene. Man schuppt sie sauber ab, nimmt die Kiemen und das Eingeweide heraus, reibt sie stark mit Salz ein, legt sie in den Fischkessel, gießt 1 Bouteille Burgunder, 1 Bouteille geringeren Wein und Essig daran, nebst Citronen, Nelken, Pfeffer, Lorbeerblättern, allen Arten guter Kräuter, deckt den Kessel fest zu, läßt den Fisch 1 Stunde kochen, legt ihn auf eine lange Platte und macht eine Holländersauce folgendermaßen dazu: man rührt 1 Kochlöffel voll Mehl mit kaltem Wasser glatt, schlägt 3 Eiergelb daran, Butter, so groß wie ein Hühnerei, etwas von dem Fischsud, kocht diese Sauce mit Fleischbrühe gut aus und gießt sie entweder auf den Fisch, oder gibt sie besonders dazu.

301. Geschmälzter Hecht.

Man schneidet dem Hecht die Ohren aus, schneidet ihn ein wenig auf, nimmt das Eingeweide heraus, wascht ihn sauber, reibt ihn stark mit Salz und Pfeffer ein und macht einen Sud auf folgende Art: man nimmt 1 Theil Wein, 1 Theil Essig, 1 Theil Wasser, alle Arten Kräuter, ganze Nelken, Pfeffer, läßt den Fisch, wenn er groß ist, 1 Stunde lang darin kochen (doch darf der Sud nicht ganz über den Fisch hergehen, sonst wird derselbe nicht kräftig), legt ihn auf eine schöne lange Platte, dämpft eine Hand voll Petersilie in einem Stück Butter, gießt dieses über den Hecht, drückt den Saft von einer halben Citrone darauf, garnirt die Platte mit kleinen gerösteten Kartoffeln, oder gibt Kartoffeln mit der Schale und Butter dazu.

302. Hecht à la tourne.

Ein schöner weißer Hecht wird abgeschuppt, sauber gewaschen, ausgenommen, Kopf und Schwanz abgeschnitten, durchaus gespalten, der Rückgrath herausgenommen, mit einem Tuche sauber abgeputzt, in 4 Stücke geschnitten, diese in Citronensaft gelegt, öfters umgewendet und, wenn es die Zeit erlaubt, über Nacht stehen gelassen. Den andern Tag legt man den Hecht auf eine Platte, ein großes Stück Butter und Citronensaft, wie auch auf jedes Stückchen desselben 1 Citronenrädchen, legt ein mit Butter dick bestrichenes Papier auf den Hecht, wiegt 1 Pfund Fischbrät so fein wie möglich, läßt 1 Viertelpfund Butter in einer Schüssel zerlaufen, thut das Fischbrät darein, schlägt 3 Eier daran, das Gelbe von einer halben am Reibeisen abgeriebenen Citrone, Muskatnuß und Salz, rührt dieses ganz schaumig, sezt 2 mit Butter bestrichene Springreise auf die Platte, worauf der Hecht liegt, füllt das Fischbrät in diese 2 Reife (sie müssen aber 2 Finger breit von einander stehen) und läßt dieses eine halbe Stunde im Backofen braten. Nun stößt man 25 ungesottene Krebse, von denen die Galle genommen wurde, im Mörser recht fein, thut sie in eine Schüssel, eine halbe Maas dicken süßen Rahm und 6 Eier dazu, läßt sie eine halbe Stunde stehen, rührt sie öfters um, gießt sie durch ein Haarsieb, bestreicht eine Butterkapsel mit Butter, thut Salz und Muskatnuß dazu, füllt das Gestoßene darein, macht die Kapsel fest zu und stellt sie 3 Viertelstunden in kochendes Wasser. Wenn angerichtet werden soll, legt man den Fisch auf die Platte, das gebackene Fischbrät dazu, gießt die Krebsbutter darauf, legt Champignons auf den Fisch und gießt zerlassene Consommé über das Ganze.

303. Farcirter Hecht.

Man rasirt den Hecht sauber, schneidet die Kiemen aus, schneidet unten an der Oeffnung behutsam auf, auch die Haut auf dem Rücken wird aufgeschnitten, unten an den Floßfedern wird ein Stich, aber nicht ganz durch, gemacht, die Haut abgezogen, der Hecht recht schön gespickt, ein halbes Pfund Schweinsfett, 1 Viertelpfund Speck, 4 Sardellen, etwas in Milch eingeweichtes und ausgedrücktes Brod recht fein gewiegt, Salz, Muskatnuß, Pfeffer, fein gewiegte, gedämpfte Zwiebeln dazu genommen, Alles mit 2 Eiern untereinander gemacht, in einem Mörser recht zerstoßen, der Hecht damit ausgefüllt, zusammengenäht, in eine Bratpfanne, worin unten ein Rost ist, gelegt, geschnittene Zwiebeln, 1 Lorbeerblatt und Citronen, nebst ein wenig Fleischbrühe dazu gethan, im Ofen gelb gebraten und oft mit heißer Butter übergossen. Beim Anrichten läßt man Consommé zerlaufen, bestreicht den Hecht damit und gießt die Sauce über ein Haarsieb darauf.

304. Hecht am Spieß gebraten.

Man puzt den Hecht sauber, schneidet die Kiemen weg, zieht die Haut ab, reibt ihn mit Salz und Pfeffer ein, spickt ihn schön, bindet ihn an den Spieß, übergießt ihn oft mit zerlassener Citronenbutter, nimmt ihn nach einer halben Stunde vom Spieß ab, legt ihn auf die Platte und gießt Citronensaft und Jus darauf.

305. Hecht auf dem Rost gebraten.

Man reibt den Hecht, der sauber gepuzt und ausgenommen ist, mit Salz und Pfeffer ein, läßt ihn eine Stunde liegen, schneidet 3 bis 4 schiefe Schnitte darein, näht den Fisch wieder zu, schneidet die Ohren aus, legt ihn auf einen Rost, übergießt den Fisch oft mit zerlassener Butter, gießt auch heiße Butter in die Ohren, wendet den Fisch um und übergießt ihn auf der andern Seite. Er muß sehr behutsam gebraten werden, daß die Haut nicht am Rost hängen bleibt. Beim Anrichten schmälzt man ihn mit Citronenbutter auf folgende Art: 1 Hand voll Petersilie wiegt man recht fein, läßt ein Stück Butter in einer Casserolle heiß werden, dämpft die Petersilie darin, drückt von 1 Citrone den Saft dazu, läßt es miteinander aufkochen und übergießt den Fisch damit. In die Schnitte können Citronenschnitze gelegt werden.

306. Meerspinne oder Hummer auf italienische Art.

Ist dieser Krebs gesotten, so theilt man ihn der Länge nach von einander, legt ihn in das Geschirr, in welchem er aufgetragen wird und macht folgende Sauce dazu: etliche sauber gewaschene, ausgegräthete Sardellen werden mit 6 hartgesottenen Eiergelb in einem Mörser zu einem Teig gestoßen, mit 4 Löffeln voll gutem Provenceröl, 3 Eßlöffeln voll Estragonessig, 2 Löffeln voll gutem Senf, 2 feingewiegten Schalottenzwiebeln, nebst Pfeffer, Salz und geschnittenem Schnittlauch verrührt; diese Sauce wird über den Hummer gegossen oder besonders auf die Tafel gegeben.

307. Aechte Meerspinne.

Ist die Meerspinne abgesotten, so läßt man sie erkalten, bricht alle die langen Füße ab, nimmt das innere weiße Fleisch heraus, reinigt den Körper, wascht ihn sauber aus, legt das Fleisch wieder in den Körper, die Eier dazu, bratet Alles schön gelb, gießt ein Glas Wein daran, läßt es aufkochen, legt ein Lorbeerblatt und ein Citronenrädchen dazu und läßt es dämpfen bis es weich ist.

308. Karpfen in eigener Sauce.

Der Karpfen wird geschuppt, gepuzt, das Eingeweide herausgenommen, der Fisch in 2 Theile geschnitten, mit Salz und Pfeffer (aber nicht sehr stark) eingerieben; nun wiegt man 3 gewaschene Sardellen, das Gelbe und das Mark von einer halben Citrone, nimmt einen Eßlöffel voll Kapern dazu, legt den Fisch in eine Bratpfanne, ein Stück

Butter und das Gewiegte dazu, läßt ihn so eine halbe Stunde kochen, streut geriebenes Brod darauf, gießt einen halben Schöpflöffel voll Jus daran, läßt Alles miteinander noch eine halbe Stunde kochen, legt nun den Fisch auf eine Platte und gießt die Sauce darüber.

309. Karpfen in brauner Sauce.

Der Karpfen wird geschuppt, das Eingeweide behutsam herausgenommen, mit Himbeeressig ausgewaschen, in beliebige Stückchen geschnitten, im Salzwasser eine halbe Stunde gekocht und folgende Sauce daran gemacht: ein Stück Lebkuchen, ein wenig schwarzes Brod, 2 geschnittene Schalottenzwiebeln, ganze Nelken und Pfeffer, läßt man mit etwas brauner Jus und einem halben Schoppen Wein eine halbe Stunde kochen, treibt die Sauce durch ein Haarsieb, gießt sie wieder in die Casserolle und legt den Karpfen nebst dem Saft und dem gewiegten Gelben von einer halben Citrone dazu.

Anmerkung. Die Ohren (Kiemen) müssen bei allen Fischen herausgeschnitten werden, weil sie immer viel Schleim mit sich führen.

310. Geschmälzter Karpfen.

Es wird ein guter Sud an den Karpfen gemacht, derselbe abgeschuppt, die Ohren herausgeschnitten, das Eingeweide herausgenommen, mit Salz und Pfeffer eingerieben, in den Sud gelegt, eine halbe Stunde recht gekocht und dann auf eine Platte gelegt. Man wiegt nun ein ganzes halbgesottenes Ei (aber sowohl das Gelbe als das Weise besonders), legt dieses streifenweis über den Fisch und gießt heiße Butter und 3 Eßlöffel voll Essig darüber.

311. Aechter Rheinlangen.

Der Fisch wird rein gewaschen, die Kiemen ausgeschnitten, das Eingeweide herausgenommen, derselbe mit Salz stark eingerieben, in dem Fischkessel mit 3 Bouteillen Bordeauxwein, einer ganzen, in Scheiben geschnittenen Citrone, Nelken, ganzem Pfeffer, Muskatblüthe fest zugedeckt und langsam gekocht; dann wiegt man ein Stück Ochsennierenfett recht fein, läßt es in einer Casserolle zerlaufen, eine Hand voll gewiegte Petersilie, 2 Schalottenzwiebeln und etwas Gelbes von einer Citrone dazu, legt den Fisch, wenn er weich ist, auf eine Platte und gießt das Gedämpfte darüber.

312. Marinirte Fische.

Man schuppt und wascht die Fische, reibt sie mit Salz und Pfeffer ein, läßt sie 1 Stunde liegen, legt sie auf einen Rost, begießt sie öfters mit zerlassener Butter, bratet sie schön gelb, läßt sie erkalten, legt sie in einen steinernen Topf, gießt Weinessig daran, Schalottenzwiebeln, Lorbeerblätter, Citronen, Pfeffer und Nelken dazu und bindet den Topf zu.

Ragouts.

313. Boeuf à la Mode.

Ochsenfleisch vom hintern Viertel oder ein gutes Schwanzstück wird mürbe geklopft und kommt in ein Geschirr, in welches man noch halb Essig und Wein nach Belieben gießt; dazu schneidet man alle Arten Wurzeln und thut Citronen, Lorbeerblätter, ganzen Pfeffer und Nelken daran, deckt sodann das Fleisch fest zu und läßt es 2 bis 3 Tage stehen, wendet es aber alle Tage um. An dem Tage, an welchem man es kochen will, nimmt man alles zusammen in eine Casserolle, schneidet von schwarzem Brod die Rinde ab und thut sie dazu, gießt noch 1 Löffel voll Fleischbrühe oder Wasser daran, deckt es fest zu und läßt es im Ofen oder auf Kohlen weich kochen. Ist es weich, so hebt man das Fleisch aus, treibt alles durch ein Haarsieb, nimmt das Fett ab, thut die Sauce wieder in die Casserolle, sezt das Fleisch dazu und läßt es noch eine halbe Stunde miteinander kochen. Alsdann wiegt man von einer halben Citrone das Gelbe und thut es sammt dem Saft derselben und einer Messerspitze voll Muskatblüthe dazu. Sollte die Sauce nicht dick genug seyn, so gießt man an ein Stück braunen Lebkuchen ein wenig Fleischbrühe, daß er weich wird und rührt ihn an die Sauce. Es gibt dieß eine sehr gute Sauce.

314. Uebrig gebliebener Braten mit Bechemelle.

Man schneidet von kaltem Braten beliebige Stückchen und macht auf folgende Art eine Bechemelle: 4 Loth Butter läßt man in einer Casserolle zerlaufen, rührt 2 Kochlöffel voll feines Mehl darein, Salz, Muskatnuß, von einer halben Citrone den Saft und das Gelbe am Reibeisen abgerieben, einen halben Schoppen süßen Rahm, rührt es glatt mit etwas Fleischbrühe, läßt es miteinander aufkochen, legt das Fleisch darein und läßt alles noch eine Viertelstunde kochen.

315. Brieschen in Trüffelsauce.

Die Brieschen werden abblanchirt, gehäutet, gespickt und in Butter in einer Casserolle schön gelb gebraten. Dazu macht man folgende Sauce: In einem Stück Butter wird ein Löffel voll Mehl hellgelb angelaufen und mit starker Jus abgelöscht, ein Glas Bordeaux- oder Markgräflerwein daran gegossen; von 2 bis 3 sauber gewaschenen Trüffeln wird das Rauhe abgeschnitten, in einem Mörser mit einem Stückchen Butter und einem Stücke sauber gewaschener Sardelle gestoßen und in die Sauce gethan; die Trüffeln selbst werden in ein anderes Geschirr geschnitten, die Sauce durch ein Haarsieb darüber gegossen, die Brieschen sammt dem Satze, in welchem sie gekocht worden, darein gethan und nach Belieben gesalzen. Beim Anfragen werden die Trüffeln hübsch auf die Brieschen gelegt.

316. Kalbsbrieschen mit Spargeln.

Man reinigt 2 bis 3 Brieschen, brüht sie ein wenig, legt sie in kaltes Wasser, puzt 50 Spargeln, kocht diese im Salzwasser weich, nimmt sie heraus, schneidet sie in Stückchen, wiegt eine halbe Citronenschale und eine Schalottenzwiebel recht fein, dämpft sie mit einem Stück Butter in einer Casserolle, schneidet die Brieschen, thut sie auch in dieselbe, drückt den Saft von der halben Citrone daran, Salz und Muskatnuß dazu, läßt alles noch eine Viertelstunde dämpfen, rührt 3 Eiergelb mit 1 Kochlöffel voll Mehl und kaltem Wasser glatt, gießt dieses nebst 1 Löffel voll guter Fleischbrühe an die Brieschen, kocht sie noch ein wenig, richtet sie an und gibt die Spargeln dazu.

317. Ragout von hartgesottenen Eiern.

Für 4 Personen rechnet man 8 hartgesottene Eier. Das Gelbe von hartgesottenen Eiern drückt man durch ein Haarsieb, schneidet 2 Zwiebeln in Scheiben, dämpft sie in einer Casserolle mit einem Stückchen Butter weich, aber nicht gelb, thut nun die Eiergelb zu den Zwiebeln, nebst etwas Salz und Muskatnuß, auch einen Löffel voll sauren Rahm, füllt die Eierweiß damit aus und macht folgende Sauce dazu: 3 gewiegte Schalottenzwiebeln und das Gelbe von einer halben Citrone läßt man in einer Casserolle, worin ein Stück Butter zerlaufen ist, mit 3 Finger voll Mehl und dem Gewiegten anlaufen, gießt einen Löffel voll Fleischbrühe daran, Salz, Muskatnuß, den Saft von einer halben Citrone, läßt dieses miteinander aufkochen, richtet die Sauce auf eine Platte an und legt die Eier hinein.

318. Verlorene Eier in einer Sauce.

Man nimmt halb Wasser und halb Essig in eine Pfanne, schlägt die Eier behutsam darein (das Wasser darf aber nicht stark kochen und muß auch gesalzen werden), wenn die Eierweiß hart sind, so nimmt man sie heraus, legt sie in kaltes Wasser und macht folgende Sauce dazu: 2 Hände voll gewaschene Sauerampfer stößt man in einem Mörser, preßt den Saft durch ein Tuch fest aus, läßt ein Stück Butter in einer Casserolle zerlaufen, nimmt einen Eßlöffel voll sauren Rahm und 1 Eiergelb, rührt den Sauerampfersaft dazu, läßt es auf Kohlenfeuer anziehen, richtet die Eier auf eine Platte an und gießt die Sauce darüber.

319. Eier in brauner Sauce.

So viel Eier, als man nöthig hat, backt man in heißem Schmalz, doch so, daß der Dotter weich bleibt, und macht folgende Sauce dazu: eine Hand voll geriebenes schwarzes Brod, 2 Loth braunen Lebkuchen nimmt man zusammen in eine Casserolle, gießt ein Glas Wein daran, ein halbes Glas Essig, einen Schöpflöffel voll Fleischbrühe, oder am Fasttage Wasser, den Saft von einer halben Citrone, Salz, Pfeffer, Muskatnuß, läßt es miteinander eine Viertelstunde aufkochen, zieht es durch ein Haarsieb, legt die Eier auf eine Platte,

gießt die Sauce darüber und läßt es nochmals miteinander heiß
werden.

320. Feldhühner in Salmifauce.

Die Feldhühner werden sauber gerupft, abgestammt und, wenn
die Flügel am zweiten Gelenke, so wie die Köpfe abgeschnitten sind,
ausgenommen. Wenn die Feldhühner frisch sind, braucht man sie
nicht zu waschen, sondern reibt sie mit Salz und Pfeffer inwendig
aus und schiebt eine mit Nelken bestectte Zwiebel und etwas von einer
Citrone in die Oeffnung, bindet die Feldhühner mit Speck ein, thut
sie in eine Casserolle mit etwas geschnittener Zwiebel, gelben Rüben,
Lorbeerblättern, Wachholderbeeren, auch einem Stücke Fett, so wie mit
den Köpfen, Flügeln, Magen und Lebern, deckt die Casserolle zu und läßt
sie schön braten. Sind sie gar, so stellt man die Hühner in einer Schüssel
zur Wärme, nimmt das Uebrige ebenfalls aus der Casserolle und stößt
es in einem Mörser recht fein, gießt es wieder in dieselbe, thut von
einem Kreuzerbrod die Rinde, im Schmalz gebacken, dazu, gießt einen
Schoppen rothen Wein und einen Schöpflöffel voll Jus daran, läßt
es eine Viertelstunde lang ansochen, gießt es durch ein Haarsieb und
dann wieder in die Casserolle, thut die Feldhühner dazu und gewiegte
Citronen, Nelken, Muskatblüthe, so wie Pfeffer und Salz nach Belieben daran.

321. Filets von jungen Hühnern mit süßem Rahm.

Die jungen Hühner (Poulardes) werden halb gebraten, und
ihnen, wenn sie kalt sind, die Haut abgenommen. Das weiße Fleisch
der Poularden wird sodann in feine Filets geschnitten und mit Bechemelle und etwas Glace aufgekocht. Man kann sie mit geschnittenen
und schön gebackenen Wecken garniren. — Bechemelle dazu wird auf
folgende Weise gemacht: ein Pfund Kalbfleisch vom Schlägel, in kleine
Stückchen geschnitten, ein Pfund Butter, Zwiebeln, Petersilie werden
in einer bedeckten Casserolle weich gedämpft, 2 Hände voll Mehl
darauf gestreut, ein paar Mal umgerührt, zugedeckt, nochmals
einige Minuten gedämpft und mit dem Erbsendurchreiber ganz durch
ein Haarsieb getrieben; ein Stück Butter und die Bechemelle in
eine Casserolle gethan, 3 Eiergelb daran gerührt, Salz und Muskatnuß dazu und einige Male durcheinander gerührt. Die Bechemelle wird
auf die zum Auftragen bestimmte Platte gegossen, die jungen Hühner
darauf gesezt und der Saft einer halben Citrone darüber ausgedrückt.
Es ist dieß eine Lieblingsspeise der Engländer.

322. Geschlungene Filets von Kalbfleisch.

Die Filets werden zwei starke Messerrücken dick geschnitten und,
wie früher schon beschrieben, marinirt. Die Schüssel, worin sie aufgetragen werden sollen, wird auf dem Boden mit einer feinen Fülle
und darauf mit Eierklar bestrichen. Auf dieses werden die Filets,
kettenartig geschlungen, gelegt; die Farce, die nicht von Filets bedeckt
ist, wird weggenommen, die Filets aber werden mit Speckschwarten

und Papier bedeckt und in einem nicht sehr heißen Ofen gebacken. Vor dem Auftragen wird der Speck und das Fett so gut wie mög- lich davon genommen und eine Coulissauce mit Limonen darüber gegossen.

323. **Fricandeau von Kalbfleisch.**

Man nimmt ein Stück vom Schlägel, schneidet es nach der Ader, klopft es, zieht die Haut ab, spickt es und legt es in laues Wasser, damit es weiß bleibt. Dann läßt man in einer Casserolle ein Stück Butter zergehen, schneidet Zwiebeln, gelbe Rüben, Sellerie, Lorbeer- blätter und Citronen dazu, legt das Fleisch darein, gießt ein Glas Wein, etwas Essig und Fleischbrühe daran und läßt es eine Stunde lang dämpfen. Hierauf nimmt man das Fleisch heraus, läßt die Sauce dunkelgelb anschlagen, streut ein wenig Mehl, gießt ein wenig Fleischbrühe oder Jus daran, läßt es noch eine Viertelstunde lang miteinander kochen, treibt die Brühe durch ein Haarsieb, gießt sie wieder in die Casserolle und thut das Fleisch dazu, so läßt man es noch ein wenig aufkochen und thut von einer halben Citrone das Gelbe und den Saft darein. Beim Anrichten legt man Citronen- scheiben dazu.

324. **Froschschenkel in Citronensauce.**

Die Frösche werden sauber gewaschen, die Pfoten weggeschnitten und ein Fuß über den andern gezogen; dann wiegt man eine halbe Citrone sammt dem Mark und Zwiebeln, thut Butter in die Cas- serolle, das Gewiegte und die Froschschenkel dazu, deckt dieselben zu, läßt alles eine Viertelstunde dämpfen, thut so viel Mehl daran, als man mit 2 Fingern fassen kann, gießt einen Eßlöffel voll Wasser daran, salzt sie und gibt Acht, daß sie keine Knollen bekommen.

325. **Gansleber mit Citronensauce.**

Eine Gansleber, die zuvor in Wasser gelegen seyn muß, läßt man auf einem Tuch ablaufen, legt 4 Loth Butter, eine geputzte, mit 3 Nelken besteckte Zwiebel, 3 Schalottenzwiebeln, eine halbe Citrone, in Rädchen geschnitten, in eine Casserolle, die Leber darauf und läßt sie langsam dämpfen. Wenn die Leber groß ist, so braucht sie eine halbe Stunde; dann legt man die Leber auf das Geschirr, auf wel- chem sie zur Tafel gegeben wird und macht folgende Sauce darüber: man nimmt so viel Mehl, als man stark mit 3 Fingern fassen kann, in die Casserolle, ein Glas Wein, von einer Citrone den Saft, etwas Fleischbrühe und läßt dieses eine Viertelstunde miteinander kochen, treibt es durch ein Haarsieb, gießt es über die Leber und streut oben darauf das feingewiegte Gelbe von einer Citrone.

326. **Gansleber mit Sardellen.**

In einer Casserolle werden mit 3 Loth Butter eine Gansleber, eine halbe Citrone, in Rädchen geschnitten, etwas ganze Muskatnuß und 4 Schalottenzwiebeln gedämpft; dann werden 4 Stück sauber

gewaschene, ausgemachte Sardellen in einem Mörser mit ein wenig
Butter fein gestoßen, 3 Finger voll Mehl in die Sardellenbutter geknetet, auch ein wenig Fleischbrühe, oder noch besser starke Bouillon
und 2 bis 3 Löffel voll Wein, dazu gethan. Man läßt nun Alles
miteinander aufkochen und thut Salz, Pfeffer und den Saft von einer
halben Citrone dazu, legt die Leber auf die Platte, auf der man sie
zur Tafel geben will, gießt die Sauce durch ein Haarsieb darüber
und streut etwas gewiegte Citronenschalen darauf.

827. Hirn.

Man legt das nöthige Quantum Hirn in laues Wasser und
häutet es ab. Dann macht man eine Jus auf folgende Weise: Ein
Stück Butter läßt man in einer Casserolle zergehen, thut gewiegte
Zwiebeln, Citronen und Citronenmark in die Butter und läßt Alles
eine Zeit lang dämpfen; hierauf streut man Mehl, so viel man zwischen 3 Fingern fassen kann, daran und rührt es einige Male um,
gießt einen Löffel voll Jus daran, läßt es eine Viertelstunde lang
kochen, drückt aus einer halben Citrone den Saft dazu, gießt es durch
ein Haarsieb und nachher wieder in die Casserolle, pfeffert und salzt
es nach Belieben, thut jezt erst das Hirn in die Sauce und läßt
es eine Viertelstunde in derselben kochen.

328. Hirn in Kapernsauce.

Das Hirn wird gewässert und gereinigt; dann läßt man es in
halb Wasser und halb Essig fest werden und macht folgende Sauce
dazu: Ein Stück Butter wird in eine Casserolle gethan, eine Zwiebel
mit dem Gelben von einer halben Citrone gewiegt und in die Butter
gethan; so läßt man es eine Zeit lang dämpfen. Dann rührt man
einen Kochlöffel voll Mehl darein, löscht es mit kaltem Wasser ab,
gießt einen Schöpflöffel voll Fleischbrühe daran und läßt es eine halbe
Stunde kochen. Jezt kommt das Hirn dazu, man drückt noch ein
wenig Citronensaft dazu und läßt es vollends auskochen. Salz, Pfeffer
und Muskatnuß thut man nach Belieben daran.

Anmerkung. Alle weiße Saucen müssen mit kaltem Wasser abgelöscht
werden, damit sie die schöne weiße Farbe nicht verlieren.

329. Glacirte Kalbsbrust.

Eine schöne fette weiße Kalbsbrust wird ausgebeint und in zwei
Theile zerschnitten, so daß sie schön rund werden; diese legt man in
einer Casserolle in kochendes Wasser und läßt einen Wall darüber gehen.
Dann legt man sie in kaltes Wasser, spickt sie recht schön und sezt
sie in eine Casserolle mit einem Stücke Schweinfett, thut geschnittene
Zwiebeln, Lorbeerblätter, Citronen und gelbe Rüben dazu, gießt sodann
einen halben Schöpflöffel voll Fleischbrühe oder Wasser daran und läßt
sie eine Stunde lang dämpfen. Hat das Fleisch noch nicht genug
Farbe, so legt man es in eine Bratpfanne und stellt sie ins Bratrohr; hat die Sauce angeschlagen, so rührt man einen Kochlöffel voll

Mehl darein, gießt ein halbes Glas Estragon= oder Himbeeressig, auch ein Glas Wein und einen Schöpflöffel voll Jus daran, läßt sie eine halbe Stunde kochen, treibt sie durch ein Haarsieb, thut das Fleisch wieder dazu und würzt es mit dem gewiegten Gelben und dem Safte einer Citrone, mit geriebener Muskatnuß und mit Salz und Pfeffer nach Gutdünken.

330. Gewickeltes Kalbfleisch in Sauce.

Man schneidet vom Schlägel 3 Finger breite Streifen und klopft sie ein wenig; dann wiegt man Zwiebeln, Petersilie und Citronen, reibt ein wenig weißes Brod dazu, legt die Streifen auseinander und thut von dem Gewiegten auf jeden Streifen ein wenig, rollt sie zu= sammen, bindet sie mit einem Faden zu, thut ein Stück Butter in eine Casserolle, legt das Fleisch, eine geschnittene Zwiebel, ein Lor= beerblatt und Citronenkraut darein und läßt sie zugedeckt eine halbe Stunde lang dämpfen. Dann streut man einen Löffel voll Mehl darüber, gießt ein wenig kaltes Wasser und einen Schöpflöffel voll helle Fleischbrühe daran, thut Salz, Muskatnuß, Pfeffer nach Be= lieben und von einer halben Citrone den Saft dazu.

331. Kalbsgekröse in Meerrettigsauce.

Man sezt ein sauber gepuztes Kalbsgekröse mit kaltem Wasser zu und läßt es weich kochen, nimmt es heraus und legt es nochmals in kaltes Wasser, schneidet es in beliebige Stückchen und macht fol= gende Sauce: Einen halben Stängel Meerrettig reibt man am Reib= eisen, läßt ein Stück Butter in einer Casserolle mit einem Löffel voll Mehl gelb anlaufen, thut den Meerrettig dazu, wendet ihn ein paar Mal um, rührt ihn mit einem halben Schoppen süßer Milch glatt, thut Salz, Muskatnuß und das Gekröse dazu und läßt es miteinander aufkochen.

332. Kalbskopf mit der Haut oder Kalbskopf in Madeirasauce.

Die Haut wird unten am Schlunde aufgeschnitten und von dem Kopfhaus sorgfältig so abgelöst, daß die Haut kein Loch bekommt; die Ohren werden sauber ausgereinigt. Alsdann wird unter 4 Pfund Schweinsbrät ein halbes Pfund Speck in kleine Würfel geschnitten; ein Milchbrod am Reibeisen abgerieben, in Milch eingeweicht, wieder fest ausgedrückt und in das Brät gethan; von einem Viertelpfund Trüffeln die rauhe Haut abgeschnitten, in einem Mörser mit einem ausgemachten Häring recht fein gestoßen und in das Brät gethan; das Gelbe von einer Citrone gewiegt, die weiße Haut von derselben abgeschnitten und das Mark ohne die Kerne in kleine Stückchen ge= schnitten und mit Salz, Pfeffer, Muskatblüthe, Nelken und einer gewiegten und gedämpften Zwiebel in das Brät gethan, 3 Eier daran geschlagen, mit 2 Eßlöffeln voll Bratenjus begossen und das Brät, wenn es eine Viertelstunde lang mit allen Zuthaten mit der Hand genau untereinander gearbeitet ist, in den Kopf gefüllt, und die Hälfte

der Trüffeln, in Rädchen geschnitten, so wie nach Belieben Kapern darauf
gethan. Dann wird der Kopf zusammen genäht, eine Citrone ins
Maul gesteckt, die andere Hälfte der Trüffeln mit Kapern und eine
Speckschwarte darüber gelegt, der Kopf in reine Leinwand gebunden,
so daß die Ohren aufrecht stehen bleiben, und in einer Braise gesotten.
Nach diesem läßt man den Kopf in einer tiefen Casserolle, worein
2 Maas Wasser, eine halbe Maas Wein, Essig nach Belieben ge=
gossen, allerlei Wurzeln und Salz nach Gutdünken gethan sind, eine
halbe Stunde lang langsam kochen. Dann dämpft man in einer
Casserolle gewiegte Zwiebeln und Citronen eine Viertelstunde mit Butter,
läßt einen Kochlöffel voll Mehl darin anlaufen, löscht es mit einem
Eßlöffel voll kaltem Wasser ab, gießt einen Schöpflöffel von der Brühe,
in welcher der Kopf gekocht hat, und einen Schöpflöffel voll weiße
Bouillon dazu, läßt dieses Alles eine halbe Stunde miteinander kochen,
gießt es durch ein Haarsieb und dann wieder in die Casserolle, und
läßt es noch eine halbe Viertelstunde kochen. Eine Viertelstunde vor
dem Anrichten gießt man einen Schoppen Madeirawein dazu, läßt es
noch ein wenig aufkochen, nimmt den Kopf aus dem Tuche und legt
ihn auf eine große Platte, gießt die eben beschriebene Madeirasauce
darüber und legt Citronenrädchen darauf. Man kann ihn auch mit
hartgesottenen Eiern, rothen Rüben, Petersilie, Alles fein gewiegt,
ausputzen, und er nimmt sich sodann recht gut aus.

333. Kalbskopf mit der Haut, à la Damenbrett.

Von einem weißen, sauber geputzten Kalbskopf löst man die
Haut ab, schneidet ihn in zwei Theile und siedet ihn in der Braise,
wie den Kalbskopf in Madeirasauce. Ist der Kopf weich, so wird
er in viereckige Stückchen geschnitten, so groß wie die Quadrate eines
Damenbretts. Dann macht man kleine Klößchen aus Speck, Schwein=
bröt, etwas fein gestoßenen Trüffeln, etwas Brod, in Wasser einge=
weicht und wieder fest ausgedrückt, einigen ausgemachten Sardellen,
Alles in einem Mörser oder Reibstein tüchtig durcheinander gerieben.
Dieser Teig kommt in eine Schüssel, es wird ein Eiergelb daran ge=
schlagen, Salz und Muskatnuß daran gethan, Alles noch einmal
durcheinander geknetet und möglichst kleine Klöße daraus gemacht, die
man in heißem Schmalz ausbackt. Dann legt man eine Lage von
den Kalbskopfstückchen auf eine Platte, darauf eine Lage Champignons,
Trüffeln, Morcheln und von den gebackenen Klößen, und so wird
fortgefahren, bis Alles auf der Platte ist. Hierauf läßt man Con=
sommé zergehen, drückt Citronensaft daran aus, gießt ein halbes
Glas rothen Burgunder daran und läßt diese Sauce durch einen
Pinsel langsam über den Kalbskopf fließen.

334. Gespickte Kalbsleber.

Man häutet die Leber ab, spickt sie schön, legt sie in eine Casse=
rolle, geschnittenen Speck, Zwiebeln, Citronen, Lorbeerblatt, oben darauf
wieder Speck, gießt ein wenig Jus daran, deckt die Casserolle mit

7

einem Deckel, worauf Kohlen seyn müssen, zu und läßt sie eine Stunde lang dämpfen; dann nimmt man das Fett herunter, legt ein Stückchen Lebkuchen zu der Leber, gießt ein halbes Glas Wein daran, Salz, Nelken, Muskatblüthe, läßt es aufkochen und treibt die Sauce vor dem Anrichten durch ein Haarsieb.

335. Gefülltes Kalbsnetz.

Uebergebliebenes Fleisch (welcher Art es ist) wird mit Zwiebeln und Petersilie gewiegt, 2 Mundbrode abgerieben, eingeweicht und ausgedrückt, Alles in einer Casserolle mit einem Stück Fett eine Viertelstunde gedämpft, 4 Eier, Salz und Muskatnuß noch dazu genommen, die Masse in ein Kalbsnetz gewickelt, dieses zugenäht und im Rohr gelb gebraten.

336. Kalbsvögel.

Von einem Kalbsschlägel löst man das Rohrbein und Schlußbein ab, schneidet das Fleisch nach der Ader in Stücke, große oder kleine, wie man sie gerade wünscht (zu Portionen werden gewöhnlich 3 Stücke aus einem Pfund Fleisch gemacht), klopft sie weich, häutet und spickt sie, aber nicht mit zu langen Stückchen Speck, damit sie hübsch aussehen. Sodann legt man sie in laues Wasser, thut ein Stück Butter mit geschnittener Zwiebel, Lorbeerblättern und Citronen in eine Casserolle, legt die Vögel hinein und läßt sie eine Stunde lang dämpfen. Alsdann nimmt man die Vögel heraus, thut ein Stück braunen Lebkuchen, ein halbes Glas Estragon- oder Himbeeressig und die Vögel wieder in die Sauce und läßt sie noch eine Viertelstunde kochen, worauf man ein paar Eßlöffel voll sauren Rahm dazu gießt. Dann treibt man die Sauce durch ein Haarsieb, gießt sie wieder in die Casserolle, legt die Vögel wieder darein, läßt sie noch einmal aufkochen, thut von einer halben Citrone das fein gewiegte Gelbe und den Saft davon in die Sauce und salzt sie nach Belieben.

Anmerkung. Bei dieser Gattung von Fleischspeisen ist es gut, wenn man beim Zusetzen die Haut und ausgeschnittenen Knochen dazu nimmt, weil die Sauce einen schönen Glanz davon bekommt.

337. Kapaunenspargeln.

Nachdem der Kapaun sauber geputzt und gewaschen ist, schneidet man ihm den Kopf ab, so zwar, daß die Haut am Körper bleibt, bindet ihn dann mit Speck ein, legt ihn mit einem Stück Butter in eine Casserolle, thut Zwiebeln, Lorbeerblätter, gelbe Rüben und Sellerie dazu, deckt die Casserolle zu und läßt den Kapaun eine halbe Stunde dämpfen. Nun stößt man 25 Krebse, nachdem sie zuvor wie gewöhnlich gereinigt und gesotten wurden, mit einem Viertelpfund Butter recht fein, dämpft sie in einer Casserolle bis es schäumt, gießt 2 Schöpflöffel voll Wasser oder Fleischbrühe daran, läßt sie eine halbe Viertelstunde kochen, stellt sie vom Feuer, schöpft die Krebsbutter ab ins kalte Wasser, putzt nun Spargeln, bindet sie in Büscheln, kocht sie im Salzwasser weich und macht folgende Sauce: Die Hälfte der

Krebsbutter läßt man zergehen, rührt einen starken Kochlöffel voll
Mehl darein, 3 Eiergelb dazu, rührt Alles mit kaltem Wasser glatt,
gießt von der Kapaunenbrühe daran, nebst einer Messerspitze voll Mus=
katblüthe, richtet den Kapaun auf eine Platte an und legt die Spar=
geln um den Kapaun herum, gießt die Krebssauce darüber, bestreicht
den Kapaun mit der zweiten Hälfte der Krebsbutter und legt die
Krebsschwänze dem Kapaun auf die Brust.

338. Königsragout.

Ein Pfund übriggebliebenen Kalbsbraten wiegt man mit dem
Gelben und dem Mark einer Citrone so fein wie möglich, nimmt
6 Stück gewiegte und gedämpfte Schalottenzwiebeln, einen abgerie=
benen, eingeweichten, fest ausgedrückten Wecken dazu, rührt ein Vier=
telpfund Butter leicht, thut das gewiegte Fleisch nebst Obigem dazu,
rührt 4 Eier, Salz, Muskatnuß und den Saft von einer halben
Citrone daran, bestreicht ein taugliches Geschirr mit Butter, gießt
die Masse hinein, macht sie so auseinander, daß in der Mitte eine
Höhlung bleibt, schiebt das Geschirr in ein Bratrohr und läßt den
Kuchen schön backen. Man macht folgendes Ragout dazu: Von 4
bis 6 Ochsengaumen zieht man die weiße Haut ab, kocht sie recht
weich, schneidet sie in viereckige Stückchen und macht folgende Cham=
pignonsauce dazu: Man läßt einen kleinen Löffel voll Mehl in einem
Stückchen Butter gelb anlaufen, löscht es mit ein wenig kaltem Wasser
ab, gießt ein Glas rothen Burgunder und einen halben Schöpflöffel
voll gute Jus dazu und läßt die Ochsengaumen in dieser Sauce kochen;
dann kommen 6 bis 8 Stücke Champignons dazu, 4 bis 5 sauber
gewaschene, geschälte und in Blätter geschnittene Trüffeln, Salz, Mus=
katnuß, Pfeffer, ein wenig Muskatblüthe, der Saft und das gewiegte
Gelbe von einer halben Citrone; dieses Alles wird miteinander gekocht,
dann schneidet man von 2 jungen Hühnern die Brüste ab, legt sie
ins laue Wasser, daß sie schön weiß werden, reinigt 2 Brieschen
sauber, spickt diese und die Hühnerbrüste recht schön, und dämpft in
einem Stück Butter mit einer halben geschnittenen Citrone die Hühnerbrüste
und Brieschen eine Viertelstunde lang; dann kommen sie sammt dem
Fett, worin sie gebraten wurden, zu den Ochsengaumen. Von einigen
sauber gewaschenen Morcheln, gestoßenen Trüffeln, einem Viertelpfund
Schweinsbrät, einem kleinen Händchen voll Brod und einem Eiweiß
wird ein Teig gemacht, Knöpflein, in der Größe wie eine Haselnuß,
im Schmalz davon gebacken und unter den Ragout gethan. Nun
wird der gebackene Kuchen auf eine Platte gelegt, der Ragout in die
Höhlung desselben gegossen, die Hühnerbrüste und Champignons oben
darauf gelegt, mit einer Citrone garnirt und ein Täfelchen zerlassene
Consommé über die Hühnerbrüste gegossen.

339. Leberpfanzel.

Man nimmt eine Kalbsleber, die sauber gehäutet und gewaschen
ist, legt sie auf einen Hackblock und wiegt sie mit einem halben Pfund

7 *

Speck sehr fein; dann reibt man für 2 Kreuzer Brod am Reibeisen, weicht es in Wasser ein, drückt es aus, nimmt die gewiegte Leber in eine Schüssel, das Brod dazu, nebst 2 fein gewiegten und im Fett gedämpften Zwiebeln, dem Gelben von einer Citrone, Muskat= blüthe, Pfeffer, Salz und 4 Eiern, wovon eines nach dem andern daran gerührt wird. Dieses Alles wird eine Viertelstunde lang stark gerührt. Dann thut man das Obige in ein großes Kalbsnetz und backt es in gelinder Hitze aus; in einer halben Stunde ist es fertig. Man kann es als Zwischenspeise oder als Braten mit Jus geben. Folgende Sauce ist dazu passend: Man röstet ziemlich viel Zwiebeln in einem Stück Fett und ein wenig Zucker in einer Casserolle hell= gelb, löscht so viel Mehl, als man zwischen zwei Fingern fassen kann, mit einem Schöpflöffel voll Fleischbrühe ab, nebst etwas Himbeeressig, läßt es eine Viertelstunde miteinander kochen und thut Salz, Pfeffer, Muskatnuß nach Belieben daran. Dann legt man die gebackene Leber auf eine Platte, gießt die Sauce darüber und legt oben darauf weich= gekochte Morcheln.

340. Gedämpfte Nieren.

Man schneidet die Nieren recht fein, darauf schneidet man ziemlich viel Zwiebeln, thut ein Stück Butter in eine Casserolle, die Zwiebeln und die Nieren dazu, deckt die Casserolle zu und läßt sie eine halbe Viertelstunde dämpfen. Dann streut man 3 starke Finger voll Mehl dazu, wendet sie ein paar Mal damit um, gießt ein halbes Glas Burgunder, etwas Fleischbrühe daran, nimmt von einer halben Ci= trone das fein gewiegte Gelbe und den Saft, auch Salz, Muskat= nuß dazu und läßt es nochmals mit einander aufkochen.

341. Gefüllte Ochsenzunge.

Die Zunge wird gewaschen, mit Salzwasser nicht zu weich ge= kocht, die Haut davon abgezogen, unten am Schlunde aufgeschnitten, das Fleisch herausgenommen, jedoch so, daß die Zunge kein Loch be= kommt; das ausgeschnittene Fleisch wird mit einem Viertelpfund Speck und etwas rohem Schinken recht fein gewiegt, ein Kreuzerbrod am Reibeisen abgerieben, in Wasser eingeweicht und wieder fest ausge= drückt, zu dem Gehackten gethan, deßgleichen eine halbe Citrone ge= wiegt, eine Zwiebel mit Fett gedämpft und Salz, Muskatnuß und Pfeffer nach Belieben. Wenn dieses Alles mit einem Ei wohl durcheinander gearbeitet ist, füllt man die Zunge damit, bindet sie mit einem Bind= faden zusammen und läßt sie in einer Casserolle mit einigen Speck= schnitten, Zwiebeln, einem Lorbeerblatte, etwas von einer Citrone, zugedeckt eine halbe Stunde lang dämpfen. Will man sie als Braten geben, so kommt Citronensaft und Jus dazu. Als Ragout taugt sie am allerbesten mit einer weißen Citronensauce, die auf folgende Art bereitet wird: Man schält von einer großen oder zwei kleinen Citronen das Gelbe ab und wiegt es mit dem Mark der Citronen (versteht sich ohne die weiße Haut und die Kerne) und mit kleinen Zwiebeln recht fein; sodann läßt man in einem Stücke Butter in einer

Cafferolle so viel Mehl, als man zwischen 3 Fingern faſſen kann, ein wenig anlaufen, löſcht es mit Fleiſchbrühe ab, thut die Citrone und etwas von der Sauce dazu, in welcher die Zunge gebraten wurde, läßt alles Dieſes eine halbe Stunde miteinander kochen, richtet die Sauce auf eine Platte an und legt die Zunge darauf.

342. Pliſſon von einem Haſen.

Man nimmt von einem Tags zuvor gebratenen Haſen das Fleiſch vom Schlägel, wiegt es ſo fein wie möglich und miſcht für 2 Kreuzer in Waſſer geweichtes und ausgedrücktes Brod nebſt fein geſchnittenen und gedämpften Zwiebeln, von einer Citrone das Gelbe, Muskatnuß, Pfeffer, Salz und 3 Eier darunter. Alles dieſes reibt man in einem Mörſer ſchaumig, thut es in eine Schüſſel und ſchlägt, wenn es nöthig iſt, noch 1 Ei daran, macht es noch einmal durcheinander, beſtreicht eine Form mit Butter, füllt die Maſſe darein und kocht ſie im Dunſt. Unterdeſſen macht man folgendes Ragout dazu: Man nimmt von dem Haſen den Ziemer, ſchneidet kleine nette Stückchen davon und macht eine Olivenſauce wie folgt: Man ſchneidet Oliven, ſo viel man will, ſorgſam ab, ſo daß ſie in der Sauce ausſehen wie ganz; die Steine ſtößt man in einem Mörſer ganz fein, legt in eine Cafferolle ein Stück Butter, die Steine nebſt fein geſchnittenen Zwiebeln dazu und röſtet ſie eine Weile miteinander; dann ſtreut man 3 Finger voll Mehl daran, löſcht es mit einem Löffel voll Jus ab, läßt es nochmals aufkochen, thut von einer halben Citrone den Saft dazu, gießt die Sauce durch ein Haarſieb, dann wieder in die Cafferolle nebſt dem Fleiſch und den Oliven. Das Pliſſon richtet man auf einer Platte an, das Ragout, ein Stückchen nach dem andern, rings um die Platte herum und die Oliven oben darauf.

343. Pliſſon von Hirn.

Man häutet das Hirn ſauber ab, legt es mit einem Stücke Butter in eine Cafferolle, wiegt eine Zwiebel nebſt einer Citrone ſehr fein und läßt ſie mit dem Hirn eine Viertelſtunde dämpfen; dann nimmt man es in eine Schüſſel, für 3 Kreuzer abgeriebenes, in Milch eingeweichtes und wieder feſt ausgedrücktes Brod dazu, ſchlägt 5 Eiergelb, eines nach dem andern, daran, auch Salz dazu, wiegt von einer Citrone das Gelbe, ſchlägt von den 5 Eiern das Weiße zu Schnee, mengt Alles leicht durcheinander, beſtreicht eine blecherne Form mit Butter, füllt die Maſſe darein, ſtellt ſie in eine Cafferolle, worin kochendes Waſſer iſt, deckt einen Deckel mit Kohlen darauf und läßt ſie eine halbe Stunde kochen. Man kann das Pliſſon zu Hühnerfricaſſée geben.

344. Ragout von einem Fiſch.

Man ſiedet einen ſchönen Rothfiſch oder Hecht blau ab, ſchält kleine Kartoffeln, backt ſie mit Schmalz ſchön gelb (ſie müſſen aber vorher halb weich geſotten ſeyn), garnirt den Fiſch damit, wiegt eine

Hand voll sauber gewaschene Petersilie recht fein, läßt ein halbes Pfund Butter in einer Casserolle heiß werden, thut die Petersilie dazu und schmälzt den Fisch damit.

345. Melirtes Ragout von Hecht.

2 bis 3 halb= oder dreiviertelpfündige Hechte, sauber gewaschen und gepuzt, schneidet man in fingerbreite Stückchen und reibt sie mit Salz und Pfeffer gut ein, legt ein Stück Butter in eine Casserolle, die Fische, etwas Zwiebeln und Citronen dazu, deckt es zu und läßt es eine halbe Stunde dämpfen. Unterdessen macht man von einem Kalbsbrieschen die Gurgel weg, blanchirt es ein wenig ab, schneidet es in Stückchen und legt sie gleichfalls zu dem Fische. Von 8 großen gesottenen Krebsen nimmt man Schwänze und Scheeren, puzt die Körper sauber, doch so, daß die obere Schale ganz bleibt, das Uebrige stößt man mit einem Viertelpfund Butter zusammen, thut diese in eine Casserolle, dämpft sie so lang, bis sie schaumt, gießt sie durch ein Haarsieb, damit die Butter gut abläuft. Nun reibt man ein Mundbrod am Reibeisen ab und weicht es in Milch ein; unterdessen rührt man 2 Drittheile von der Krebsbutter leicht, drückt das Milch= brod aus und thut es in die Butter, Salz und Muskatnuß dazu, 2 Eier, eines nach dem andern, darein gerührt, von den Krebsscha= len der lange Bart sammt der Scheere abgeschnitten, von dem Gerührten in diese Schalen gefüllt und diese umgekehrt in ein Geschirr gelegt; dann gießt man ein wenig Wasser oder Fleischbrühe daran, deckt sie zu, stellt sie auf Kohlen und läßt sie kochen. Unterdessen streut man stark 3 Finger voll Mehl auf die Fische, gießt ein halbes Glas Wein und etwas Fleischbrühe daran, die Krebsschwänze und Scheeren dazu, richtet es auf eine Platte an und legt die Krebsschalen und das Ragout darauf. Hernach legt man die übrige Krebsbutter auf das Ragout.

346. Ragout von einer Schildkröte.

Der Kopf und die Füße von der Schildkröte werden abgeschnitten, dann wird sie mit heißem Wasser gebrüht, die Schale sauber abge= puzt und die Schildkröte auf dem Feuer mit etwas Wurzeln, Zwie= beln, Salz und Nelken so lang gekocht, bis man die Schale ab= heben kann (sie braucht eine starke Stunde zum Kochen); nun nimmt man die harte Haut oben ab, auch die Leber und die Eier und macht folgende Sauce dazu: Man läßt in einer Casserolle in einem Achtels= pfund Butter 6 bis 8 geschnittene Zwiebeln gelb dämpfen, rührt einen Kochlöffel voll Mehl darein, läßt es gelb werden, gießt ein Trinkglas voll Wein und etwas Fleischbrühe daran (auch Erbsenbrühe ist gut dazu), läßt es eine halbe Stunde miteinander aufkochen, preßt es durch ein Haarsieb, gießt es nebst einem Schoppen Madeirawein, einer Messerspitze voll spanischen Pfeffer, einem Viertelpfund sauber gewaschenen und gepuzten Trüffeln, die in Blätter geschnitten sind, wieder in die Casserolle, läßt es noch eine Viertelstunde miteinander kochen, richtet die Schildkröte auf eine Platte an und gibt die Sauce extra dazu.

347. Reispfanzen mit Ragout.

Ein Viertelpfund sauber gewaschenen Reis sezt man ans Feuer mit fetter Fleischbrühe oder Butter, läßt ihn weich kochen (Brühe darf er nicht mehr haben), rührt dann in einer Schüssel 2 Eier daran, bestreicht einen Melonenmodel mit Butter, thut den Reis darein, drückt ihn fest an den Model, so daß er in der Mitte eine Höhlung bekommt, und läßt ihn im Ofen backen. — Man macht folgendes Ragout dazu: Lammfleisch schneidet man in Stückchen, die man in einer bedeckten Casserolle mit feingewiegten Zwiebeln, Peter-silie und Citronen eine halbe Stunde dämpft; dann streut man einen Kochlöffel voll Mehl darüber, thut von einer halben Citrone den Saft, etwas Fleischbrühe, Salz, Pfeffer und Muskatnuß dazu, richtet den gebackenen Reis auf eine Platte an und füllt den Ragout darein.

348. Schnecken in Sardellensauce.

Man behandelt die Schnecken, wie sie bei „gefüllte Schnecken" beschrieben sind, wiegt 4 Stück Sardellen, eine Zwiebel, die Schale einer Citrone fein, läßt ein Stück Butter in einer Casserolle mit ein wenig Mehl gelb anlaufen, thut das Gewiegte dazu, wendet es ein paar Mal darin um, gießt einen Löffel voll Fleischbrühe, ein halbes Glas Wein, den Saft von einer Citrone daran, legt nun die Schnecken auch in die Sauce und läßt Alles miteinander noch einmal aufkochen.

349. Tauben in Salmisauce.

Die Tauben werden noch warm gerupft, am Feuer abgebrannt und mit einem saubern Tuche abgerieben, dann ausgenommen, aber nicht gewaschen. Sodann werden die Flügel am zweiten Gelenke und die Füße abgeschnitten; die Tauben werden in Speck eingebunden, mit den Füßen und Flügeln, mit Zwiebeln, Wachholderbeeren, einem Lorbeerblatt, Citrone und Basilikum und einem Stücke Schweinsfett in eine Casserolle gethan, gesalzen, zugedeckt und eine Stunde lang gedämpft. Sind die Tauben schön gelb, so stellt man sie in einer Schüssel zur Wärme. Alles Uebrige wird aus der Casserolle genommen, im Mörser so fein wie möglich gestoßen, wieder in die Casserolle ge-than, ein Löffel voll Mehl darauf gestreut, ein halber Schoppen rother Wein, ein Schöpflöffel voll Jus, auch Fleischbrühe daran gegossen, eine Viertelstunde lang gekocht, durch ein Haarsieb getrieben und wieder in die Casserolle gegossen; die Tauben werden ebenfalls wieder in dieselbe gelegt, eine Messerspitze voll Muskatblüthe, gewiegte Citronen und Salz und Pfeffer nach Belieben dazu gethan.

350. Wachteln in Sauce.

Von sauber gerupften und gut gereinigten Wachteln nimmt man das Brustbein heraus, füllt jede mit Schinken, der im Salz und Pfeffer umgewendet worden ist, dressirt sie hübsch, legt sie in eine Casserolle, gießt 1 bis 2 Gläser Wein daran, je nachdem es viele Wachteln sind, deckt sie zu und läßt sie dämpfen, bis sie weich sind.

Man richtet sie auf eine Platte an, thut 2 Messerspitzen voll Mehl an die Sauce, den Saft von einer Citrone, eine halbe geriebene Muskatnuß dazu und treibt die Sauce durch ein Haarsieb über die Wachteln.

Saucen.

351. Citronenfauce zum Wildbret.

Von schwarzem Brod kocht man die obere Rinde im Wein weich (zuvor aber muß das Brod im Schmalz gelb gebacken werden), treibt es durch ein Haarsieb, thut 1 Schöpflöffel voll Jus daran, etwas Citronensaft, fein gewiegte Citronen und läßt alles miteinander aufkochen.

352. Gurkenfauce.

2 bis 3 Gurken, die noch keine Kerne haben, schneidet man zu Salat, wiegt 2 Zwiebeln mit einer Hand voll Petersilie zusammen, dämpft in einer Casserolle alles dieses mit einem Stück Butter eine Viertelstunde lang, streut 3 Finger voll Mehl daran, ein wenig kaltes Wasser, einen Schöpflöffel voll Fleischbrühe, Salz, Pfeffer, 2 Eßlöffel voll Kräuteressig und läßt nun alles miteinander aufkochen.

353. Kalte Häringfauce.

Einen schönen Häring, Milcher, wascht und gräthet man sauber aus, stößt ihn mit einem kleinen Stückchen Butter, 6 hartgesottenen Eiergelb in einem Mörser ganz fein, treibt alles durch ein Haarsieb, nimmt die Milch vom Häring, rührt sie mit 2 Löffeln voll Provenceröl, etwas Essig und Pfeffer, rührt alles nun untereinander und gibt die Sauce zum Ochsenfleisch.

354. Kräuterfauce.

Schnittlauch, Körbelkraut, Basilikum, Estragon wiegt man recht fein zusammen, nimmt 2 Hände voll schwarzes, geriebenes Brod, 6 bis 8 zerstoßene Wachholderbeeren, 1 Loth Zucker, die feingewiegte Schale von einer Citrone, einen Löffel voll französischen Senf, Salz und Pfeffer dazu und macht alles mit 2 Löffeln voll Provenceröl und Essig an. Man kann diese Sauce zu Fischen, Pöckelfleisch und geräuchertem Rindfleisch geben.

355. Petersilienfauce.

Eine Hand voll sauber verlesene und gewaschene Petersilie hackt man ganz fein, knetet einen halben Rührlöffel voll Mehl in einem Stückchen Butter, mengt die Petersilie darein, rührt es über dem Feuer mit guter Fleischbrühe an, läßt es ein wenig durchkochen und zieht es vor dem Anrichten mit Eierdottern ab; diese Sauce ist auch zu vielem Fleischwerk zu gebrauchen.

356. Remoladefauce.

Man hackt einige abgezogene Schalottenzwiebeln, 2 Löffel voll Kapern, 4 Stück sauber gewaschene Sardellen, von 2 hartgesottenen Eiern das Gelbe zusammen, nimmt einen Löffel voll Provenceröl, etwas Estragon, Essig, Pfeffer und Salz nach Belieben und rührt alles wohl durcheinander. Man kann diese Sauce zu allem Fleisch geben.

357. Selleriefauce.

2 sauber gewaschene und gepuzte Selleriewurzeln werden so fein wie Nudeln geschnitten und in einer Casserolle mit einem Stück Butter weich gedämpft, zugedeckt, ein kleiner Eßlöffel voll Mehl daran gestreut, geschüttelt, ein wenig kaltes Wasser daran gegossen, dann ein Schöpflöffel voll Fleischbrühe und etwas Essig, Pfeffer und Salz nach Belieben dazu genommen.

Beilagen zu Gemüsen.

358. Schweinebratwürfte.

Zu ungefähr 4 Pfund feingehacktem Schweinefleisch vom Schoß, oder vom sogenannten abgesezten Stück, schneidet man 3 Viertelpfund Speck zu Würfeln und knetet beides in einer Schüssel mit der Hand nebst einem Schoppen Wasser zusammen, deckt es zu und läßt es über Nacht stehen; den andern Tag nimmt man Salz, Pfeffer, Ingwer nach Gutdünken dazu, arbeitet nochmals einen halben Schoppen Wasser dazu, füllt es in beliebige Därme und bratet die Würste frisch, oder hängt sie in Rauch.

359. Mailänder Bratwürste.

Zahmes Schweinefleisch, zur Hälfte fett, schneidet man so fein, daß es einem Teig gleich sieht; ebenso schneidet man ein wenig Basilikum und Thymian recht fein, mischt dieses alles mit ein wenig Rockenbrod, feinem Pfeffer, ein wenig gestoßenen Nelken, Salz, einem kleinen Glas Wasser recht gut untereinander und füllt es in Bratwurstdärme. Diese Würste kann man grilliren oder, wie die Italiener, in Reis, auch in andern Gemüsen sieden.

360. Stuttgarter Blutwürste.

Schweinskinnbacken, Ohren und ein Stückchen vom Bauchlappen siedet man recht weich, schneidet es in kleine Würfel und mengt es mit Majoran, Pfeffer, Nodegewürz, Salz zusammen; dann mischt man zu 4 Maas Blut eine Maas Milch, nimmt das Fett von dem Obigen herunter, gießt es gleichfalls an das Blut, zieht dieses durch ein Haarsieb in eine reine Schüssel, stopft nun in reine abgeschleimte Schweinsdärme durch einen Wursttrichter eine Hand voll von dem geschnittenen Speck, gießt von dem Blut darüber und macht den Darm voll; dann bindet man ihn fest zu und macht fort bis das Blut und der Speck in die Därme gefüllt sind. Diese Würste legt man in laues Wasser, und wenn sie auf die Oberfläche desselben steigen, so sind sie fertig.

361. Blutwürste auf deutsche Art.

Eine große, fein geschnittene Zwiebel wird mit frischer Butter in einer Casserolle gedämpft, eine halbe Maas Schweinsblut und eine halbe Maas süßer Rahm daran gegossen, ein halbes Pfund frischer, halbgesottener, in kleine Würfel geschnittener Speck, fein geschnittene Basilikum, Thymian und Majoran dazu gethan, auf's Feuer gesezt und umgerührt, bis es warm ist. Nach diesem füllt man die Masse in Därme, legt die Würste in siedendes Wasser, läßt ein paar Sud darüber gehen und darauf kalt werden. Vor dem Anrichten läßt man die Würste in heißem Wasser oder schlechter Bouillon wieder warm werden und hernach in einer Casserolle mit Butter oder gutem Fette bei starkem Feuer auf beiden Seiten gelb werden.

362. Cervelas= (sprich Serwela=) Würste.

Von einem Schweinsschlägel schneidet man das magere Fleisch ab, hackt dieses nebst Salz, Pfeffer, Nelken, Basilikum und Korian= der recht fein zusammen, stößt es dann noch in einem Mörser, ar= beitet es in einer Schüssel miteinander, drückt die Masse in einen Rindsdarm, macht Würste von beliebiger Größe und hängt sie in den Rauch. Man nimmt zu 4 Pfund Fleisch ein Pfund Speck. Diese Würste kann man zu Erbsen und Linsen geben.

363. Croquette.

Man wiegt Kalbfleisch mit Zwiebeln und Citronen, dämpft es in einem Stück Fett, weicht ein Kreuzerbrod in Wasser ein, drückt es fest aus, thut das Brod zu dem Obigen, dämpft alles noch eine Viertelstunde mit einander, schlägt 2 bis 3 Eier daran, Salz, Pfef= fer, Muskatnuß nach Belieben, schneidet einen Wecken, wovon die untere Rinde weggeschnitten worden, in Stückchen, streicht von der Masse darauf und backt sie schön gelb in heißem Schmalz aus.

364. Fischwürste.

Man schuppt die Fische (Weißfisch oder Barbe), schneidet die Haut auf dem Rücken auf, zieht sie ab, schabt das Fleisch von den Gräthen ab und legt es eine halbe Stunde in Milch, daß es weiß wird. Dann wiegt man Zwiebeln, Petersilie und Citronen, dämpft sie in einem Stück Butter, wiegt das Fischbrät so fein als möglich, rührt es in einer Schüssel mit Milch so lange, bis es ganz weiß ist, schlägt 2 bis 3 Eier daran, rührt es noch eine Viertelstunde, nimmt nun das Gedämpfte, sammt Salz und Muskatblüthe dazu, drückt die Masse in Därme, legt die Würste in warmes Wasser und bratet sie auf dem Rost oder in der Pfanne.

365. Gansleberwürste.

Von 3 bis 4 großen Gänselebern, die aber gar nicht oder nicht stark gewässert sind, werden 2 fein gewiegt, 2 in Würfel geschnitten, alle zusammen in einer Schüssel mit 3 Viertelpfund ganz fein gewiegtem Schinken, Zwiebeln, einer Hand voll Peterfilie vermischt und alles im Speck gedämpft. Dazu kommt von 2 Citronen das Gelbe, fein gewiegt, und von denselben das Mark ohne die Kerne, ebenfalls fein gewiegt, für 2 Kreuzer abgerindetes weißes Brod in Milch einge-weicht und ausgedrückt, 3 Messerspitzen voll weißer Pfeffer, 2 Mes-serspitzen voll Muskatblüthe, ein halbes Pfund sauber gewaschene, abgehäutete und im Mörser fein gestoßene Trüffeln. Alles dieses wird mit obiger Masse untereinander gemacht, stark gesalzen und in solche Rindsdärme gefüllt, woraus man gewöhnlich die Lungenwürste macht. Der Darm wird unten nicht fest zugebunden, die Masse mit einem Eßlöffel nicht sehr fest darein gefüllt, weil sie leicht aufspringen; der Darm wird oben wieder nicht fest zugebunden, jede Wurst in ein be-sonderes Tuch gewickelt, in eine lange Casserolle gelegt, Wasser daran gegossen, eine Hand voll Salz dazu gethan und so lange zum Feuer gestellt, bis sie anfangen zu kochen. Dann gießt man kaltes Wasser darein, nimmt sie vom Feuer und läßt sie eine Stunde stehen, doch so, daß sie immer am Sieden sind. Sie brauchen eine Stunde zum Garwerden. Hernach zieht man sie vom Feuer zurück, und wenn sie im Wasser erkaltet sind, legt man sie auf ein Brett und läßt sie im Tuch über Nacht stehen, nimmt den andern Tag dasselbe davon und braucht sie nach Belieben.

366. Würste von weißem Geflügel mit Rahm.

Halb abgebratenes Geflügel (Kapaun oder Poularde) wird ab-gehäutet, alles Fleisch davon abgelöst, zu feinen Filets geschnitten und ziemlich viel Bechemelle, einige Eierdotter und ein wenig Pfeffer und Salz darunter gethan, in Därme gefüllt, die Würste nur mit einem Wall gesotten, in Milch erkaltet, auf ein mit Butter bestriche-nes Papier gelegt und auf schwachem Feuer gelb gebraten.

367. Gefüllter Hammelsmagen.

Der Magen wird sauber abgeschabt und gewaschen; dann reibt man 2 Milchbrode am Reibeisen ab, weicht sie in Wasser ein, drückt sie fest aus und thut sie in eine Schüssel, wiegt Zwiebeln und Peter-filie, dämpft diese in einem Stücke Speck und thut sie an das Brod, wiegt 2 Hammelsnieren dazu, macht alles mit Salz, Schnittlauch und 3 Eiern untereinander, füllt es in den Magen, bindet ihn oben zu, siedet ihn im Salzwasser eine halbe Stunde und backt ihn in Butter schön gelb.

368. Würste von Hasen.

Das Fleisch von einem Hasen, sauber abgehäutet, ein Pfund Speck, etliche Schalottenzwiebeln, Basilikum und Thymian, ein wenig Citronenschale wird recht fein geschnitten, und hernach ein Stutzgläschen voll rother Wein daran gegoffen, Pfeffer und Salz dazu, alles gut gemifcht und in Bratwurftdärme gefüllt. Vor dem Anrich= ten bratet man fie wie Bratwürfte, aber nur nicht zu trocken, fonft werden fie fpröde.

369. Krebswürfte.

Von kleinen, gewöhnlichen, abgefottenen Krebfen nimmt man die Schweife und macht von den Schalen Krebsbutter. Ein halber Wecken ohne Rinde wird, klein gefchnitten, in füßem Rahm eine Stunde lang eingeweicht. Die Krebsfchwänze, ein Kalbsbriefchen und 2 Kalbs= euter werden fein zufammen blanchirt und zu dem eingeweichten Wecken gethan; dazu kommt auch ein wenig Bafilikum, Thymian und Ma= joran, fo wie auch eine kleine feingefchnittene Zwiebel, in der Krebs= butter angelaufen. Dann werden, wenn die Krebsbutter ganz kalt ift, einige Eierdotter, ein wenig Pfeffer und Salz dazu gethan, alles gut untereinander gemifcht und mittelft der Wurftfpritze die Därme damit angefüllt. Alsdann werden die Würfte in heißer Milch in einer Cafferolle langfam aufgekocht. Eine halbe Stunde vor dem Auftragen beftreicht man einen Bogen Papier mit Krebsbutter und bratet darauf die Würfte auf dem Rofte.

370. Leberwürfte.

Die Lunge, die Leber, das Gekröfe und die Briefchen von einem Schwein, etwas von einer Kalbsleber wird verwellt, auf einem Hack= block nebft 4 bis 6 Zwiebeln recht fein gehackt, feingewiegte Citronen, Pfeffer, Salz, Muskatnuß, das Fett, worin das Fleifch miteinander gekocht wurde, in einer Schüffel miteinander vermengt, daß es nicht fehr dünn ift, die Maffe in weiße Bratwurftdärme gefüllt, ins laue Waffer gelegt, und unter dem Gefchirr, in welchem fie liegen, fo lange gefeuert, bis die Würfte auffteigen.

371. Würfte von Schaffleifch.

Die Würfte von Schaffleifch werden wie die von Kalbfleifch gemacht, nur daß man Peterfilie und ein wenig Majoran dazu nimmt, daß fie in kleine Därme gefüllt und nicht grillirt, fondern nur leicht ge= fotten werden.

372. Schwartenmagen.

2 Pfund Schweinefleifch vom Kinnbacken und 2 Pfund vom Hals fiedet man weich, fchneidet fie in lange Stückchen, thut diefe in eine Schüffel, ein Pfund Schweinsbrät dazu, nimmt Salz, Pfeffer, Nelken, Majoran, Ingwer nach Gutdünken, auch ein Glas voll Schweinsblut dazu, mengt alles untereinander, füllt einen Schweins= magen oder einen weiten Rindsdarm damit, macht ihn feft zu, ver= wellt ihn wie eine andere Wurft und ftupft ihn ein wenig mit einer Gabel; ift er fertig, fo legt man ihn zwifchen 2 hölzerne Teller, einen Stein darauf und hängt ihn 4 Tage in Rauch.

373. Schwarze Würste.

Ein Pfund Schweinsfett von der Lende wird abgehäutet und in kleine Würfel geschnitten; sodann schneidet man 8 große Zwiebeln recht fein und läßt sie mit einem halben Pfund Butter über stetem Feuer anlaufen, gießt hernach eine halbe Maas Blut und einen Schoppen süßen Rahm daran, thut das geschnittene Fett und geschnittenen Basilikum, Thymian und Majoran, auch Pfeffer und Salz dazu und mischt alles gut durcheinander. Damit werden die Därme gefüllt. Diese Würste kommen alsdann in siedendes Salzwasser, wo man einen Sud über sie gehen läßt, sodann läßt man sie wieder kalt werden. Vor dem Auftragen bestreicht man sie mit frischer Butter und läßt sie auf dem Roste grilliren.

374. Schweinsohren zu Erbsengemüs.

Die Ohren werden sauber gewaschen, im Salzwasser weich gekocht, auf einem Brett in 2 Theile geschnitten, zusammengerollt, mit einem Pinsel mit Eierweiß überstrichen, mit geriebenem Brod bestreut und ein hölzerner Zweck dadurch gesteckt. Sie können am Spieß oder im Ofen gebacken werden.

375. Speckwürste.

Man schneidet ein halbes Pfund frischen Speck in kleine Würfel, weicht 3 Kreuzerbrode in Wasser ein, drückt sie fest aus, wiegt Zwiebeln und Petersilie, dämpft sie in einem Stück Fett, stellt sie vom Feuer weg, nimmt den Speck, 3 bis 4 Eier, Salz, Pfeffer, Muskatblüthe dazu, mischt alles recht untereinander, drückt es in Bratwurstdärme nicht zu fest ein, legt die Würste in heißes Wasser und bratet sie gelb.

376. Würste von einem wilden Schwein.

Die Würste von einem wilden Schwein werden auf die nämliche Art gemacht, wie die bei No. 368, nur etwas fetter, weil das Fleisch trockener ist.

377. Würste auf bürgerliche Art.

Sämmtliche Därme von 2 Schweinen werden in Salzwasser gewaschen und mit den Ohren und Zungen der Schweine gewiegt, Salz, Pfeffer, Nelken und Kümmel dazu gethan, alles gut gemischt, in Därme gefüllt und diese gut zugebunden. Hierauf legt man die Würste mit etlichen Füßen in eine Braise (Brühe), füllt diese mit Bouillon auf und läßt sie auf stetem Feuer kochen und nachher erkalten. So kann man sie im Keller 14 Tage lang aufbewahren. Vor dem Gebrauche nimmt man die Sulz davon ab, wickelt jede Wurst abgesondert in ein mit Butter bestrichenes Papier, bratet sie auf dem Roste gelb und trägt sie warm auf.

378. Würste auf italienische Art.

4 Schweinsohren und 4 Schweinsschwarten, woran noch etwas Fett ist, werden gehackt, ein Glas Muskatwein daran gegossen, etwas

geschnittene Basilikum, Thymian, Citronenschalen, Pfeffer, Nelken (grob gestoßen), auch Salz dazu, alles untereinander gemischt und recht fest wie Salami in Därme gefüllt und fest zugebunden. Sind die Würste so weit fertig, so hängt man sie an einem trockenen Orte im Luftzug auf, bis sie recht hart sind. Vor dem Auftragen läßt man sie mit 2 Lorbeerblättern sieden, bis sie weich sind und gibt sie zum Gemüse. Man kann sie lange aufbewahren und weit versenden.

379. Große italienische Würste.

Man nimmt alle Därme von einem großen fetten Schweine; den großen Fettdarm legt man auf die Seite, die übrigen schneidet man in kleine Stücke, salzt sie gut ein und läßt sie im Salz liegen. Hernach nimmt man sie aus dem Salzwasser, welches sie selbst geben, thut Pfeffer und halbgestoßene Nelken, wie auch ein wenig Muskatblüthe und süßen Kümmel daran, und füllt die Masse in den Fettdarm recht fest, unterbindet und salzt sie wieder und hängt sie an einen trocknen Ort im Luftzug auf, bis sie recht trocken sind. Hernach kann man diese Würste mit einem grünen Gemüse oder allein sieden, oder auch grilliren.

380. Beefsteak (spr. Bifftek).

Ein Stück vom Lendenbraten schneidet man in Stückchen, aber nicht so dick wie die englischen Beefsteaks, klopft sie breit mit der Hand und reibt sie mit Salz und Pfeffer ein. Dann schüttet man feines Oel in ein Gefäß und wendet die Beefsteaks darin um, legt sie in eine Pfanne mit einem Stücke Butter, wiegt eine Zwiebel daran und läßt sie schön gelb braten. Das Ganze wird sodann in eine Platte angerichtet, die Sauce und ein Eßlöffel voll Bratenjus darüber gegossen und mit Kartoffeln aufgetragen.

Anmerkung. Will man diese Beefsteaks einige Tage lang aufbewahren, so reibt man sie mit Salz und Pfeffer ein, wendet jedes Stück im Oel um und legt sie aufeinander; so bleiben sie recht mürb und gut. Bei hohen Herrschaften werden sie nicht anders gegeben.

381. Beefsteak auf englische Art.

Man schneidet ein Stück vom Lendenbraten (vom Lumme) zu fingersdicken Stückchen, klopft sie ein wenig, reibt sie mit Salz und Pfeffer ein, legt sie über gute Kohlen auf einen Rost und übergießt sie mit zerlassener Butter. Einstweilen macht man eine Sardellen-butter auf folgende Weise dazu: man wiegt Petersilie mit einer sauber gewaschenen und ausgegrätheten Sardelle und arbeitet dieses in ein Stück Butter. Ist nun das Beefsteak auf dem Roste fertig, so richtet man es auf eine Platte und legt auf jedes Stückchen ein wenig von der Butter, gießt Citronensaft darauf und trägt es schnell auf.

Anmerkung. Bei diesen Beefsteaks ist hauptsächlich darauf zu sehen, daß sie in der Mitte noch saftig sind. Sie sind in einer Viertelstunde fertig.

382. Gebackene Kalbsfüße.

Die Füße werden abgezogen, im Salzwasser weich gekocht und in kleine Stückchen geschnitten; dann macht man einen Teig, nämlich: einen Schoppen Wasser und hühnereigroß Butter läßt man miteinander kochen, thut Mehl darein, daß es ein dicker Brei wird, läßt ihn so lange kochen, bis er sich von der Pfanne losmacht, nimmt ihn vom Feuer, rührt 3 bis 4 Eier daran, taucht die Stücke, eines nach dem andern, in den Teig und backt sie schön gelb aus.

Anmerkung. Bei allen Brandteigen ist das Wasser besser als Milch, der Teig bleibt gerösteter und lockerer.

383. Gewickeltes Kalbsgekrös.

Das Kalbsgekröse wird sauber gereinigt, gewaschen, im Salzwasser gekocht und die Drüsen herausgemacht; hernach schneidet man es in kleine Stückchen, wendet sie in verklopften Eiern und dann in geriebenem Brod um und backt sie gelb aus.

384. Gebackenes Kalbshirn.

Das Hirn wird abgehäutet, mit halb Wasser, halb Essig, und Salz ans Feuer gesezt und eine Stunde gekocht; dann nimmt man es heraus, läßt es ablaufen, wendet es in verklopften Eiern, hernach im geriebenen Brod um und backt es im heißen Schmalz schön gelb.

Anmerkung. Diese Beilage ist zu allen grünen Gemüsen passend.

385. Grillirter Kalbskopf.

Der Kalbskopf wird sauber gepuzt, die Zähne ausgebrochen und der Kopf im Salzwasser weich gekocht. Dann nimmt man ihn heraus, bestreicht ihn mit Butter, überstreut ihn mit geriebenem Brod, legt ihn auf den Rost und läßt ihn schön gelb braten.

386. Kalbszunge auf dem Rost gebraten.

Die Zungen werden weich gekocht, abgezogen, in 2 Theile geschnitten, mit Salz und Pfeffer eingerieben, in verklopftem Ei umgewendet und mit geriebenem Brod überstreut, auf den Rost gelegt, mit zerlassener Butter übergossen und schön gelb gebraten.

387. Leberspickel.

Die Leber wird eben so behandelt, wie die gebackene, nur mit dem Unterschiede, daß sie in dreieckige Stückchen geschnitten wird. Man nimmt ein frisches Kalbsgekrös, legt es in laues Wasser, schneidet Stücke davon, wickelt die Leber darein, legt sie auf den Rost und läßt sie gut ausbacken. Beim Anrichten kommt Citronensaft und Salz dazu.

388. Gebratene Ochsenzunge.

Eine gepuzte Zunge siedet man so lange, bis man ihr die Haut abziehen kann, spickt sie, legt sie in eine Casserolle, Zwiebeln, Citronen,

Lorbeerblätter, Salz, Pfeffer und Muskatblüthe, 6 Loth Butter und ein Glas Wein dazu, deckt die Casserolle zu und läßt sie braten. Man kann diese Zunge auch im Ofen oder am Spieß braten. Beim An= richten gibt man Citronen dazu.

389. Rissolen.

Man nimmt übriggebliebenes Fleisch, wiegt es mit einer Zwiebel recht fein, weicht ein Kreuzerbrod im Wasser ein, drückt es fest aus, dämpft dieses mit Butter in einer Casserolle eine Viertelstunde lang, rührt sodann 2 bis 3 Eier daran und streut Salz und Muskatnuß darauf. Hierauf macht man auf einem Nudelnbrett, von 2 bis 3 Händen voll Mehl, 2 Eiern, einem halben Schoppen sauren Rahm und 2 Loth Butter einen Teig an, wie zu Nudeln, wellt ihn aus, schlägt ihn nochmals übereinander, treibt ihn nochmals aus, aber nicht so fein, wie die Nudeln, bestreicht den Kuchen mit Eiern, legt die Masse darauf, schlägt ihn übereinander, sticht ihn mit einem Model aus und backt die Stückchen im Schmalz schön gelb.

390. Brieschen.

Man legt die Brieschen in laues Wasser, damit das Blut herauskommt, setzt sie mit kaltem Wasser ans Feuer und läßt einen Wall darüber gehen. Dann nimmt man sie heraus, zieht sie noch einmal durch kaltes Wasser, löst das Häutige davon ab und spickt sie schön. In die Casserolle thut man ein Stück Butter, legt die Brieschen, nebst geschnittener Zwiebel, Citronen, einem Lorbeerblatt, 2 Blättchen Muskatblüthe in die Butter, gießt ein wenig Fleisch= brühe daran und läßt sie darin, zugedeckt, eine halbe Stunde lang dämpfen. Hierauf streut man 3 Finger voll Mehl auf die Brieschen, wendet sie um, gießt ein wenig kaltes Wasser darüber, füllt mit Fleischbrühe auf und läßt Alles miteinander eine Viertelstunde lang auskochen. Beim Anrichten legt man die Brieschen auf eine Platte, zieht die Sauce durch ein Haarsieb darüber ab und salzt nach Be= lieben.

391. Gebratene Brieschen.

Die Brieschen werden in Salzwasser blanchirt, gereinigt und gespickt. Dann läßt man sie in einer Casserolle in Butter und ge= schnittener Zwiebel schön gelb braten; beim Anrichten gießt man die Jus durch ein Haarsieb darüber, streut feingewiegtes Citronengelb (Citronenbützeln) darauf und salzt sie nach Belieben.

392. Kalbscarbonade auf Brabanter Art.

Man macht ein Stück Butter in einer Casserolle gelb, kehrt die Carbonade im Mehl um, legt sie in die Casserolle, nebst Salz, einer Zwiebel, Lorbeerblatt und Thymian; nachdem sie auf beiden Seiten gelb gebraten sind, gießt man ein Gläschen guten Wein und etwas Jus daran, läßt dieses noch eine Weile mitkochen und drückt vor dem Serviren den Saft von einer halben Citrone auf die Carbonade.

393. Gebackene Bratwürſte.

Man macht einen Teig von Mehl, Milch und Eiern an, gießt 2 Löffel voll heißes Schmalz daran, legt die Bratwürſte in heißes Waſſer; darnach ſchneidet man ſie in fingerslange Stückchen, miſcht ſie in den Teig und backt dieſen im Schmalz aus.

394. Italieniſche Cotelettes.

Von ſchönen weißen Kalbscotelettes haut man unten den Strehl weg, zieht das Bein ſauber ab, klopft das Fleiſch, häckelt es gut, macht eine ſchöne Façon daran, ſalzt es ein wenig ein und dämpft es im Butter und Citronenſaft; unterdeſſen wiegt man 3 bis 4 Sardellen, etwas Zwiebeln und Peterſilie und von einer halben Citrone das Gelbe, röſtet mit einem Stück Butter in einer Caſſerolle eine Hand voll geriebenes Brod hellgelb, mengt das Gewiegte darunter, ſtreicht das Geriebene meſſerdick auf die Cotelettes und gießt Jus daran.

395. Cotelettes papillotées.

Schöne weiße Cotelettes, die aber nicht dicker als ein Meſſer ſeyn dürfen, klopft man gut, macht eine ſchöne Façon daran (etwas länglich), wiegt von einer halben Citrone das Gelbe, etwas Zwiebeln und Peterſilie, recht fein unter Schweinsbrät, macht es mit 2 Eierweiß durcheinander, ſalzt es nach Belieben, ſtreicht es auf die Cotelettes unten und oben meſſerrückendick, ſchneidet ein Stück Speck ſo dünn wie möglich, legt es oben und unten auf das Cotelette, beſtreicht einen Bogen Papier mit Butter, wickelt das Cotelette darein, ſo, daß das Bein oben herausſieht, ſchneidet das Uebrige vom Papier ab, macht es mit der Hand ſo feſt zuſammen, daß nichts herausfließen kann, legt es auf den Roſt und wendet es um; in einer Viertelſtunde ſind die Cotelettes fertig. Man kann ſie als Braten oder als Zwiſchenſpeiſe geben, auch gibt man Citronen dazu; ſie kommen mit dem Papier auf den Tiſch.

396. Fiſch-Cotelettes.

Von geringen Fiſchen macht man Brät, ſo viel nöthig iſt, legt es eine halbe Stunde in Milch, wiegt es nachher fein, rührt es mit einem Schoppen Milch recht ſtark, ſchlägt 3 Eier daran und etwas gewiegte Zwiebeln; dann werden in einem halben Vierling Butter Zwiebeln und Citronen gedämpft, welche auch zu dem Brät kommen; Salz nimmt man nach Belieben dazu. Man rührt Alles nochmals recht durcheinander, macht ſchöne kleine Cotelettes daraus, wendet ſie in Eiern um, dann im geriebenen Brod und backt ſie in einer eiſernen Pfanne mit vielem Fett ſchön gelb. Lange dürfen ſie nicht ſtehen bleiben, ſonſt werden ſie zäh.

397. Hammels-Cotelettes.

Von ſchönen jungen Hammelsrippen haut man unten den Strehl ab, ſchneidet oben die fette Haut davon, ſtreift das Bein ab, ſchneidet

8

das Häutige davon, klopft die Rippchen ein wenig und bestreut sie mit einem Gemenge von Zwiebeln, Petersilie, Salz und Pfeffer; legt sie in eine Bratpfanne, gießt ein wenig Wasser daran, deckt sie zu und läßt sie schnell braten. In einer halben Viertelstunde müssen sie fertig seyn. Man gibt sie zu Wirsing oder Kohlrabi.

398. Schweins=Cotelettes.

Von den Rippen eines jungen Schweins haut man unten den Strehl ab, aber das Bein darf nicht gestreift werden, klopft es ein wenig, streut es mit Salz und Pfeffer, legt es in eine Bratpfanne, gießt ein Glas Essig und ein Glas Wasser daran und läßt es schön dämpfen. Man gibt es zu Sauerkraut oder Bohnen.

399. Gewöhnlicher Eierhaber.

Man nimmt 2 Löffel voll Mehl in eine Schüssel (auf eine Person ist ein Kochlöffel voll Mehl und 2 Eier zu rechnen), rührt es mit lauer Milch glatt an, schlägt 4 Eier daran, 1 Löffel voll sauren Rahm, rührt es gut durcheinander mit Milch, macht in einer Pfanne Schmalz heiß, läßt den Teig daran laufen, deckt ihn zu, läßt ihn ein wenig anschlagen, wendet ihn um, läßt ihn wieder anschlagen, verzupft ihn, gießt noch Schmalz nach und läßt ihn gar backen.

400. Gebrühter Eierhaber.

Einen Schoppen Milch und 4 Loth Butter läßt man in einer messingenen Pfanne miteinander kochen, rührt so viel Mehl daran, bis es ein dicker Brei ist. Dann thut man den Teig in eine Schüssel, rührt 6 Eier daran, eines nach dem andern, macht in einer eisernen Pfanne Schmalz heiß, läßt den Teig langsam darein laufen, deckt ihn eine Weile zu, wendet ihn um, läßt ihn nochmals anschlagen, gießt noch ein wenig heißes Schmalz dazu, zerstückelt oder zerschneidet ihn, aber nicht sehr fein und läßt ihn gar ausbacken. Man kann ihn salzen oder zuckern.

401. Hasenöhrchen.

3 Eierdotter, 3 Löffel voll Zucker, 2 Löffel voll dicker saurer Rahm werden in einer Schüssel mit 6 Loth feinem Mehl zu einem Teige gemacht, ausgewellt, übereinander geschlagen und wieder messer= rückendick ausgewellt. Davon schneidet man viereckige Stückchen, macht einen Schnitt in dieselben, backt sie in heißem Schmalz gelb und streut Zucker und Zimmt darauf.

402. Hirnschnitten.

Nachdem die Haut von dem Hirn weggezogen ist, dämpft man dieses in einem Stückchen Butter, nebst Zwiebeln und Petersilie, rührt Alles mit 2 Eiern ab, streicht es auf Brodschnitten, bestreut diese mit Weckenmehl, überzieht sie mit Eierweiß und backt die Schnitten in heißem Schmalz.

403. Kalbshirn.

Man legt so viel Kalbshirn, als man braucht, in laues Wasser, zieht sodann die Haut davon ab, sezt es in einer Casserolle in Wasser mit etwas Essig, Zwiebeln, Citronen und Lorbeerblättern aus Feuer und läßt es so lange kochen als hart zu siedende Eier. Darauf richtet man es auf eine Platte an, schneidet Schnittlauch recht fein darauf, und schmälzt es mit hellgelber heißer Butter, thut noch ein wenig Citronensaft daran und salzt es nach Belieben.

404. Gebackene Kartoffeln.

Mit einem Ausstecher macht man kleine runde Kartoffeln, daß sie schön gleich werden, siedet sie im Salzwasser halb weich, schüttet sie in einen Durchschlag und backt sie in einer Pfanne mit heißem Schmalz schön gelb aus; doch darf man nicht zu viele auf einmal in die Pfanne thun. Diese Kartoffeln werden zum Garniren der Gemüse angewendet, z. B. zu Wirsing und Spinat.

405. Gebackene Kartoffeln anderer Art.

Schöne weiße Kartoffeln schält man gut ab, schneidet sie in Blätter stark messerrückendick, salzt sie ein wenig ein und backt sie in heißem Schmalz gut aus.

406. Krebsküchlein.

Die Krebse werden sauber gewaschen und ihnen das Leben genommen, indem man die mittelste von den 5 Floßen im Schweife umdreht und sammt dem daran hängenden Faden herauszieht. Dann siedet man sie im Salzwasser, bricht den Schweif oder Schwanz aus und macht die Schalen ab, nimmt die Galle oben im Körper aus und stoßt das Uebrige mit einem halben Pfund Butter in einem Mörser. Wenn nun das Gestoßene in einer Casserolle so lange gedämpft ist, bis es Schaum gibt, so gießt man Wasser darauf und läßt es eine Viertelstunde lang kochen. Die Butter wird auf kaltes Wasser gegossen und, wenn sie fest ist, in einer Schüssel schaumig gerührt. 2 Mundbrode werden am Reibeisen abgerieben, in Milch eingeweicht, fest ausgedrückt und in die Butter gethan; Salz und Muskatblüthe dazu. Schwänze und Scheeren werden recht fein gewiegt, in die Masse gethan und diese mit 3 Eiern angemacht. Aus diesem Teige werden runde Küchlein gemacht und im Schmalz gebacken.

407. Gebackenes Lammfleisch.

Das Fleisch wird gewaschen, in Salzwasser weich gesotten und in Stückchen von beliebiger Größe geschnitten, die man in verklopftem Ei und darauf in Mehl, mit Brodbrosamen vermengt, umwendet und mit Schmalz schön gelb backt.

8 *

408. Gansleber in Hammelsnetz auf dem Rost gebraten.

Die wohl ausgewaschene Gansleber wird mit Salz, Pfeffer und geriebenem Weckenmehl bestreut, das Netz ausgebreitet, die Leber darein gewickelt, auf den Rost gelegt, etwas Kohlen darunter und langsam schön gebraten; beim Anrichten gibt man Citronensaft dazu.

409. Gebackene Kalbsleber.

Man zieht die Haut von einer Kalbsleber ab, schneidet das Aderige davon, macht Schnitten von der Leber, kehrt sie im Mehl um und backt sie in Butter. Sie darf erst vor dem Serviren gesalzen werden.

410. Geröstete Kalbsleber.

Eine Kalbsleber schneidet man in kleine Stückchen und schneidet 2 bis 3 Zwiebeln darein. Dann dämpft man Butter in einer eisernen Pfanne mit Zwiebeln eine Zeit lang, legt die Leber darein, wendet sie öfters um, thut 3 Finger voll Mehl dazu, wendet sie noch ein paar Mal um, Salz und Pfeffer dazu und richtet sie auf eine Platte an. Sie ist in einer Viertelstunde fertig.

411. Milchküchlein.

Eine dick gestandene Milch, sammt Rahm, läßt man in einer Pfanne zusammenlaufen, gießt sie in einen Durchschlag, läßt das Wasser gut ablaufen, rührt den Käs in einer Schüssel mit 8 Loth Mehl, 2 ganzen Eiern und 2 Messerspitzen voll Salz gut durcheinander, macht so große Küchlein, wie eine große Welschnuß und backt sie in einer Pfanne mit heißem Schmalz schön gelb. Man kann sie zu Spinat oder sonst einem Gemüse geben.

412. Ochsenmarkküchlein.

Man läßt ein Viertelpfund Ochsenmark zergehen, gießt es durch einen Seiher in eine Schüssel, rührt es ganz schaumig ab, schlägt 4 Eier daran, eines nach dem andern, mischt 4 Löffel voll Mehl und ein Viertelpfund gewiegten Schinken dazu, nimmt geriebenes Brod auf ein Brett, macht aus der Masse runde Küchlein und backt sie im Schmalz schön gelb aus.

413. Rahmwürste.

Man schneidet die Rinde von 4 Kreuzerbroden ab, schneidet von den Broden dünne Schnittchen, kocht sie in der Milch zu einem dicken Brei, läßt diesen erkalten, kocht in einer Casserolle mit einem Stücke Butter, gedämpften Zwiebeln und Petersilie, auch etwas Nierenfett, das gekochte Brod, salzt es, reibt Muskatnuß daran, schlägt 3 Eier daran, macht von dem Gekochten lange Würste, wendet sie in Eiern um und röstet sie in Butter.

414. Geräucherter Aal.

Der Aal wird fast eben so behandelt wie der Hecht, nur mit dem Unterschied, daß er in Stückchen geschnitten werden muß. Er kann zu Kartoffelgemüs mit Häring gegeben werden.

415. Geräucherte Gans.

Wenn die Gans gut geräuchert ist, wird sie sauber gewaschen und in das Kraut gesteckt; darin läßt man sie eine Stunde lang kochen, nimmt die Gans heraus, legt sie auf eine Platte und gibt sie mit dem sauren Kraut zur Tafel.

416. Geräucherter Hecht.

Wenn der Hecht gut geräuchert ist, wird er sauber gewaschen, in Stücke geschnitten und mit Wasser, Essig, Zwiebeln, Sellerie, gelben Rüben und Lorbeerblättern eine Viertelstunde gekocht. Er kann an einem Fasttag zu Spinat oder Schwarzwurzeln gegeben werden.

417. Gebackene Froschschenkel.

Die Froschschenkel werden sauber gewaschen, die vorderen Gelenke abgeschnitten, die übrig bleibenden Schenkel eingesalzen, sauber geputzt, daß sie schön auf der Platte liegen. Dann wendet man sie im Mehl, hierauf in Eiern und im geriebenem Brod um und backt sie im Schmalz aus.

Anmerkung. Man darf nicht viel in die Pfanne thun, sonst werden sie nicht geröstet.

418. Schnecken mit Eiern.

Man siedet die Schnecken, wie sie bei No. 419 beschrieben worden sind, thut sie in eine Casserolle, kocht sie eine halbe Stunde lang mit einem Stück Butter, etwas Petersilie, einer halben Maaß Wasser, wiegt dann eine Hand voll Petersilie, auch Schnittlauch, wenn man welchen hat, dämpft das Gewiegte in einem Stück Butter, nimmt 6 Eier und 3 Löffel voll sauren Rahm noch dazu, läßt die Schnecken gut ablaufen, rührt sie mit dem Gedämpften auf dem Feuer und wenn sie dick sind, richtet man sie an.

419. Gefüllte Schnecken.

Man siedet die Schnecken mit ein wenig Asche eine Viertelstunde, schüttet sie in einen Seiher, zieht die Schnecken mit einer Gabel aus dem Häuschen, putzt sie sauber, zieht die schwarze Haut vom Rücken ab, siedet die Häute noch einmal, reibt mit einer Hand voll Salz den Schnecken den Schleim ab, wiegt 6 Loth gereinigte Sardellen, 3 Schalottenzwiebeln, etwas Citrone, Petersilie, einen Löffel voll Kapern recht fein, knetet das Gewiegte mit Butter, füllt die Schneckenhäuschen halb damit aus, drückt in jedes Häuschen 2 Schnecken, oben darauf wieder von dem Gewiegten, streut ein wenig Werkenmehl darüber, legt sie in ein Plafond oder Schneckenblech, stellt dieses in ein Bratrohr und läßt es nur so lange darin, bis die Butter an den Schnecken zerlaufen ist.

420. Grüne Würste.

Die grünen Würste werden wie die bei No. 369 gemacht, nur daß keine Krebsbutter, sondern nur etwas weiße frische Butter dazu kommt. Um die Würste grün zu färben, nimmt man den schon öfters beschriebenen Spinatkäs zu dem Teig. Sie werden in der Milch gesotten, nur läßt man sie nicht stark grilliren und trägt sie warm auf.

421. Weiße Würste.

Die weißen Würste werden wie die bei No. 369 gemacht, nur mit dem Unterschied, daß man anstatt der Brieschen und Euter ein schönes weißes und recht weich gesottenes Gekröse, aber keine Butter dazu nimmt, außer derjenigen, mit welcher man die Zwiebeln hat anlaufen lassen. Auch kommt ein wenig geschnittener Majoran dazu. Sie werden warm aufgetragen.

422. Würste von Kalbshirn.

Die Würste von Kalbshirn werden wie die bei No. 421 gemacht, nur nimmt man anstatt des Gekröses Kalbshirn. Sie werden warm aufgetragen.

423. Würste auf italienische Art.

Die Würste auf italienische Art werden auch von Schweins- oder Kalbshirn gemacht, etwas Kalbseuter und etwas Butter dazu genommen; nur ist der Unterschied dabei, daß kein Brod, sondern das bloße Hirn und etliche Eiergelb, auch ein wenig Safran dazu kommt. Sie werden warm aufgetragen.

Braten und gedämpftes Fleisch.

424. Gebratener Auerhahn.

Ein Auerhahn vom Schwarzwalde (woher die besten kommen) kann todt 6 Tage lang aufbewahrt werden; dann wird er gerupft, abgeflammt und mit einem Tuche sauber abgerieben, das Eingeweide behutsam ausgenommen, daß die Galle nicht zerdrückt wird. Wenn es möglich ist, so sollte der Auerhahn nicht gewaschen, sondern nur mit einem Tuche ausgereinigt werden. Dann wird er mit Salz, Pfeffer, Nelken, Muskatblüthe ausgerieben, das Brustbein abgestochen, die Füße dürfen am Leibe bleiben, nur die Klauen werden abgenommen. Er wird schön dressirt, mit einer Zwiebel, einer halben Citrone, einem Lorbeerblatt, einem Stück Butter gefüllt, fest zusammen gebunden,

Kopf und Kragen dürfen abgeschnitten werden, so daß die Haut am Körper bleibt. Sodann wird er in die Haut von der halben Seite eines jungen Schweins eingewickelt, diese mit einer starken Dressirnadel fest zugenäht und der Hahn schön langsam im Rohr gelb gebraten. Ist der Hahn jung, so braucht er nur 2 Stunden, um gar zu seyn, ein alter aber braucht 3 Stunden. Alsdann gießt man einen Schoppen Wein dazu und übergießt ihn recht oft. Man gibt ihn mit der Schwarte zur Tafel, ziert ihn jedoch mit Petersilie und Citronen. Die Sauce wird so behandelt wie beim gebratenen welschen Hahn.

425. Englischer Braten.

Von einem fetten Ochsen, der 8 Tage vorher geschlachtet worden, wird ein Stück vom Lendenbraten sammt dem Fette gesalzen und gepfeffert, an den Spieß gesteckt, mit 4 Bogen Papier doppelt umwickelt, auf schwachem Feuer 4 Stunden lang gebraten und während dessen mit ganz reiner heller Butter übergossen. Eine halbe Stunde vor dem Anrichten wird das Papier so abgenommen, daß die Jus in die Bratpfanne läuft, der Braten auf dem Feuer gelassen und noch öfters mit zerlassener reiner Butter übergossen, dann auf die Schüssel gelegt, die Jus durch ein Sieb getrieben, das Fett von derselben abgenommen und die Jus sodann an den Braten gegossen.

426. Wilde Enten.

Waldenten werden behandelt wie Schneegänse; Moos- oder Wasserenten müssen aber anders behandelt werden, weil sie den Geruch eines Fisches, der nach Moos riecht, an sich haben. Die wilde Ente wird gerupft, die Haut abgezogen, Kopf und Kragen weggeschnitten, 3 Tage in kaltes Wasser gelegt, alle Tage aber frisches daran gegossen, dann mit einem Tuche sauber abgetrocknet, mit Salz, Pfeffer, Nelken und Muskatnuß eingerieben, in Speck und Citronen eingebunden, in einer bedeckten Casserolle mit Schweinsfett, Zwiebeln, gelben Rüben und Lorbeerblättern, auch ein wenig Estragonessig eine halbe Stunde lang gedämpft, die Casserolle aufgedeckt und die Ente gelb gebraten. Dann thut man den Saft von einer halben Citrone daran, richtet die Ente auf eine Platte an, gießt die Sauce durch ein Haarsieb darauf und läßt auch den Speck an der Ente.

Anmerkung. Die Sauce darf nicht wie bei anderem wilden Geflügel behandelt werden, weil Leber und Herz wegen ihres üblen Moosgeruchs nicht zu gebrauchen sind.

427. Gebratener Fasan.

Der Fasan wird gerupft, aber der Kopf desselben nicht; dieser wird sogleich in Butterpapier fest eingebunden, der Fasan ausgenommen, mit Wein oder Essig inwendig ausgewaschen, einen Tag in den Wein gelegt, öfters umgewendet und zu dieser Beize Zwiebeln, Citronen, Sellerie, gelbe Rüben, Lorbeerblätter, Nelken und weißer Pfeffer genommen. Den andern Tag wird er mit Pfeffer und Salz eingerieben, gut in Speck eingebunden, in einen Bogen Papier eingewickelt und

in einer Casserolle mit dem Wein, worin er in der Beize lag, langsam
gelb gebraten; man muß ihn öfter übergießen, das Papier vor dem
Anrichten wegnehmen, den Kopf auf die Brust stecken (nur der Speck
auf der Brust darf liegen bleiben); dann nimmt man das Fett von
dem Braten ab, gießt von einer Citrone den Saft darauf, zieht die
Sauce durch ein Haarsieb und bindet dem Fasan, wenn er auf der
Platte liegt, ein grünes Band um den Hals, da wo die Federn anfangen.

428. Gedämpfter Fasan.

Wenn der Fasan geputzt und gereinigt ist, wird er auf der Brust
schön gespickt, aufgezweckt, mit Salz, Pfeffer, Nelken und Muskatblüthe eingerieben, in eine Casserolle gelegt und ein halber Schoppen
Wein und eben so viel Fleischbrühe daran gegossen, die Casserolle so
zugedeckt, daß kein Dampf herausgeht, und eine Viertelstunde langsam
gedämpft; dann wird er in einem Geschirr zur Wärme gestellt.
3 gewiegte Schalottenzwiebeln werden mit einem Stück Butter in einer
messingenen Pfanne gelb gedämpft, mit einem Kochlöffel voll Mehl
anlaufen gelassen und in der Casserolle, worin der Fasan gedämpft
wurde, eine Viertelstunde miteinander gekocht, auch der Saft von einer
Citrone daran gethan. Dann legt man den Fasan auf eine Platte,
treibt die Sauce durch ein Haarsieb darauf und streut gewiegte Citronen darüber; die Sauce muß etwas dick seyn.

429. Fasan in Butter.

Man benützt hier nur die fleischigen Theile des Vogels, reibt
die Stückchen mit Salz, Pfeffer und Nelken ein und bratet sie mit
einem Achtelspfund Butter in einer Casserolle schön gelb. Hierauf
wiegt man eine Hand voll sauber gewaschene Petersilie, 2 Schalottenzwiebeln und das Gelbe von einer halben Citrone recht fein, läßt es
noch eine Weile in der Casserolle dämpfen und drückt noch von einer
halben Citrone den Saft dazu.

430. Fasan mit Trüffeln.

Wenn der Fasan zubereitet ist, wird er in einer Casserolle im
Butter halbgar gebraten; dann nimmt man ihn heraus, schneidet die
fleischigen Stückchen schön rund ab, nämlich Brust und Schlägel,
schneidet 2 sauber gewaschene und geputzte Trüffeln in Blätter, thut
ein Stück Butter in eine Casserolle, legt die Stückchen Fleisch sammt
den Trüffeln darein, schneidet etwas rohen Schinken dazu, gießt einen
halben Schöpflöffel voll Fleischbrühe daran, thut den Saft und das
Gelbe von einer halben Citrone dazu, deckt die Casserolle zu, läßt es
noch eine halbe Stunde langsam dämpfen und richtet es auf einer
Platte an.

431. Feldhühner.

Feldhühner werden gerupft, der Kopf weggeschnitten und aufgehoben, auch die Klauen abgeschnitten. Die Hühner werden in Essig
gelegt, in welchem alle Arten von Wurzeln sich befinden; dann reibt

man sie mit Salz und Pfeffer ein, steckt Zwiebeln mit Nelken in die Hühner, bindet sie mit Speck und Citronen ein, macht einen Bogen Papier darüber und bratet sie in einer Casserolle mit Zwiebeln, gelben Rüben, Citronen und Lorbeerblättern. Beim Anrichten gibt man dem Huhn den Kopf wieder (Speck und Citronen dürfen auf der Brust liegen bleiben). Das Fett wird von der Sauce abgenommen, Leber und Herz werden mit ein wenig Citronen gewiegt, in die Casserolle gelegt, aber nicht gekocht, damit sie nicht rauh werden. Alsdann gießt man die Sauce auf die Platte und legt die Feldhühner darauf.

432. Feldhühner auf englische Art.

Sauber gerupfte und gereinigte Rebhühner werden auf der Brust gespickt, mit Salz, Pfeffer und Nelken wohl miteinander vermischt, eingerieben, auf dem Rost mit zerlassener Butter halb gar gebraten, erkaltet, die Brust schön herausgeschnitten, so wie auch die Schlägelchen, dann in zerlassener Butter umgewendet, nochmals auf dem Rost schön gelb gebraten und oben darauf Citronen gelegt. Man kann sie zum Sauerkraut, Winterkohl oder Blankohl geben.

433. Farcirte Feldhühner.

Die Feldhühner werden sauber gerupft und abgeflammt, der Kopf wird ungerupft abgeschnitten, der Kropf herausgenommen, das Feldhuhn auf dem Rücken auf- und die Brust herausgeschnitten, so daß alles Fleisch an der Haut hängen bleibt. Nun löst man die Knochen im ganzen Körper heraus (nur das Rohrbein bleibt darin) und schneidet die Füße am zweiten Gelenke ab. Ist der Körper ausgelöst, so nimmt man das zweite Feldhuhn, schneidet alles Fleisch davon ab, wiegt es so fein wie möglich mit einem Viertelpfund Speck und thut Zwiebeln und Citronen daran; dann wird es im Mörser oder Reibstein recht fein gerieben und Trüffeln, Salz und Muskatblüthe darunter gethan, in einer Schüssel mit einem Ei durcheinander gemacht und mit abgeriebenem weißen Brod (für 1 Kreuzer), das man in Milch eingeweicht und fest ausgedrückt hat, noch einmal gut durcheinander gemacht, das Huhn mit dieser Masse gefüllt, der Rücken wieder zugenäht, mit Speck eingebunden und in einer Casserolle mit einem Stücke Fett, Zwiebeln, Wachholderbeeren und gelben Rüben langsam und schön gebraten. Man kann gefüllte Feldhühner kalt oder warm auf den Tisch geben; mit Majonessauce aber schmecken sie am besten.

Anmerkung. Man kann alles Geflügel auf diese Art zubereiten, nur mit dem Unterschiede, daß Sardellen bald dazu kommen, bald wegbleiben.

434. Gefüllte Gans.

Die Gans wird sauber gerupft, gewaschen und ausgenommen. Man weicht 2 Wecken in Wasser ein, drückt sie aus, wiegt die Leber, das Herz und den Magen fein, Salz, Pfeffer, Muskatnuß, 2 ganze Eier, ein Viertelpfund fein geschnittenen Speck, macht Alles nebst

Peterſilie und einer fein gewiegten Citrone durcheinander, füllt das Ganze in die Gans, reibt ſie mit Pfeffer und Salz ein und bratet ſie ſchön gelb.

435. Gebratener welſcher Hahn.

Um den welſchen Hahn gut zuzubereiten, iſt es höchſt nothwendig, vor dem Stechen ihm ein Glas Kirſchengeiſt einzugießen, daß es gut in den Leib läuft; hat er ausgeblutet, ſo läßt man ihn auf dem Boden auszappeln. Er muß warm gerupft, darf aber nicht ausgenommen werden. Hernach wickelt man ihn in ein Tuch und hebt ihn bis den andern Tag auf; dann nimmt man den Kropf ſammt dem Eingeweide behutſam heraus, löst das Bruſtbein aus, ſchneidet links und rechts nach dem Glied das Bein ab, löst es auf der Bruſt behutſam ab, waſcht ihn ſauber aus, hackt die Füße halb ab, ſalzt und pfeffert ihn gut, dreſſirt ihn mit einer Dreſſirnadel ſo gut wie möglich, ſo daß die Bruſt ſchön in die Höhe kommt, und ſtopft den Kropf aus, wozu man folgende Fülle macht: Man ſchneidet die Leber und den Magen davon, jedoch die ſtarre Haut weg; ſchneidet ſie hernach in viereckige Schnittchen, dämpft ſie in einer Caſſerolle mit Zwiebel und Peterſilie in einem Stück Butter eine halbe Stunde miteinander, ſchneidet unterdeſſen ein friſchgebackenes Mundbrod, wovon die Rinde weggeſchnitten iſt, thut das Gedämpfte zu dem Mundbrod, einen halben Schoppen dicken ſauren Rahm dazu, ſchlägt 3 Eier daran, Salz, Muskatnuß nach Gutdünken, macht es gut untereinander und füllt den Kropf damit aus, näht ihn wieder zu, bindet den Kopf in Butterpapier ein, ſteckt ihn unter den Flügel, überlegt die Bruſt und den Kropf mit geſchnittenem Speck, legt einen mit Butter beſtrichenen Bogen Papier auf die Bruſt, ſteckt den Hahn an den Spieß oder ſtellt ihn in ein Rohr und bratet ihn ſchön gelb. Man gießt Citronenſaft darauf.

436. Gefüllter welſcher Hahn auf italieniſche Art.

Die Sulz wird behandelt, wie ſie bei dem geſulzten welſchen Hahn beſchrieben wird. Gleich nach dem Abwürgen wird dem welſchen Hahn die Bruſt eingeſchlagen, derſelbe noch warm gerupft, ſauber abgeſtammt, ausgenommen, der Kropf ſo ausgelöst, daß es kein Loch gibt, das Bruſtbein und die Rippen herausgenommen und der Körper mit Salz und Pfeffer eingerieben. Alsdann wird 1 Pfund Makaroni im Salzwaſſer halbweich gekocht, worauf man ſie durch einen Seiher gut ablaufen läßt; dazu kommt ein halbes Pfund geriebener Parmeſankäs, ein halbes Pfund fein gewiegter Schinken, ein Viertelpfund Butter, 2 Eier, 2 Löffel voll ſaurer Rahm; dieſes Alles wird in einer Schüſſel gut durcheinander gemiſcht, der Hahn und auch ſein Kropf feſt damit ausgefüllt, zugenäht, dreſſirt, in Speck und Citronen eingenäht, in eine Caſſerolle geſezt, 1 Schöpflöffel voll Fleiſchbrühe darüber gegoſſen, zugedeckt und auf Kohlen 2 Stunden lang langſam gedämpft. Zu bemerken iſt jedoch, daß er nicht auf die Bruſt gelegt werden darf. Hierauf läßt man ihn auf einer Platte kalt werden;

ist dieß geschehen, so legt man ihn auf die Platte, auf der er aufgetragen werden soll, gießt helle Sulz über ihn, läßt sie gestehen und
gießt nochmal halbgestandene Sulz daran, und wenn auch diese ganz
gestanden, garnirt man den Hahn nach Belieben.

437. Gebratenes Haselhuhn.

Es ist immer besser, wenn das Haselhuhn, nachdem es trocken
gerupft worden, eine Zeit lang im Wein liegt; dann erst werden Kopf
und Kragen abgeschnitten, das Huhn mit Pfeffer und Salz gut eingerieben, eine Zwiebel, etwas von einer Citrone und Basilikum in
das Huhn gesteckt, dasselbe hübsch aufdressirt, dick mit Speck eingebunden und im Ofen oder am Spieß schön gelb gebraten. Die Klauen
müssen abgehauen werden. Zwiebeln, Lorbeerblätter, Sellerie und gelbe
Rüben werden in die Casserolle zu dem Braten gethan; dann wiegt man
Gansleber und ein wenig Citrone miteinander, legt sie auch dazu,
nimmt das Fett von der Sauce ab, treibt diese durch ein Haarsieb
und gießt sie mit ein wenig Jus an den Braten.

Anmerkung. Bei allem wilden Geflügel ist es gut, wenn Leber und
Magen mitgewiegt werden; es gibt eine gute, schmackhafte Jus.

438. Junge Hühner.

Die Hühner werden gestochen und in kaltes Wasser gelegt, damit
sie schön weiß werden; dann taucht man eines nach dem andern in
kochendes Wasser, rupft sie sauber, daß sie kein Loch bekommen, wascht
sie nochmals in lauem Wasser, sticht die Augen aus und zieht die
Haut am Schenkel ab, daß sie schön weiß werden, löst das Brustbein aus, reibt sie mit Salz und Pfeffer gut ein, dressirt sie schön
zusammen, haut die Füße halb ab und bratet sie am Spieß oder in
einer eisernen Kachel.

439. Hammelsschlägel mit einer Sauce von Weintrauben.

Der Hammelsschlägel wird 1½ Stunden vor dem Serviren gebraten, öfters mit Butter begossen und auf eine Schüssel warm gestellt.
Dann wird ein wenig Verjus (Saft von sauren unreifen Trauben)
oder ein wenig Fleischbrühe in einer Casserolle gesotten und heiß an
den Schlägel gegossen. Man kann den Hammelsschlägel auch wie ein
Schafviertel behandeln, mit Petersilie spicken und eine Sauce hachée
dazu geben. Oder kann man ihn mit Speck spicken und sonst eine
Sauce dazu machen.

440. Hammelsschlägel in Gurkensauce.

Von einem Hammelsschlägel wird Fett und Schlußbein weggeschnitten und der untere Knochen abgehauen; dann wird der Schlägel
wohl geklopft und mit einem Löffel voll Fleischbrühe, etwas Essig,
Zwiebeln, Basilikum, Citronenkraut, Pastinakwurzel in einer bedeckten
Casserolle schön gelb gedämpft. Nun werden 2 geschälte und wie zu
einem Salat geschnittene Gurken ohne die Kerne in einer Casserolle

mit Butter weich gedämpft. Hierauf wiegt man eine Hand voll sauber gewaschene Petersilie, eine ganze Citrone, das Gelbe sammt dem Mark (die weiße Haut darf nicht dazu kommen), einen Eßlöffel voll Kapern, 2 Stücke sauber gewaschene Sardellen, thut sie zu den Gurken, läßt Alles noch eine halbe Viertelstunde miteinander dämpfen, wendet es in einem Kochlöffel voll Mehl um, gießt einen Löffel voll Jus dazu, nebst etwas Wein, Pfeffer und Salz, hebt das Fleisch heraus, legt es auf eine Schüssel, gießt die Sauce durch ein Haarsieb, thut sie wieder in eine Casserolle, die Gurken dazu und läßt sie noch eine Weile kochen.

441. Gefüllter Hammelsbug in Form einer Gans.

Der Bug muß schön groß ausgeschnitten, das Blatt nebst dem ersten und zweiten Knochen ausgelöst und die Knochen abgehauen werden bis auf den äußern Knopf; dann macht man eine Fülle von Schweinefleisch, etwas Brod, Pfeffer, Salz, Zwiebeln und Citronen; diese wird mit einem Ei untereinander gemengt, der Bug damit ausgefüllt, zusammengerollt, zugenäht, der Kragen mit einem hölzernen Zweck auf die Brust gedreht und dann in einer Casserolle eine gezogene Sauce daran gemacht, worein noch Zwiebeln und gelbe Rüben kommen; die Sauce wird folgendermaßen gemacht: man läßt den Satz, worin der Bug gekocht wird, ganz einkochen, hebt das Fleisch heraus, streut so viel Mehl daran als man mit 3 Fingern fassen kann, gießt einen Schöpflöffel voll Fleischbrühe dazu, von einer halben Citrone den Saft, läßt es eine halbe Viertelstunde miteinander kochen, gießt es durch ein Haarsieb, legt das Fleisch wieder hinein und gibt es mit Citronen zur Tafel.

442. Hasenbraten.

Der Kopf und die Füße von dem Hasen werden abgeschnitten, die Brust nicht ganz nahe am Ziemer abgehauen, damit er eine schöne Façon bekommt; dann wird der Braten abgehäutet, gespickt und in einer Bratpfanne mit geschnittenen Zwiebeln, Citronen, Lorbeerblättern und Wachholderbeeren nebst einem Löffel voll Fleischbrühe schön gelb gebraten. Salz und Gewürz kann man nach Belieben dazu nehmen. Bei allem Wildbret ist zu bemerken, daß dasselbe, wenn es nicht gebeizt worden ist, mit kochendem Essig, worin Zwiebeln sind, übergossen werden muß.

443. Hochwildbret mit englischer Sauce.

Wenn das Wildbret, am besten vom Schlägel, schon ein paar Tage zuvor im Essig gelegen hat, ist es gut. Es wird abgehäutet, gut gespickt und heißes Schmalz darüber gegossen, der Boden einer Casserolle mit Zwiebeln, Speck, allen Arten Wurzeln, Lorbeerblättern, 6 Stück ganzen Nelken, Muskatblüthe, ganzen weißen Pfefferkörnern und so viel Kubeben und Cardamomen überlegt, daß das leztere ein halbes Loth ausmacht, legt alles Wildbret darein, gießt noch ein

Glas Wein und einen Schöpflöffel voll Fleischbrühe daran, deckt die Casserolle fest zu (noch besser verklebt man sie mit Papier), stellt sie auf Kohlen und läßt sie 2 bis 3 Stunden langsam dämpfen. (Gesalzen darf es nicht eher werden, bis man es anrichtet.) Es kommt folgende Sauce dazu: Man reibt ein Viertelpfund Nürnberger Lebkuchen und eben so viel schwarzes Brod am Reibeisen, röstet in einem Stück Schweinefett das Geriebene, sammt einem kleinen Stück Zucker, bis es braun aussieht, wie der Lebkuchen, gießt einen Schoppen Wein und 2 Schöpflöffel voll gute Bouillon daran, läßt es miteinander kochen, stellt das Wildbret auf ein Geschirr warm, treibt den Saft durch ein Haarsieb, gießt ihn an die Sauce, thut das Fleisch sammt der Sauce in eine andere Casserolle, schneidet 6 bis 8 Champignons in kleine Stückchen, thut einen Löffel voll Kapern, eine sauber gewaschene und fein gestoßene Trüffel dazu, läßt Alles miteinander noch eine Viertelstunde kochen, drückt beim Anrichten den Saft von einer halben Citrone daran, wiegt das Gelbe davon und streut es auf das Wildbret.

444. Hirschwildbret mit Sauerkraut.

Vom Hirsch nimmt man den Lendenbraten oder sonst ein mürbes Stück, häutet es ab, spickt es, legt es in eine irdene Bratkachel, schneidet Zwiebeln, Lorbeerblätter, Citronen und Wachholderbeeren dazu, gießt einen halben Schoppen Wein daran, stellt das Geschirr in ein Bratrohr und läßt den Braten halb gar werden. Nun macht man in einer Casserolle ein Stück Schweineschmalz und 2 Loth Zucker gelb, läßt Kraut, das man fest ausgedrückt hat, eine halbe Stunde in der Casserolle dämpfen, wendet es öfters um, gießt ein Glas Champagner oder sonst guten Wein dazu, macht in einem Geschirr Schmalz heiß, läßt eine Hand voll gewiegte Zwiebeln darein gelb werden, einen halben Kochlöffel voll Mehl darin anlaufen, gießt dieses an das Kraut nebst 3 Löffeln voll saurem Rahm, rührt es untereinander, läßt es noch so lange kochen, bis nichts mehr von der Sauce zu sehen ist, legt den halben Theil auf eine Platte, den Wildbraten darauf, deckt das andere Kraut darüber, streut geriebenen Zimmt darauf, macht einen Kranz um die Platte von Wasserteig, bestreicht ihn mit Eiern, stellt die Platte in den Backofen und läßt das Kraut schön gelb werden.

445. Hirschziemer.

Der Ziemer muß sauber hergerichtet und schön abgehäutet werden. Die langen Knochen werden abgehauen und dann wird er schön gespickt. Man legt ihn in eine Bratkachel, macht in einer Pfanne ein Stück Fett heiß, gießt es über den Ziemer, schneidet alle Arten Wurzeln dazu, gießt ein Glas Wein daran, ein Glas Essig, etwas Jus, Salz und Pfeffer nach Belieben, stellt ihn in ein Rohr und läßt ihn schön gelb braten. Dann nimmt man 4 Stück Wachholderbeeren, eine Hand voll geriebenes Brod, und so oft der Braten übergossen wird, muß von diesem Brod darauf gestreut werden; zuletzt gießt man einen halben Schoppen sauren Rahm über den Ziemer und läßt ihn schön gelb werden. Beim Anrichten kommen fein gewiegte Citronen darüber, man zieht die Sauce durch ein Haarsieb und gibt sie in einem besonderen Geschirr zur Tafel.

Anmerkung. Auf alle diese Wildbraten muß heißes Schmalz gegossen werden, es macht sehr mürb.

446. Rothwildbret.

Ein Stück Wildbret von beliebiger Größe wird mit einem Tuche sauber abgewischt und von den Haaren gereinigt. Dann schneidet man ein Viertelpfund Speck in lange Stückchen, wendet ihn in Salz, Nelken und Pfeffer um, sticht mit einem Messer Löcher in das Fleisch, in welche man sodann je ein Stück von dem geschnittenen Speck steckt, und so fort bis der Speck verbraucht ist. Dann setzt man das Wildbret in einer Casserolle mit einem großen Stücke Fett zum Feuer, thut geschnittene Zwiebeln, Citronen, Lorbeerblätter, Sellerie daran, salzt es nach Gutdünken, gießt einen Löffel voll Fleischbrühe und etwas Essig daran und läßt es zugedeckt 2 Stunden lang kochen. Ist jedoch das Wildbret schon lange in der Beize gelegen, so darf kein Essig dazu genommen werden. Dann schneidet man von einem schwarzen Brod die Rinde ab und backt sie in Schmalz hellgelb auf; hat das Fleisch braun angeschlagen, so nimmt man es heraus, thut die hellgelb gebackene Schwarzbrodrinde in die Casserolle, streut ein wenig Mehl darein, gießt einen Schoppen Wein, einen Schöpflöffel voll Jus, etwas Fleischbrühe daran und läßt es eine Viertelstunde miteinander kochen; sodann treibt man die Brühe durch ein Haarsieb, gießt sie wieder in die Casserolle, legt das Fleisch wieder in dieselbe und thut das gewiegte Gelbe und den Saft von einer halben Citrone, Muskatblüthe, Pfeffer und etwas gestoßenen Cardamom daran.

447. Gefüllte Kalbsbrust auf Schweizer Art.

Man löst die Brustknochen aus, legt die Brust eine Stunde in laues Wasser, daß sie weiß wird, wiegt eine gereinigte Kalbsleber (Gansleber ist noch besser) und ein Viertelpfund Ochsennierenfett so fein wie möglich, thut Beides in eine Schüssel, wiegt 6 Schalottenzwiebeln, die Schale einer Citrone, Basilikum, Thimian, Petersilie und Estragon recht fein und dämpft das Gewiegte in einem Stück Butter; 2 weiße, abgeriebene, eingeweichte und wieder ausgedrückte Brode, 3 bis 4 Eier, Salz, Muskatnuß und das Gedämpfte werden nun eine Viertelstunde miteinander gerührt, die gewiegte Leber dazu genommen, wieder gerührt, die Brust mit der Masse ausgefüllt, fest zugenäht, eine Viertelstunde in schon kochendem Wasser fortgekocht, in einer Casserolle mit Speck oder Schweinsfett, Zwiebeln, Lorbeer, Pfeffer und Salz im Ofen gebraten (nachdem man einige Stückchen Speck auf die Brust gebunden), ein wenig Jus daran gegossen, die

Brust auf eine Platte gelegt und die Sauce durch ein Haarsieb daran gegossen.

448. Kalbfleisch mit Trüffeln.

Ein schönes Stück Kalbfleisch vom Schlägel klopft man gut, spickt es, legt es in eine Casserolle, schneidet Zwiebeln und Citrone recht fein dazu, deckt die Casserolle zu und läßt es eine halbe Stunde dämpfen. Hierauf schneidet man das Rauhe von 3 sauber gewaschenen Trüffeln ab, stößt eine davon im Mörser, mengt ein wenig Mehl darunter, schneidet die übrigen 2 Trüffeln in Blätter, thut Alles an das Fleisch und läßt es noch eine Viertelstunde miteinander kochen.

449. Gefüllte Kalbsmilz.

Die Milz wird nicht ganz aufgeschnitten; dann schneidet man ein halbes Pfund fettes Schweinefleisch in Stückchen, mischt es mit Salz und Pfeffer untereinander, stopft die Milz damit aus, näht sie wieder zu und läßt sie in einer bedeckten Casserolle mit einem Stücke Fett, mit Zwiebeln, Lorbeerblättern, Wachholderbeeren und Salz schön gelb braten.

450. Kalbsroulade.

Von einer Kalbsbrust werden die Knochen alle ausgelöst, unten die Knorpel weggeschnitten, die Brust durchgebrochen, auseinander gemacht, daß sie schön breit wird, in ein Tuch eingeschlagen, festgeklopft und folgende Farce dazu gemacht: Man nimmt ein Pfund Schweinefleisch oder Brät, legt es in eine Schüssel, reibt am Reibeisen für einen Kreuzer Brod darunter, wiegt 2 bis 3 Zwiebeln, dämpft sie in einem Stücke zerlassenen Speck hellgelb und thut sie gleichfalls an das Brät, wiegt von einer halben Citrone das Gelbe und thut es mit Salz, Pfeffer, Nelken, Muskatblüthen daran. Dann macht man alles mit einem Ei durcheinander, streicht es auf die Brust, rollt sie zusammen, näht sie zu, umbindet sie mit Bindfaden, thut sie in eine Bratpfanne oder Casserolle und ein Stück Fett, Zwiebeln, Lorbeerblätter, gelbe Rüben und Sellerie dazu, deckt die Casserolle zu und läßt sie eine Stunde lang kochen. Man kann sie mit Jus oder mit Sauce geben.

451. Kalbsschlägel mit saurem Rahm.

Der Kalbsschlägel wird in einer Bratpfanne mit Butter, Salz, Pfeffer, Zwiebeln und Lorbeerblatt zugesezt, ein wenig Weinessig daran gegossen, langsam gekocht, öfters umgewendet, Bouillon daran gegossen, daß er eine schöne gelbe Farbe bekommt, ein wenig Mehl in Butter gelb geröstet, mit einer halben Maas saurem Rahm an den Braten gegeben, dieser langsam fortkochen gelassen, noch ein wenig Kapern und der Saft von einer Citrone dazu genommen, das Fett oben abgeschöpft und, wenn der Schlägel auf der Platte liegt, die Sauce daran gegossen.

452. Kalbsschlägel mit Bechemelle.

Ein schönes weißes Kalbsviertel wird wie bei No. 451 behandelt, 2 Stunden vor dem Anrichten gebraten, eine Bechemelle daran gemacht und in eine Casserolle gethan. Vor dem Auftragen wird der Braten von dem Spieß genommen, auf die Schüssel, in welcher er servirt werden soll, gelegt, damit die Jus darin bleibt. Alsdann schneidet man oben in den Schlägel ein großes rundes Loch, jedoch nicht ganz durch; von dem ausgeschnittenen Loche nimmt man die braune Rinde mit kleinfingerdickem Fleisch oben so ab, daß es gerade auf die gemachte Oeffnung paßt. Inzwischen wird die Bechemelle auf Kohlen warm erhalten, von dem ausgeschnittenen weißen Fleisch werden die Adern ausgeschnitten, das gute Fleisch wird zu Filets geschnitten und in die Bechemelle gethan, deßgleichen ein wenig Muskatnuß, Pfeffer und Salz, auch ein wenig Glace oder Consommé; dieses rührt man in einem gähen Windofen um, damit es schnell heiß wird, aber nicht kocht, füllt es in das in den Schlägel gemachte Loch und bedeckt dieses mit der abgeschnittenen braunen Rinde. Alsdann glacirt man den Schlägel, daß man die gemachte Oeffnung sieht. Diese ganze Zubereitung muß aber sehr geschwind vollzogen werden.

453. Gefüllter Kalbsschlägel.

Von einem schönen weißen und zarten Kalbsschlägel (am tauglichsten dazu ist der Schlägel von einem Kuhkalb) löst man das Schlußbein und das Rohrbein aus, schneidet ein Loch in den Schlägel und wiegt das daraus geschnittene Fleisch mit einem Stücke Schweinefleisch zusammen. Dann reibt man die Schale und das Mark einer Citrone, eine in Speck hellgelb gedämpfte Zwiebel und ein Stückchen eingeweichtes Brod in einem Reibsteine schaumig, vermischt es in einer Schüssel mit dem gewiegten Fleisch, würzt es mit Salz, Pfeffer und Muskatblüthe und macht es mit einem Ei und einem Eiergelb untereinander zu einer Farce (sprich Fars, d. h. Fülle). Auf den auseinander gelegten Schlägel streicht man nunmehr die Hälfte der Farce, legt eine schöne große, weiße, in messerrückendicke Stückchen geschnittene Gansleber auf die Farce, auf die Gansleber sodann ein in lange Stückchen geschnittenes Stück von einer geräucherten Zunge, hierauf ein Viertelpfund gewaschene, abgehäutete und in Blättchen geschnittene Trüffeln und auf diese den Rest der Fülle; dann wird der Schlägel zusammengerollt, zugenäht und in einer Casserolle mit geschnittenen Zwiebeln, Citronen, gelben Rüben und etwas Fett zugesezt, ein Glas Wein, etwas Estragonessig und ein wenig Fleischbrühe daran gegossen. So läßt man ihn zugedeckt 2 Stunden langsam kochen. Man kann ihn warm oder kalt auf den Tisch geben; kalt jedoch ist er besser.

454. Kalbsschlägel auf englische Art.

Der Kalbsschlägel wird in eine große Schüssel gelegt, Salz, Pfeffer, Thymian, Basilikum, Lorbeerblätter, das Mark von einer Limone, zu Blättchen geschnitten, ein paar Schalottenzwiebeln dazu gelegt, mit Essig begossen und über Nacht stehen gelassen. Den andern Tag wird der Schlägel 2 Stunden vor dem Serviren sammt dem Essig in eine Bratpfanne gelegt, ein Stück frische Butter dazu gethan, fleißig mit der Bratenbrühe begossen, damit er eine schöne gelbe Farbe bekommt und die Sauce dazu auf folgende Art gemacht: In einer Casserolle röstet man ein Stückchen Butter mit einem Löffel voll Mehl gelb, schneidet etliche Schalottenzwiebeln hinein, gießt einen kleinen Schöpflöffel voll Jus und einen halben Schoppen sauren Rahm daran und läßt die Sauce mit Kapern, ein wenig geschnittenen Limonenschalen und dem Saft einer Limone kochen, legt den Schlägel auf die Platte und gießt die Sauce darüber.

455. Gebratener Kapaun.

Der Kapaun wird trocken gerupft, und kann, erlaubt es die Zeit, auch unausgenommen bleiben bis den andern Tag. Vor dem Braten nimmt man ihn dann aus, wäscht ihn sauber, reibt ihn mit Salz und Pfeffer gut ein, steckt eine Zwiebel in ihn, schneidet den Kragen und Kopf ab, aber so, daß die Haut am Körper bleibt; dann bestreicht man einen Bogen Papier mit Butter, bindet den Kapaun darein und bratet ihn im Rohr schön gelb. Die Füße müssen daran bleiben, nur die Klauen werden abgehauen.

456. Farcirter (gefüllter) Kapaun auf russische Art.

Einen schönen fetten Kapaun sticht man und läßt ihn gehörig ausbluten, rupft ihn ganz warm, aber behutsam, damit er kein Loch bekommt und brennt die noch stehen bleibenden Haare an einem Flammenfeuer ab; man nimmt ihn behutsam aus, zieht den Kropf zugleich mit den Gedärmen unten aus, läßt aber Herz und Lunge darin; man untergreift ihn, wie eine junge Taube, löst Brust, Rücken und Schenkel los und macht folgende Fülle dazu: Ein halbes Pfund magerer Schinken wird so fein wie möglich gewiegt, 3 Eier daran geschlagen, ein Schoppen süßer Rahm daran gegossen und eine geriebene Muskatnuß dazu gethan; mit dieser Masse wird eine Spritze mit einem kleinfingerdicken Rohr gefüllt und der Kapaun damit ausgespritzt und gefüllt. Dann näht man die Oeffnung wieder zu, steckt den Kopf mit dem Schnabel auf die Brust, dressirt die Füße hübsch, legt ihm ein Citronenrädchen auf die Brust, wickelt ihn in einen mit Butter dick bestrichenen Bogen Papier und läßt ihn in einer Bratpfanne langsam braten, während dessen aber übergießt man ihn recht fleißig. Er kann als Braten oder Ragout gegeben werden. In letzterem Falle macht man folgende Sauce dazu: In einer Casserolle läßt man ein Stück Butter zergehen und dämpft darin ziemlich geschnittene Zwiebeln und ein kleines Stück Zucker eine gute Viertelstunde lang; dann streut man einen Kochlöffel voll Mehl darein, wendet das Ganze um, gießt einen starken Schöpflöffel voll Fleischbrühe und ein Glas Wein daran und läßt es eine halbe Stunde lang aufkochen. Diese Sauce treibt man nunmehr durch ein Haar-

9

sieb und gießt sie wieder in eine Casserolle, thut das Gelbe und das Mark von einer feingewiegten Citrone dazu, läßt sie noch ein Mal aufkochen und reibt eine Muskatnuß darein. Ist es Zeit zum Anrichten, so legt man den Kapaun behutsam auf eine Platte und gießt die Sauce nicht auf den Kapann, sondern unmittelbar auf die Platte.

457. Kapaun im Reis.

Man richtet einen Kapaun zum Braten zu wie gewöhnlich, legt ihn in laues Wasser, reibt ihn dann mit Salz und gestoßenem weißen Pfeffer ein, bindet ihn mit Speck und Citronen ein, dämpft ihn in einer Casserolle halb gar, kocht ein halbes Pfund Reis mit guter Fleischbrühe, rührt ein Stück Butter daran, nimmt Muskatblüthe und Citronenschalen dazu, thut die Hälfte Reis in eine Schüssel, den Kapaunen dazu, gießt die andere Hälfte darüber, verrührt 4 Eier mit einem Kochlöffel voll sauren Rahm, gießt diesen über den Reis, bestreicht einen Springring mit Butter, legt ihn über die Platte her, stellt diese in den Backofen und läßt sie einige Zeit darin, bis der Reis aufgezogen ist.

458. Lammbraten.

Man zieht das Lamm ab, schneidet den Kopf, die Füße und die Brust davon, gerade so, wie bei den Hasen; dann wird es abgehäutet und gespickt, wo es kein Fett hat; man reibt es mit Salz und Pfeffer ein, dressirt es hübsch zusammen und läßt es in einer Bratpfanne mit Zwiebeln schön gelb braten; schüttet ein wenig Jus daran, übergießt es öfters damit und drückt Citronensaft darauf. Im Frühjahr, in der Osterzeit, sind die Lammbraten am schmackhaftesten.

459. Lammviertel am Spieß gebraten.

Von einem schönen Lammviertel zieht man die Haut am Schlägel ein wenig ab, spickt ihn mit Speck, reibt ihn mit Salz und Pfeffer ein, steckt ihn an einen Spieß, bestreicht Papier mit Butter und bindet es um das Fleisch, übergießt es öfters mit fetter Fleischbrühe, gießt in den Untersatz ein Glas Wein, etwas Fleischbrühe oder Butter und schneidet Zwiebeln und Lorbeerblätter dazu, daß es eine gute Jus bekommt; eine halbe Stunde vor dem Anrichten macht man das Papier davon los, übergießt den Braten mit saurem Rahm (der Braten muß ganz glänzend aussehen), drückt von einer halben Citrone den Saft darüber, zieht die Jus durch ein Haarsieb und gibt sie besonders zum Braten.

460. Lendenbraten.

Die Haut und das Fett werden von dem Stücke abgezogen, dieses mit Speck gespickt, in eine Bratpfanne gelegt, ein Schöpflöffel voll Fleischbrühe daran gegossen und im Ofen gebraten. Ist er bald vollends fertig, so kommen 3 feingeschnittene Sellerienwurzeln daran, die man weich kochen läßt. Sobald sie weich sind, richtet man den Braten an.

461. Lendenbraten à la Robert.

Von einem schönen Stücke Lendenbraten werden Fett und Haut abgezogen; nach diesem schneidet man ihn an der Seite auf, aber nicht ganz durch, schneidet das Fleisch ein wenig heraus, aber so, daß der Braten kein Loch bekommt, hackt das Fleisch mit einem halben Pfund frischen Speck, wiegt 4 Sardellen (die aber vorher sauber gewaschen und ausgegräthet seyn müssen) und eine halbe Citrone sammt dem Mark recht fein; reibt für einen Kreuzer Brod am Reibeisen ab, weicht es in Wasser ein, drückt es fest aus, vermischt es mit dem Gehackten und Gewiegten und mit Salz, Pfeffer, Muskatblüthe, Nelken und 2 verklopften Eiern und füllt die ganze Masse in den Lendenbraten, den man wieder fest zusammennäht und in eine Casserolle thut. Dazu kommen geschnittene Zwiebeln, Lorbeerblätter, Citronen, Basilikum, Estragon und ein Glas Wein, worauf man es auf schwachem Koh= lenfeuer langsam dämpfen läßt. Eine halbe Stunde vor dem Anrich= ten wird der Braten ausgehoben, ein halber Kochlöffel voll Mehl in die Casserolle gethan, ein Glas Bordeauxwein und ein Löffel voll Fleischbrühe, so wie der Saft von einer halben Citrone daran gegossen; so läßt man alles eine halbe Viertelstunde miteinander aufkochen, treibt es durch ein Haarsieb, gießt es wieder in die Casserolle, legt den Braten wieder dazu und läßt ihn gar werden.

462. Nierenbraten.

Von einem Nierenbraten haut man vornen den Lappen und hin= ten den Strehl ab, reibt ihn mit einem Tuch sauber ab, pfeffert und salzt ihn gut ein, läßt ihn eine Stunde liegen, dann rollt man ihn zusammen, bindet ihn fest mit einem Bindfaden, bratet ihn am Spieß oder in einem Bratrohr, wickelt ihn in Papier ein und schneidet Zwie= beln, gelbe Rüben, auch etwas Citronen, legt den Braten dazu, thut auch ziemlich viel Fett daran und bratet ihn langsam; beim Anrichten wird das Papier weggenommen, das Fett abgeschüttet und die Sauce mit etwas Fleischbrühe durch ein Haarsieb gezogen.

463. Nierenbraten auf englische Art.

Der Nierenbraten wird in eine Casserolle gelegt, mit Milch über= schüttet, daß er ganz damit bedeckt ist, Nelken, weiße Pfefferkörner, Muskatblüthe, Thymian, Basilikum, einige Lorbeerblätter und geschnit= tene Zwiebeln, gelbe Rüben, Petersilie, Pastinak, Schalotten und noch allerlei Wurzeln dazu gethan. Man läßt nun den Braten über Nacht mit den Kräutern stehen. Den andern Tag, 2 Stunden vor dem Anrichten, nimmt man ihn aus der Milch, bratet ihn am Spieß, be= streut ihn mit Mehl und Salz, begießt ihn öfters mit Butter, damit er eine schöne Farbe bekommt, legt ihn auf die Platte und gießt klare Jus darüber.

9 *

464. Rehschlägel in Rahmsauce.

Von dem Schlägel schneidet man das Rohr= und Schlußbein aus, häutet ihn gut ab, spickt ihn, legt ihn auf ein Plafond, schneidet allerlei Wurzeln und Zwiebeln dazu, gießt heißes Schmalz darüber, thut Salz, Pfeffer und Nelken daran, läßt ihn schön gelb braten, schüttet ein wenig Jus daran, ein Glas Essig oder Wein und übergießt ihn öfters. Zulezt verrührt man einen halben Schoppen guten dicken sauren Rahm und 3 Finger voll Mehl miteinander, gießt dieses mit ein wenig Jus dazu und läßt es nochmals aufkochen, zieht die Sauce durch ein Haarsieb und gießt sie auf den Braten.

Anmerkung. Bei allen Wildbraten ist zu beachten, daß es besser aus= sieht, wenn die Sauce besonders dazu gegeben wird.

465. Rostbraten.

Man nimmt ein Stück von der Rübe (hintersten Rippe), schnei= det die Rippe davon aus und unten den Strehl weg, schneidet das Fleisch in halbfingerdicke Schnitten, klopft sie ein wenig, reibt sie mit Salz und Pfeffer ein und bratet sie mit Citronenbutter auf dem Roste schön gelb. In einer Viertelstunde sind sie fertig, dann legt man sie auf eine Platte und gibt Citronen dazu.

466. Geräucherter Schinken am Spieß gebraten mit Champagnerwein.

Man legt den Schinken auf den Rost, zieht ihn nachher recht sauber ab, daß nichts Schwarzes an ihm bleibt, legt ihn in ein langes Geschirr, schneidet einige Schalottenzwiebeln darein, thut Lorbeerblätter, Basilikum, Thymian, einige Nelken, Knoblauch, Mus= katblüthe dazu, gießt eine Bouteille Champagner daran, deckt das Ge= schirr fest zu und läßt alles so stehen bis den andern Tag. 3 Stun= den vor dem Anrichten wird er an den Spieß gesteckt, mit der Sauce, worin er den Tag vorher gelegen, und zu der man noch ein Stück Butter nimmt, öfters übergossen, bis er alles angeschluckt hat. Vor dem Serviren läßt man ein paar Löffel voll Coulis mit dem Saft einer Citrone aufkochen und gießt diese über den Schlägel; man kann auch eine Hägenmarksauce dazu geben.

467. Schneegans.

Eine Schneegans wird gerupft, abgeflammt, 4 Tage mit allen Arten Kräuter in Essig gelegt, Kopf und Kragen abgeschnitten. So= dann reibt man die Gans mit Salz und Pfeffer ein, thut eine mit Nelken besteckte Zwiebel, auch etwas von einer Citrone in dieselbe, schneidet die Füße ab, steckt sie in die Haut, bindet die Gans mit Speck ein, bratet sie im Ofen schön gelb, legt einen Bogen Papier darüber und übergießt sie gut mit Sauce.

468. Gebratene Schnepfe.

Die Schnepfe wird mit dem Kopf gerupft, doch ist es besser, wenn derselbe nicht mit gebeizt wird. Die Füße werden auf die Schenkel gedreht, das Eingeweide herausgenommen, der Vogel gut mit Salz, Pfeffer und etwas Nelken eingerieben, eine Zwiebel und ein Stückchen schwarzes Brod in ihn gethan, der Kopf auf die Brust gesteckt, die Augen ausgedrückt und derselbe nun in einer Casserolle mit einem Stücke Fett gebraten; man legt Zwiebeln, gelbe Rüben und Pastinakwurzeln dazu, deckt aber die Casserolle zu, damit der Vogel weiß wird, gießt ein wenig Jus daran und macht nun den sogenannten Schnepfendreck wie folgt: Das Eingeweide wird dazu genommen, der Magen aber nicht, die Gedärme sauber ausgestreift, mit der Schale von einer halben Citrone, mit Petersilie und der Leber eines jungen Huhns so fein wie möglich gewiegt; dann wird etwas Muskatnuß, weißer Pfeffer, 3 Finger voll Mehl dazu gethan; in einer kleinen Casserolle werden in zerlassener Butter 2 Eßlöffel voll Mehl, etwas rother Wein und ein Löffel voll von dem Fett, worin die Schnepfen gebraten wurden, ein wenig umgerührt, aber ja nicht gekocht; dann schneidet man einen Wecken ohne Rinde in Schnitten, backt diese im Schmalz, streicht den Schnepfendreck darauf, legt die Schnitten auf die Platte, die Schnepfen in die Mitte, garnirt diese mit Petersilie und Citronen und gibt die Sauce extra dazu.

Anmerkung. Die Waldschnepfe ist auf die oben beschriebene Art am besten; die Moosschnepfe wird ebenfalls so, nur mit dem Unterschiede behandelt, daß ihr die Haut abgezogen wird. Die Schweizerschnepfen sind die besten, sie haben einen viel feinern Geschmack als die andern.

469. Spanferkel.

Ein 4 bis 5 Wochen altes Spanferkel wird sauber geputzt und geschabt, das Eingeweide mit der Milz ausgenommen, 3 bis 4 Schnitte auf die Stirne gemacht und die Milz dadurch gezogen. Dann wird es mit Salz und weißem Pfeffer eingerieben und wo möglich am Spieß gebraten. In einer Casserolle wird sodann eine halbe Maas Braunbier mit einem Stücke Speck heiß gemacht und diese Brühe über das Ferkel gegossen, wobei man aber Acht geben muß, daß es keine Blasen bekommt; um dieß zu verhüten, macht man mit einer großen Tranchirgabel Löcher in dasselbe. Die Füße werden dressirt und ein kleineres Geschirr unter den Braten gestellt, in welches er abtropfen kann. In die Platte wird eine Zwiebel geschnitten; in das Genick des Ferkels wird, wenn es fertig ist, ein Schnitt gemacht, damit es hübsch geröstet bleibt. Die Jus wird extra dazu gegeben. Bei guter Feuerung ist ein Spanferkel in einer Stunde fertig.

470. Spanferkel auf italienische Art.

Das Spanferkel wird ausgelöst, mit Salz und Pfeffer eingerieben, guter Reis in Bouillon mit einem Stück Schinken gekocht, der Reis muß aber ganz hart und trocken seyn, dann wird er vom Feuer gesezt, und wenn er kalt ist, reibt man ein Stück Parmesankäs daran, bratet einige Bratwürste, thut sie in den Reis, sammt dem Fett, in dem sie gebraten wurden, vorher aber werden sie in kleine Stückchen geschnitten und die Haut davon genommen. Der Schinken wird aus dem Reis gethan, klein geschnitten, der Reis recht verrührt, in das Spanferkel gefüllt, dieses in einer Casserolle mit einem Stück Fett eine Stunde vor dem Serviren in den Backofen gestellt und mit Provenceröl überstrichen, damit es schöne Farbe bekommt. Man legt das gebratene Ferkel auf eine Platte und gießt ein wenig Jus darüber.

471. Braten von Schwarzwildbret.

Dem Schlägel eines Frischlings wird die Haut abgezogen, der untere Knochen so abgeschnitten, daß Klauen und Haut an demselben bleiben; dann wird er in eine Mischung von halb Wein und halb Essig mit allen Arten von Wurzeln und Kräutern und mit grobgestoßenem Gewürze gelegt und öfters darin umgewendet. An dem Tage, an welchem er zur Tafel gegeben werden soll, wird er aus der Beize genommen; mit einem Messer sticht man Löcher unten in denselben und steckt in jedes Loch ein Stückchen Speck; und so wird er sammt der Beize in einer Casserolle im Ofen schön gelb gebraten. Hierauf wird ein Eßlöffel voll Kapern, ein ausgemachter Häring, eine Zwiebel und das Gelbe von einer halben Citrone feingewiegt, 2 Eierweiß, eine Messerspitze voll Zimmt, eben so viel Muskatblüthe, der Saft von einer halben Citrone in einer Schüssel wohl durcheinander gemacht, und der Schlägel, wenn er weich ist, oben messerrückendick damit bestrichen. Ist er mit diesem Ueberzuge im Ofen gelb gebraten, so wird er 2 bis 3 Mal mit dem Fett übergossen. Der Braten wird sodann auf eine Platte angerichtet, mit Citronen garnirt, der Lauf sammt den Klauen darauf gelegt, und die Jus, durch ein Haarsieb gezogen, besonders dazu gegeben.

472. Schwarzwildbret.

Ein Stück Schwarzwildbret wird in Fleischbrühe, Wein und Essig mit allerlei Kräutern und Wurzeln nicht sehr weich gekocht und folgende Sauce dazu gemacht: Man wiegt 3 bis 4 große Zwiebeln, läßt in einer Casserolle ein Stück Zucker mit Fett gelb werden, thut die Zwiebeln dazu und läßt sie mit dem Zucker braun werden. Dann kommt Mehl dazu, je nachdem man viel oder wenig Sauce braucht; diese löscht man mit der Brühe ab, in welcher das Fleisch gekocht worden ist, läßt alles eine Stunde lang miteinander kochen, gießt einen Schoppen rothen Wein und etwas Jus (Bratenjus hat vor anderer den Vorzug) daran, thut allerlei Gewürz und das Gelbe einer gewiegten Citrone nebst etwas Estragon= oder Himbeeressig dazu und läßt es recht lang kochen.

Anmerkung. Die meisten Köche oder Köchinnen rösten das Mehl dazu; ich halte es aus Erfahrung aber für besser, dasselbe wie hier beschrieben zu behandeln, weil es so einen bessern Geruch, etwa wie gebrannte Suppe, annimmt.　　　　　　　　　　　　　　　　　　　　Die Verf.

473. Gefüllter Wildschweinskopf.

Der Kopf wird nicht sehr kurz abgeschnitten, 2= bis 3mal in warmem Wasser gewaschen, sauber abgebürstet, daß er schön gelb wird; die Ohren werden sauber ausgereinigt, der Kopf unten auf= geschnitten und das Kopfhaus so behutsam ausgelöst, daß kein Loch in die Haut geschnitten wird. Dazu macht man folgende Fülle: man schneidet 2 Pfund mageres Schwarzwildbret und dasjenige Fleisch, was aus dem Kopfe geschnitten wurde, mit einem Pfund frischen Speck und wiegt Alles zu einem Teig zusammen. Für 2 Kreuzer weißes Brod (Wecken oder Semmel), wovon die Rinde abgeschält ist, weicht man in Wasser ein, drückt es fest aus und arbeitet es mit dem Schweinsbrät, 2 Eiern, Salz, Pfeffer, Nelken, Muskat= blüthe, Muskatnuß in einem Reibstein so zusammen, bis es schaumig wird. Die Hälfte dieser Masse füllt man nun in den Kopf, legt einige in Scheiben geschnittene Trüffeln darauf und dann die andere Hälfte der Farce darüber; damit die Fülle desto sicherer in dem Schweinskopfe bleibt, wird oben auf dieselbe vor der Oeffnung eine Speckschwarte gelegt; dann näht man die Oeffnung gut zu und bindet den Kopf in ein Tuch ein. Dazu wird folgende Sulz gemacht: in einen gut verzinnten kupfernen Kessel kommen 8 sauber geputzte Kalbs= füße, 2 Schweinsfüße, ein altes Huhn, 2 Pfund Ochsen= oder noch besser Kuhfleisch, so wie alle Arten Wurzeln und Kräuter, Nelken, Pfeffer, Muskatblüthe, ganzer Zimmt, Zwiebeln, Lorbeerblätter und eine starke Hand voll Salz; daran gießt man 3 Maas Wein, 4 Maas Wasser und 1½ Maas Essig. Dieses Alles wird sammt dem Schweins= kopf aus Feuer gesezt, der Kessel zugedeckt, der Kopf langsam gekocht und öfters umgewendet. Ein großer Schweinskopf braucht oft 3 bis 3¼ Stunden, bis er gar gekocht ist. Ist der Kopf gekocht, so legt man ihn auf eine Schüssel, damit er abläuft; das Abgelaufene gießt man wieder an die Sulz und läßt diese, wenn es die Zeit erlaubt, über Nacht stehen. Nun schlägt man 4 Eier in eine Casserolle, nimmt von der Sulz das Fett behutsam ab, thut das Gestandene in die Casserolle, jedoch so, daß der Satz zurückbleibt, sezt sie aus Feuer und schlägt mit der Schneegabel so lange in die Sulz, bis sie zu kochen anfängt; dann stellt man sie weg, drückt von einer Citrone den Saft darein und läßt sie durch einen Filzhut laufen; sollte sie vom ersten Durchlaufen nicht hell werden, so filtrirt man sie so lange durch den Filz, bis sie hell genug ist. Von solch' klarer Sulz gießt man etwas auf die Platte, worauf man den Kopf auftragen will, läßt sie stehen und macht nun eine grüne Sulz auf folgende Art: man stößt 2 bis 3 Hände voll sauber gewaschenen Spinat in einem Reibstein, preßt den Saft durch ein Tuch aus, läßt ihn in einem kleinen Gefäße auf dem Feuer gerinnen und gießt ihn durch ein Haarsieb. Solchen Spinatkäs rührt man unter halbgestandene Sulz, gießt diese auf die Platte, so, daß sie einen Berg vorstellt, und läßt sie fest stehen. Dann reinigt man den Schweinskopf von allem Fette und legt ihn auf den Berg von grüner Sulz, übergießt ihn mit klarer Sulz so lange, bis der Kopf ganz in der Sulz liegt. Vor dem Serviren wird er noch mit Citronen und ausgeschnittenem Laubwerk geziert.

Für große Tafeln kann man den Schweinskopf auch folgender-maßen zubereiten: 5 Pfund Butter und 5 Pfund Schweineschmalz werden eine halbe Stunde lang so durcheinander gerührt, daß sie wie Pommade werden. Vom größten Theile dieser Masse wird auf einer großen langen Platte eine Art Altar gemacht und dieser mit Säulen geziert, die man von dem Rest der Masse rund wellt und mit Cho-kolade braun, mit Safran gelb, mit Spinatkäs grün färben kann. Zwischen 2 solchen Säulen kann man auch einen Jäger, einen Pilger oder sonst eine Figur, aus gleicher Masse geformt, stellen. Auf solchen Altar wird sodann der Schweinskopf gesezt.

Sulzen.

474. Gesulzte Feldhühner.

4 Kälberfüße werden zusammengehackt, mit einer Maas Wasser, einer halben Maas Wein und einem Schoppen Essig ans Feuer gesezt, und mit Wurzeln und Kräutern, z. B. Petersilie, Sellerie, Zwiebeln, Lorbeerblättern, Nelken und Muskatblüthe und einer Hand voll Salz 2 bis 3 Stunden lang gekocht, durch ein Haarsieb ge-zogen und über Nacht stehen gelassen. Den andern Tag wird das Fett davon abgenommen, die Sulz in eine messingene Pfanne gethan, 2 Eier sammt den Schalen darein zerdrückt und auf dem Feuer so lang geschlagen, bis es zu kochen beginnt. Dann wird sie vom Feuer genommen, der Saft von 2 Citronen darein ausgedrückt und die Sulz durch einen Zuckerhut gezogen, bis sie recht klar ist. Hierauf wird von einem Feldhuhn die Brust und alles Fleischige abgeschnitten, auf dem Wiegblock mit einem Viertelpfund gefüllten Speck zu einem Teig gewiegt, für einen Kreuzer Brod, abgerindet, in Wasser ein-geweicht und fest ausgedrückt, nebst 4 abgehäuteten und im Mörser fein gestoßenen Trüffeln, 2 Messerspitzen voll Muskatblüthe, einer Messerspitze voll Nelken, 2 Messerspitzen voll Pfeffer, 3 fein gewiegten, in Butter gedämpften Zwiebeln dazu gethan, 2 Eier daran ge-schlagen und die Sulz nach Belieben dazu gegossen. Dieses Alles wird mit der Hand so durch einen weiten Seiher gearbeitet, daß alle Häute zurückbleiben. — Ein zweites Feldhuhn wird auf dem Rücken aufgeschnitten, der Körper so ausgelöst, daß alles Fleisch an der Haut bleibt; Kopf und Kragen werden abgeschnitten, das Rohrbein aber bleibt daran, die Füße werden geschränkt und nur die Klauen davon abgeschnitten. Wenn nun die Höhlung des Feldhuhns mit der Farce ordentlich ausgefüllt ist, wird sie zugenäht, der Vogel mit Speck und Citronen umbunden und in einer Casserolle mit Butter

und Zwiebeln auf Kohlen eine Stunde lang gedämpft. Nachdem das Huhn herausgenommen und erkaltet ist, läßt man in einem Melonenmodel etwas helle Sulz gestehen, legt sie mit Citronen und Petersilie aus, das Feldhuhn darauf, gießt die übrige Sulz daran und läßt sie fest gestehen. Beim Anrichten stürzt man das Ganze auf eine Platte und garnirt es mit Petersilie und Citronen.

475. Forellen mit saurer Sulz.

Die Forellen werden schön blau abgesotten, auf ein Geschirr gelegt und dieses fest zugedeckt, daß das Blaue nicht vergeht. Man macht folgende Sauce dazu: 2 sauber gepuzte Kalbsfüße hackt man mit 1 Loth Hausenblase zusammen, gießt den Fischsud an die Füße, so daß es 1½ Maas ausmacht, und läßt es 2 bis 3 Stunden kochen, zieht die Sulz durch ein Haarsieb und läßt sie in einer Schüssel eine Viertelstunde stehen, daß der Satz auf dem Boden bleibt; dann zieht man einen Bogen Fließpapier durch die Sulz, daß sich das Fett daran hängt, verklopft ein ganzes Ei in einer Casserolle, gießt die Sulz langsam dazu, sezt sie aufs Feuer, rührt mit einem neuen Kochlöffel immer darin, bis sie kocht, dann stellt man sie weg, gießt sie in einen Filzhut, legt die Forellen auf eine große Platte, gießt von der klaren Sulz darauf, läßt sie stehen und färbt einen Theil Sulz in einem Geschirr auf folgende Art grün: Man nimmt fette Nelkenblätter, stößt sie im Mörser, preßt den Saft durch ein Tuch und macht die Sulz damit grün; diese gießt man, wenn sie halb gestanden ist, über die Forellen, läßt sie vollends fest stehen und gießt noch einmal helle Sulz darüber. Man kann nun die Fische nach Geschmack garniren.

476. Lachsforelle in Majonessauce.

Die Lachsforelle wird gewaschen, die Ohren ausgeschnitten und ausgeweidet, mit Salz eingerieben, mit Wein, Essig, Citronen, Lorbeerblättern, Nelken und Pfeffer zugesezt, langsam gekocht, daß sie nicht aufspringt, dann auf die dazu bestimmte Platte gelegt und folgende Sauce dazu gemacht: Von 8 hartgesottenen Eiern drückt man das Gelbe durch ein Haarsieb, schlägt 8 frische Eiergelb daran, gießt einen Löffel voll helle Sulz dazu, rührt diese eine halbe Stunde immer auf eine Seite, gießt tropfenweise 2 Eßlöffel voll Provenceröl dazu, rührt es 2 Stunden lang immerwährend, auch noch einen Eßlöffel voll Sulz dazu (wenn man Eis hat, so kann man die Sulz darauf rühren), streicht die Sauce, die so dick wie Pommade seyn muß, auf den Fisch, aber nicht auf dessen Kopf.

477. Gesulzte Lachsforelle mit Schuppen.

Eine schöne Lachsforelle wird abgeschuppt, der Bauch aufgeschnitten, das Eingeweide herausgenommen, sauber gewaschen, innen und außen mit Salz eingerieben, in ein Tuch eingeschlagen, und wenn sie 2 Stunden gestanden, folgende Sauce daran gemacht: 3 Kalbsfüße, 2 Schweinsfüße, 6 Schoppen Wasser, 3 Schoppen Wein, 1 Schoppen

Effig, Zwiebeln, Lorbeerblätter, Muskatblüthe, Salz werden miteinander 3 Stunden lang gekocht, durch ein Haarsieb in eine Schüssel gegossen und eine halbe Stunde stehen gelassen. Von der Forelle wischt man den Schleim ab und läßt sie in einem zugedeckten Kessel mit 1 Schoppen Wein, 2 Schoppen Wasser, allen Arten guter Kräuter nebst einer kleinen Hand voll Salz mehr dämpfen als kochen, damit sie nicht aufspringt. Sie braucht eine Stunde, bis sie weich ist; dann läßt man sie erkalten. Die Sulz kommt nun in eine Casserolle, das Fett wird oben weggenommen, und der Satz bleibt zurück, die Sulz auf dem Feuer mit einem Schoppen siedender Milch gekocht, der Saft von einer Citrone dazu genommen noch eine Weile gekocht, vom Feuer genommen und eine Viertelstunde stehen gelassen. Hierauf läßt man die Sulz durch einen aufgehängten Filzhut laufen; sie muß, wenn sie gut gemacht ist, so klar seyn, wie helles Brunnenwasser; dann gießt man davon nagelhoch auf die Platte, die man zur Tafel geben will, läßt das Aufgegossene fest stehen und macht sodann folgende Sauce: Von 6 hartgesottenen Eiern treibt man das Gelbe durch ein Haarsieb, nimmt es in eine Schüssel, schlägt noch 6 frische Eiergelb daran, von einer halben Citrone den Saft, rührt es eine halbe Stunde (auf dem Eis ist es am besten zu rühren) nebst 3 Tropfen Provenceröl immer fort, bis es ganz weiß ist; es muß aber immer tropfenweise Oel dazu gerührt werden, auch etwas Sulz; so rührt man es 1½—2 Stunden, gießt es auf die Platte, auf der die helle Sulz ist, doch so, daß man rings herum 2 Finger breit die helle Sulz noch sieht, dann läßt man es fest stehen, gießt behutsam wieder helle Sulz darüber, macht ein wenig grüne Sulz, schüttet sie darüber, so daß der Fisch gerade auf die grüne Sulz zu liegen kommt, dann wieder etwas klare Sulz, und wenn es fest gestanden ist, wieder etwas Helles auf den Fisch, bevor er auf die Platte kommt. Nun gießt man auf eine andere Platte nagelstief von der klaren Sulz, läßt sie fest stehen, sticht mit einem blechernen Mödelchen, welches die Form von Schuppen gibt, solche aus und legt sie behutsam mit dem Messer auf den Fisch. Hinter den Ohren fängt man an und bedeckt den ganzen Fisch damit, daß er wie mit Schuppen aussieht. Kopf und Schwanz dürfen nicht bedeckt werden. Auf den Schwanz legt man etwas Grünes, an die Ohren macht man eine Guirlande von rother und gelber Sulz und gibt dem Fische eine Citrone ins Maul.

478. Gesulzter welscher Hahn.

Ein welscher Hahn wird gereinigt, gewaschen, die Augen aus= gestochen und der Kopf gebrüht, damit er weiß wird; ausgenommen darf er nicht werden. Die Füße werden am Knöchel abgeschnitten, der Hahn auf dem Rücken aufgeschnitten, der Körper so ausgelöst, daß alles Fleisch an der Haut hängen bleibt; die Flügel werden am zweiten Gelenke ab= und der Kragen so durchgeschnitten, daß der Kopf an der Haut hängen bleibt; die Rohrbeine werden ausgelöst und folgende Fülle dazu gemacht: 3 bis 4 Pfund Schweinsbrät, ein

Pfund Kalbsbrät, für 2 Krenzer weißes Brod (wovon die Rinde abgeschnitten ist) in Milch eingeweicht und ausgedrückt, 3 große Zwiebeln, geschält und gewiegt, ein Viertelpfund Speck in kleine Stückchen geschnitten und in einer Casserolle auf dem Feuer zerlaufen und die Zwiebeln darin gedämpft, bis sie ein wenig gelb sind, eine Hand voll Salz, 2 Messerspitzen voll Nelken, 3 Messerspitzen voll Muskatblüthe und eine ganze Muskatnuß, von 2 Citronen das fein-gewiegte Gelbe, nebst dem Mark ohne die Kerne, ein Viertelpfund Sar-dellen sauber geputzt und ausgegräthet, ein halbes Pfund sauber ge-waschene und abgehäutete Trüffeln; Alles dieses wird mit dem Schweins- und Kalbsbrät in einem Reibstein mit 2 Eiern und 2 Dottern zusammen zu einem Schaum gerieben und der vierte Theil davon in den welschen Hahn gefüllt, darauf werden ein halbes Pfund Schinken und ein halbes Pfund Speck, beides in federkieldicke Stück-chen geschnitten, nebeneinander, und ein Trüffel, in Blättchen geschnitten, darauf gelegt, dann kommt eine Lage Fülle, wieder eine Lage Schinken, Speck und Trüffel und dann wieder eine Lage Fülle. Hiebei ist aber zu bemerken, daß Kragen und Schlägel mit der Farce wohl ausgefüllt werden müssen. Darnach wird der Hahn zugenäht und, nachdem ihm der Kopf unter den Flügel dressirt ist, in ein reines Tuch so eingebunden, daß er in seiner Form bleibt. So zubereitet wird der Hahn in eine große Casserolle mit 8 zerhackten Kälberfüßen gelegt, eine Maas Wein, 2 Maas Wasser und 3 Schoppen Essig daran gegossen, ein Loth Muskatblüthe, eine ganze in Blätter geschnittene Citrone, ohne die Kerne, 2 in Stücke geschnittene gelbe Rüben, 4 Lorbeerblätter, 4 Zwiebeln, eine Sellerie, in Stücke geschnitten, Nelken und Pfeffer, zusammen ein Loth, dazu gethan und Alles 2 bis 3 Stunden gekocht. Geht die Brühe noch nicht über den Hahn her, so wird noch mehr Wasser und Wein dazu gegossen. Wenn der Indian oder welsche Hahn 2 Stunden gesotten hat, nimmt man ihn heraus und läßt ihn im Tuche erkalten. Den Satz läßt man noch eine Stunde kochen, zieht ihn durch ein Haarsieb in ein reines Gefäß und läßt ihn über Nacht stehen. An dem Tage, wo der Hahn aufgetragen werden soll, nimmt man das Fett von der Sulz ab, bringt diese in einer Casserolle, so daß der Satz unten bleibt, aus Feuer, zerdrückt 3 ganze Eier darein und rührt so lange darin, bis sie kocht. Dann hebt man sie vom Feuer, gießt von 3 Citronen den Saft dazu und läßt die ganze Sulz durch einen Filz-hut laufen; zugleich macht man den Hahn aus dem Tuche los, putzt ihn mit einem reinen Tuche sauber ab, legt ihn auf eine Platte und übergießt ihn mit klarer Sulz, läßt diese kalt werden, übergießt ihn wieder und so macht man fort, bis der Hahn ganz in der Sulz liegt. Nun wird er mit Lorbeerblättern und Citronen garnirt.

479. Gesulztes Kalbsnetz.

2 Pfund Schweinsbrät, 1 Pfund Kalbsbrät, 2 weiße Brode, welche in Milch eingeweicht und fest ausgedrückt wurden, werden mit

Salz, Pfeffer und Muskatblüthe in einen Reibstein gethan, eine Hand voll gedämpfter Zwiebeln, 2 gereinigte Häringe mit dem Obigen wie Schaum so fein darin gerieben und alles in ein großes Kalbsnetz oder in einen Bodendarm genäht (ist es ein Bodendarm, so muß er gestupft werden); dieses in einer Casserolle mit einer Hand voll Salz eine Stunde lang ganz langsam gekocht, auf die Platte gelegt und helle Sulz darüber gegossen, an der man das Netz gestehen läßt.

480. Gesulzter Karpfen.

Ein Karpfen von 2 bis 3 Pfund wird sauber geschuppt, gewaschen, der Bauch aufgeschnitten, aber nicht zu weit, mit einem Tuch inwendig ausgewischt und mit Salz und Pfeffer gut eingerieben; dann wird er in ein Tuch gut eingeschlagen und 2 Stunden stehen gelassen. Nun läßt man in 1 Maas Wasser in einer Pfanne ein halbes Pfund geraspeltes Hirschhorn 2 bis 3 Stunden langsam kochen, (es darf nicht umgewendet werden, sonst wird es trüb). Man legt den Fisch in ein Geschirr, in dem man ihn kochen kann, aber er muß gerade bleiben, legt 1 Zwiebel, 3 Lorbeerblätter, ganze Nelken, ganzen Pfeffer, eine halbe in Blätter geschnittene Citrone dazu und gießt das Helle von dem Hirschhorn durch ein Tuch über den Fisch. Sollte der Sud nicht reichen, so muß ein halber Schoppen Wein, Wasser oder Fleischbrühe dazu genommen werden, der Fisch wird zugedeckt und gekocht, bis er sich von den Gräthen losmacht. Man läßt ihn auf einer Schüssel kalt werden, zieht die Sulz durch ein Tuch und vertheilt sie in 2 Theile, wovon der eine Theil auf die Platte kommt, die man zur Tafel geben will; diesen läßt man stehen, legt den Karpfen behutsam darauf; zu der übrigen Sulz nimmt man 3 bis 4 Tropfen Veilchensaft und gießt sie über den Karpfen.

481. Gesulzte Pomeranzen.

In schöne große Pomeranzen macht man oben einen nicht sehr tiefen Kreuzschnitt, so daß man das Mark mit dem Finger ausziehen kann, von welchem nichts darin bleiben darf. Daran macht man folgende Sulz: Das ausgezogene Mark preßt man durch ein Haarsieb in eine messingene Pfanne, gießt 2 Schoppen weißen Wein darin und läßt es mit einem Viertelpfund Zucker aufkochen, nimmt 1 Ei daran, schlägt es mit einer Schneegabel so lang, bis es anfängt zu kochen. Dann nimmt man die Sulz vom Feuer, thut noch von 2 Citronen den Saft dazu und zieht sie durch einen Filzhut; sollte sie das erste Mal nicht hell genug werden, so wird sie nochmals aufgegossen; dann stellt man die Pomeranzen aufrecht in ein Geschirr, so daß sie nicht umfallen können, gießt von der klaren Sulz etwas daran, läßt sie fest stehen, macht von 2 Loth Mandeln eine dicke Milch, gießt von der klaren Sulz etwas daran und verrührt beides gut miteinander; wenn die Pomeranzen gestanden sind, so gießt man Mandelmilch dazu und läßt sie fest stehen; dann färbt man klare Sulz mit 3 bis 4 Tropfen

Cochenille, gießt, wenn die Mandelmilch gestanden ist, die rothe Sulz darauf und läßt sie fest stehen.

482. Sulz mit Brustkräutern.

Man schneidet weiße Eibischwurzeln, Lungenkraut, Leberkraut, Herzlein von blauem Kohl, jedes eine Hand voll, recht fein, nimmt 3 Löffel voll feines Griesmehl, einen zerhackten Kalbsfuß und Knochen, eine Messerspitze voll Muskatblüthe, ein klein wenig Butter dazu, läßt Alles miteinander 3 bis 4 Stunden kochen, gießt es durch ein Tuch und läßt es im Keller gestehen; den andern Tag nimmt man das Fett davon ab und gibt dem Kranken Morgens und Abends eine Suppe davon, die man mit Fleischbrühe vermischt.

483. Sulz von Habergrütze.

Man gießt einen Schoppen Wasser an ein Viertelpfund Habergrütze, läßt es 3 Tage lang daran stehen, indem man alle Tage 2 Maas frisches Wasser daran gießt, den vierten Tag treibt man es durch ein Haarsieb, läßt die Schale und den Saft von 2 Pomeranzen, den Saft von einer Citrone und ein Stück Zucker eine Viertelstunde damit kochen, zieht die Sulz durch ein Haarsieb und gibt sie dem Kranken, je einen Löffel voll.

484. Sulz von geraspeltem Hirschhorn.

4 Loth Hirschhorn, 4 Loth Elfenbein, eine Hand voll Brustkräuter, Brunnenkresse und Körbelkraut schneidet man klein zusammen, gießt 1½ Maas Wasser daran, läßt dieses bis auf eine halbe Maas einkochen, zieht die Sulz durch ein Haarsieb und thut 3 Loth Himbeersaft und ein Loth rothen Kornblumensaft dazu. Man gibt diese Sulz Kindern, die Hitze und Zahnfieber haben, Morgens und Abends, je einen Löffel voll; auch kann man sie in einem Thee geben.

485. Sulz von Krebsen und Schnecken für Kranke.

30 Schnecken (Weinbergschnecken sind die besten) und 3 Krebse, von denen zuvor Eier und Galle genommen worden, stoßt man recht fein, kocht eine halbe Kalbslunge und einen abgezogenen Kalbsfuß, nachdem beides in kleine Stückchen geschnitten worden, ein halbes Pfund Körbelkraut, fein gewiegt, Salz, Muskatblüthe, nebst 2 Maas Wasser; wenn die Sulz bis auf eine Maas eingekocht ist, läßt man sie durch ein wollenes Tuch laufen und gibt dem Kranken Morgens, wenn er noch nüchtern ist, Mittags und Abends ein paar Löffel voll davon zu trinken. Man kann die Sulz, wenn man sie warm geben will, mit Fleischbrühe kochen.

486. Sulz von isländischem Moos.

An ein Viertelpfund isländisches Moos gießt man 3 Maas kochendes Wasser, läßt dieses eine halbe Stunde daran stehen, treibt das Moos durch ein Haarsieb, gießt wieder so viel kochendes Wasser daran, läßt es auch eine halbe Stunde stehen, treibt es nochmals durch das Haarsieb, drückt den Thee gut aus, läßt ihn in der Pfanne eine Viertelstunde kochen, treibt ihn wieder durchs Haarsieb, läßt nun den Saft mit einem halben Pfund Kandelzucker so lange kochen, bis noch ein starker Schoppen übrig bleibt, nimmt den weißen Schaum immer oben davon, läßt die Sulz in einem porzellanernen Geschirr kalt werden, deckt dieses zu und gibt dem Brustkranken Morgens nüchtern, Mittags eine Stunde nach Tisch, und Nachts vor dem Schlafengehen einen Löffel voll davon.

Anmerkung. Ich kann aus eigener Erfahrung diese Sulz für eine gute Medicin ausgeben, da ich schon öfters in Bädern an kranken Herren die vortreffliche Wirkung dieser Sulz gefunden habe.   Die Verf.

487. Sulz für Kranke.

Ein altes, sauber geputztes Huhn hackt man zusammen, nimmt 2 Kalbsfüße und einen Knochen dazu, läßt sie mit einem Viertelpfund geraspeltem Hirschhorn, welches in ein Tuch gebunden wird, 2 bis 3 Stunden mit einander kochen, gießt die Brühe durch ein Tuch und nimmt sie zur Suppe.

Gelées, Compotes und Crêmes.

488. Aepfel=Compote.

18 bis 20 Borsdorferäpfel schneidet man in 2 Theile, sticht das Kernhaus aus und läßt die Kerne und Schalen in einer Casserolle mit einer Maas Wasser bis zu einer halben Maas einkochen, zieht sie durch ein Haarsieb, thut den Saft in eine Casserolle, preßt die Schalen gut aus und gießt einen Schoppen Wein daran, thut 8 Loth Zucker dazu, legt die Aepfel darein, läßt sie weich kochen und auf einem Haarsieb ablaufen, legt sie sodann auf dem dazu bestimmten Geschirr auf einander, bildet einen Bienenkorb daraus, steckt zwischen die Fugen gekochte Kirschen, läßt den Syrup einkochen bis er spinnt und gießt ihn darüber.

489. Farcirte Aepfel.

Borsdorferäpfel werden geschält und in 2 Theile geschnitten, das Kernhaus ausgestochen, die Aepfel ein wenig ausgehöhlt, doch so, daß sie kein Loch bekommen; dann kocht man sie mit einem Schoppen Wein, einem Schoppen Wasser, nebst 10 Loth Zucker weich, legt sie aufs Haarsieb und läßt sie ablaufen, drückt das Gelbe von 4 hartgesottenen Eiern durch ein Haarsieb, wiegt ein Loth Citronat und ein Loth abgezogene Mandeln recht fein, thut sie an die Eier, macht Alles mit einem Loth Zucker durcheinander, legt die Aepfel auf eine Platte, so, daß die Oeffnung in die Höhe sieht, füllt die Hälfte der Aepfel mit den Eiern, deckt den andern Theil darüber, läßt 2 Löffel voll Himbeer = oder Johannisbeerfaft mit dem Syrup einkochen, bis es Blasen wirft und übergießt die Aepfel mit dem Syrup, daß sie einen schönen Glanz bekommen.

490. Birnencompote.

Man schält die Birnen, schneidet sie in 2 Theile, gießt so viel kochendes Wasser daran, daß es einen Finger hoch über die Birnen geht und kocht sie in dem Wasser mit einer halben Citronenschale, etwas ganzem Zimmt und 6 Nelken weich, formirt auf einer Platte 2 bis 3 Artischoken daraus, läßt den Syrup noch etwas einkochen und gießt ihn durch ein Haarsieb an die Birnen.

491. Quittencompote.

Die Quitten werden geschält, in 2 Theile geschnitten, im Wasser weich gekocht und auf ein Haarsieb gelegt, dann werden die Schalen und Kerne im Wasser weich gekocht, ebenfalls durch ein Haarsieb gegossen, in einer Casserolle mit den Quitten, 12 Loth Zucker, einer Citronenschale und einem halben Schoppen Wein so lange miteinander gekocht, bis der Syrup dick ist; dann macht man auf einer Platte eine Melonenform von den Quitten; gießt den Syrup darüber und steckt in die Figur große, im Syrup gekochte Zibeben.

492. Melirtes Compote.

Borsdorferäpfel, Rosenäpfel, Calvil rouge und Luiken werden geschält und in 2 Theile geschnitten, von Zwetschgen die Haut abgezogen, kleine Muskatellerbirnen und Quitten mit einer halben Maas Wasser und eben so viel Wein in einer messingenen Pfanne sammt den Schalen und Kernen eine Viertelstunde gekocht, in ein Haarsieb geschüttet und ein Viertelpfund große Zibeben ein paar Minuten in dem Syrup gekocht, sammt einem Viertelpfund Prünellen; dann legt man 2 Lagen von den gekochten Aepfeln in eine Platte, legt immer einen Apfel, eine Zwetschge, eine Birne, eine Prünelle nebeneinander, macht eine Pyramide von den Früchten, legt sie so zusammen, daß die Pyramide schön melirt aussieht, schneidet 2 Loth abgezogene Mandeln in 4 Theile, steckt an jede Mandel eine Zibebe, besteckt damit die ganze Pyramide, läßt den Syrup noch etwas einkochen und gießt ihn daran.

493. Aepfelcrème.

Man schält Borsdorferäpfel, schneidet sie in 2 Theile, nimmt das Kernhaus heraus, höhlt die Aepfel ein wenig aus, kocht sie mit einem Schoppen Wein, einem Schoppen Wasser und einem Viertelpfund Zucker weich und macht nun folgende Crème: eine halbe Maas Milch, das Gelbe von einer Citrone und 3 Loth Zucker kocht man miteinander, rührt 4 Eiergelb und 3 Finger voll Mehl mit kalter Milch glatt an, die kochende Milch dazu, läßt Alles noch einmal auf dem Feuer anziehen, gießt die Crême durch ein Haarsieb auf die dazu bestimmte Platte, läßt die Aepfel vorher ablaufen (der Syrup, worin die Aepfel gekocht werden, muß so lange eingekocht werden, bis er Fäden zieht), legt sie auf die Crême, so zwar, daß die Höhlung nach oben sieht, füllt sie mit dem Syrup aus und streut geschnittene Pistazien darauf.

494. Aepfelcrême anderer Art.

6 bis 8 Borsdorfer= oder Rosenäpfel werden geschält, fein ge= schnitten und mit einem Stück Butter und einem Stück Zucker recht weich gedämpft, durch ein Haarsieb getrieben und folgende Crême dazu gemacht: einen kleinen Kochlöffel voll Mehl rührt man mit kaltem Wasser an, rührt 4 Eiergelb daran, gießt einen Schoppen weißen Wein dazu, kocht die Crême mit 4 Loth Zucker wie einen Brei, läßt sie nun mit den Aepfeln noch ein wenig kochen, thut sie in das hiezu bestimmte Geschirr, streut Zucker darauf und brennt sie recht schön mit einer glühenden Schaufel.

495. Aepfelschaum.

6 bis 8 Aepfel werden entweder in heißer Asche, auf einem Geschirr im Ofen, oder im Bratrohr gebraten, das Mark geschabt, mit einer Messerspitze voll Zimmt, 8 Loth gestoßenem Zucker recht schaumig gerührt, von 12 Eierweiß ein steifer Schnee geschlagen, langsam mit der Masse vermischt, in eine tiefe, mit Butter bestrichene Platte, wie eine Pyramide, gegossen, die Platte auf ein schwarzes Blech, welches mit Sand oder Salz dick bestreut wird, gestellt, in ein Bratrohr gethan und mit Zucker bestreut. In einer halben Stunde ist es fertig.

496. Backmeistercrême.

Man nimmt so viel feines Mehl, als man mit 8 Eierdottern abrühren kann, gießt eine halbe Maas süßen Rahm daran, 4 Loth Zucker, an einer Citrone abgerieben, 3 Loth frische Butter, rührt die Crême auf dem Feuer und drückt den Saft von einer halben Ci= trone daran, wenn sie vom Feuer weg ist. Nun läßt man ein Viertelpfund Zucker mit einem halben Glas voll Wasser zu einem Caramelle kochen, gießt die Crême hinein, rührt es miteinander um, so, daß es etwas marmorirt bleibt (weiß und braun).

497. Gestürzte Caffeecrême.

Man röstet ein Viertelpfund Caffee hellgelb, stößt ihn im Mörser und läßt ihn in einer messingenen Pfanne mit 3 Schoppen Milch kochen; hernach läßt man 8 Loth Zucker und einen Schoppen dick gekochten Kälberstand mit dem Caffee einen Sud thun, zieht Alles durch ein Haarsieb in eine Porzellanschüssel und läßt es kalt werden. Sodann wird ein Schoppen Rahm in einer Schüssel steif geschlagen und die Crême, wenn sie kalt ist, langsam darein gemischt. Diese

Masse wird in einem mit Mandelöl bestrichenen Sulzmodel auf Eis stehen gelassen und nach Geschmack garnirt.

498. Gestürzte Chokoladecrême.

4 sauber gepuzte Kalbsfüße, von denen die Knochen ausgelöst worden, sezt man mit 2 Maas Wasser zum Feuer und läßt sie bis auf eine halbe Maas einkochen, gießt dann die Sulz durch ein wollenes Tuch auf eine Porzellanschüssel und läßt sie eine Viertelstunde stehen. Dann löst man 12 Loth Chokolade in einer messingenen Pfanne mit einem halben Schoppen Wasser auf (sollte es noch zu dick seyn, so kann noch ein halbes Glas Wasser dazu genommen werden), thut 12 Loth Zucker dazu, ein Stück Vanille, nimmt die Sulz behutsam dazu, rührt Alles mit einem Schoppen süßen Rahm glatt an, rührt die gekochte Chokolade an 8 verklopfte Eier und läßt sie nochmals in der Pfanne anziehen; es muß aber immer darin gerührt werden; nun zieht man die Crême durch ein Haarsieb in eine Porzellanschüssel, läßt sie kalt werden, bestreicht einen Sulzmodel mit Mandelöl, stürzt ihn um und läßt ihn gut auslaufen, gießt die kalte Crême darein; bevor sie zur Tafel kommt, ziert man sie schön auf einer Platte.

499. Gebackene Chokoladecrême.

Man löst ein Viertelpfund Chokolade in einer messingenen Pfanne mit einem Glas Wasser auf, kocht sie mit einer Maas Milch, 4 Loth Zucker und einer Messerspitze voll Zimmt; rührt 8 Eiergelb mit einem halben Kochlöffel voll Mehl und kalter Milch glatt, rührt die Chokolade dazu, läßt Alles miteinander nochmals in der Pfanne anziehen, sprudelt es in einem Topf, bis es ein wenig erkaltet ist, gießt die Crême durch ein Haarsieb auf die Platte, schlägt von den 8 Eierweiß einen steifen Schnee, bedeckt die ganze Crême damit, bespickt sie mit 2 Loth Mandeln, die der Länge nach fein geschnitten sind, streut grünen Streuzucker darüber und stellt die Crême eine Viertelstunde vor dem Anrichten ins Bratrohr, damit sie wieder heiß wird.

Anmerkung. Es ist bei allen Crêmes zu bemerken, daß ein wenig Mehl dazu genommen wird; man ist dann sicher, daß sie nicht so leicht gerinnen.

500. Citronencrême.

Ein Viertelpfund Zucker, an dem 2 Citronen abgerieben worden, läßt man mit einer halben Maas Wein und dem Saft der Citronen 4 Minuten kochen, rührt 6 Eiergelb mit ein wenig Mehl und 2 Eßlöffeln voll Wasser glatt, rührt den gekochten Wein langsam an die Eier, läßt Alles in der Pfanne noch einmal anziehen, daß es glatt und dick wird, schlägt die 6 Eierweiß zu einem Schnee, mengt diesen unter die Crême und, wenn sie erkaltet ist, brennt man sie gelb mit einem glühenden mit Zucker bestreuten Schäufelchen.

10

501. Crême à la coquin.

Einen Schoppen Rahm, eben so viel Milch, für einen Kreuzer Pomeranzenblüthe, Wasser, eine Citrone am Zucker abgerieben, 4 Loth Zucker und 6 gestoßene Makronen kocht man eine starke Viertelstunde miteinander, schlägt 6 Eiergelb in ein Geschirr, nimmt 3 Finger voll Mehl dazu, gießt die gekochte Milch langsam daran, rührt Alles eine Minute auf dem Feuer, zieht es durch ein Haarsieb in die Schüssel, die man zur Tafel geben will, stellt die Crême in kochendes Wasser, sezt einen Deckel mit Kohlen darauf und läßt sie fest werden. Man streut Zucker darauf und brennt sie mit einer glühenden Schaufel.

502. Crême mit Eis.

Man kocht eine halbe Maas Milch, ein Stück ganzen Zimmt und ein Achtelspfund Zucker in einer messingenen Pfanne miteinander, verrührt 9 Eiergelb mit ein wenig Mehl, rührt die gekochte Milch daran, läßt Alles nochmals in der Pfanne anziehen, gießt die Crême in eine Schüssel durch ein Haarsieb, läßt sie erkalten und macht folgendes Eis: 6 Eierweiß werden zu einem steifen Schnee geschlagen, 6 Tropfen Pomeranzenblüthewasser und so viel Zucker daran gerührt, bis das Eis dick ist; dann gießt man es auf der Crême herum, macht ei Schäufelchen glühend und hält dieses so lange über die Crême, bis sie trocken ist. Man gibt sie kalt zu Tische.

503. Gestürzte Erdbeerencrême.

3 Schoppen Erdbeeren werden durch ein Haarsieb gepreßt; 2 Loth Hausenblasen löst man im Wasser auf. Man schlägt eine halbe Maas Rahm so steif, wie Eierschnee, läßt ihn auf einem Haarsieb ablaufen, gießt die Hausenblasen an das Erdbeermark, nimmt so viel Löffel voll Zucker, als man Mark hat, rührt die Crême auf dem Eis, bis sie anfängt, sulzig zu werden, bestreicht einen Sulzmodel mit Mandelöl, rührt den Schlagrahm und den Schnee von 2 Eierweiß langsam darunter, gießt die Crême in den Sulzmodel, stellt diesen in den Keller oder aufs Eis, stürzt die Crême behutsam auf eine Platte und garnirt sie schön mit Erdbeeren.

504. Hagenbuttencrême.

Man löst 1½ Loth Hausenblasen in einem Schoppen Wasser auf, nimmt 4 bis 6 Löffel voll Hagenbuttenmark in eine messingene Pfanne, schlägt 6 Eier daran, gießt einen Schoppen guten Wein dazu, einen halben Schoppen Wasser, ein halbes Pfund Zucker, die geriebene Schale einer Citrone, und läßt Alles miteinander kochen, unter beständigem Rühren. Dann füllt man die Crême in einen mit Mandelöl bestrichenen Sulzmodel, stellt diesen in den Keller und läßt die Crême darin gestehen.

505. Himbeer= oder Hohlbeerschaum.

Eine halbe Maas Himbeeren wird in einem Haarsieb mit einem Erbsentreiber durchgetrieben, so viel Löffel voll Mark, so viel Zucker

rührt man tüchtig damit durcheinander, schlägt von 12 Eierweiß einen
Schnee, mischt ihn unter das Vorige, gießt Alles in eine mit Butter
bestrichene Platte, macht es schön hoch, streut blauen Sandelzucker
darauf, garnirt die Platte mit Hagenbutten und behandelt den Schaum
wie es bei dem Apfelschaum angegeben wurde. In einer Viertelstunde ist er fertig.

506. Jungferncrême.

Man sezt eine halbe Maas Milch über's Feuer, stößt 6 bis 8
bittere Mandelbrode, thut diese sammt einem Stück Zimmt, 4 Loth
Zucker, woran eine Citrone abgerieben wurde, in die Milch, läßt
Alles eine Weile miteinander kochen, rührt den Schnee von 4 Eierweiß zulezt an die Milch; wenn sie abgekühlt ist, zieht man die
Crême durch ein Haarsieb in ein Geschirr, stellt es auf heiße Asche,
deckt einen Deckel mit schwachen Kohlen darauf, läßt die Crême fest
werden und kann sie kalt oder warm geben.

507. Königscrême.

Ein Viertelpfund Zucker wird in einer messingenen Pfanne mit
2 Eßlöffel voll Wasser so lange gekocht, bis der Zucker hellgelb ist,
dann gießt man ihn in eine beliebige Form, läßt ihn ganz darin
herumlaufen, rührt eine halbe Maas Milch, 2 Eier, einen Kochlöffel
voll Mehl, 1 Loth abgezogene, fein gestoßene, bittere Mandeln miteinander, gießt Alles in die gezuckerte Form, stellt sie in kochendes
Wasser, deckt einen Deckel mit Kohlen darüber, läßt sie 2 bis 3
Stunden kochen und stürzt sie dann auf eine Platte.

508. Crême für Kranke.

Ein halber Schoppen Rheinwein und ein halber Schoppen schwarzes
Kirschenwasser, 3 Finger voll Mehl mit ein wenig Wasser glatt gerührt, 3 Eiergelb, etwas gestoßener Zimmt und ein Viertelpfund an
einer Citrone abgeriebener Zucker werden in einer messingenen Pfanne
ein klein wenig miteinander gekocht, durch ein Haarsieb in ein beliebiges Geschirr gegossen und entweder kalt oder warm gegeben.

509. Mandelcrême.

9 Loth süße und 1 Loth bittere Mandeln zieht man ab, stößt
sie mit etwas Zimmtwasser recht fein, kocht die Mandeln mit einer
halben Maas Rahm, 8 Loth Zucker, woran eine Citrone abgerieben
wurde, und 3 bis 4 Löffel voll Zimmtwasser miteinander unter beständigem Rühren, gießt einen Schoppen Kalbssulz dazu, läßt es
wieder mit diesem kochen, rührt 6 Eiergelb mit ein wenig Milch
glatt, gießt dieses zulezt an die Crême, läßt Alles in der Pfanne noch
einmal anziehen, gießt die Crême in einen mit Pomeranzenöl bestrichenen Sulzmodel, stellt diesen auf's Eis oder in den Keller, stürzt
die Crême dann auf eine Platte und garnirt sie nach Geschmack.

10 *

510. Gestürzte Marasquinocrême.

Eine starke halbe Maas Milch und 6 Loth Zucker läßt man miteinander aufkochen, sodann wieder ein wenig erkalten, schlägt 8 Eiergelb in ein Geschirr, 2 Messerspitzen voll feines Mehl dazu, rührt es glatt, rührt die gekochte Milch an die Eier nebst einem Glas Marasquino und einem starken Schoppen reinen Kälberstand, läßt es miteinander aufkochen, zieht es durch ein Haarsieb in eine Porzellanschüssel, bestreicht einen Sulzmodel mit Anisöl und macht dreierlei gefärbte Sulzen auf folgende Art: eine von Chokolade, eine von Cochenillefarbe, die dritte von grünen Nelkenblättern, nimmt zu allem diesem einen Kälberstand, gießt die Zierathen schön aus, läßt es stehen, gießt die gekochte Crême darein und stellt sie aufs Eis. Beim Anrichten stürzt man sie auf eine Platte und garnirt sie nach Geschmack.

511. Pomeranzencrême.

Der Saft von 3 Pomeranzen wird mit Zucker, an denen 2 Pomeranzen abgerieben wurden, und einem Schoppen weißen Wein zusammengerührt, bis der Zucker verlaufen ist, dann schlägt man 6 Eiergelb und ein ganzes Ei daran, zieht die Crême durch ein Haarsieb in die dazu bestimmte Schüssel, stellt diese auf kochendes Wasser, und sezt einen Deckel mit Kohlen darauf, daß die Crême fest wird. Man kann sie entweder kalt oder warm geben.

512. Gestürzte Pomeranzencrême.

Von 4 Kalbsfüßen zieht man die Knochen aus, sezt das Fleisch mit 2 Maas Wasser zum Feuer, läßt das Ganze auf 1½ Maas einkochen, gießt es durch ein wollenes Tuch, läßt es eine Zeit lang stehen, reibt 3 Pomeranzen mit einem halben Pfund Zucker ab, preßt den Saft der Pomeranzen in eine messingene Pfanne aus, den abgeriebenen Zucker und den Saft von einer Citrone nebst dem Kälberstand und einem Schoppen Rahm dazu, läßt Alles auf dem Feuer einen Sud miteinander thun, rührt 8 Eiergelb mit ein wenig Wasser glatt, rührt das Gekochte langsam an die Eier, läßt Alles noch einmal in der Pfanne anziehen, zieht es durch ein wollenes Tuch in ein Porzellangeschirr, schlägt einen Schoppen Rahm recht steif, läßt ihn auf einem Haarsieb ablaufen, mischt diesen langsam unter die Crême, bestreicht eine Sulzform mit Citronenöl, gießt die Crême hinein, stellt die Form aufs Eis, und, wenn die Crême völlig gestanden ist, wird sie auf eine Platte gestürzt.

513. Crême von saurem Rahm.

Dicker saurer Rahm wird recht schaumig geschlagen, eine Citrone an einem Achtelpfund Zucker abgerieben, dieser gestoßen und sammt dem Geriebenen unter den Rahm gemischt. Dann richtet man die Crême an und streut geriebenes Biscuit darüber.

514. Crême von süßem Rahm.

Eine halbe Maas Rahm wird in einer Schüssel mit einem weißen Beselchen wie Eierschnee geschlagen, Schnitten von Biscuit werden auf die Platte gelegt, geröstete Mandeln darauf gestreut, 2 Loth Vanillezucker unter den Schnee gemischt und dieser auf den Schnitten umher gegossen.

515. Crême von Reis.

Man brüht ein Viertelpfund Reis mit kochendem Wasser an, läßt ihn eine Viertelstunde stehen, gießt ihn durch ein Haarsieb, kocht ihn mit einer halben Maas Milch recht weich, nimmt einen Schoppen süßen Rahm, 6 Eiergelb, eine am Zucker abgeriebene Citrone, 4 Loth gestoßenen Zucker und 2 Loth geschnittenen Citronat dazu, läßt Alles in einer Pfanne ein wenig anziehen, stellt eine Schüssel in heißes Wasser, füllt die Masse hinein, deckt einen Deckel mit Kohlen darauf und läßt die Crême fest werden. Man kann sie kalt oder warm geben.

516. Reisflomeriewein.

Ein Viertelpfund Reis wird angebrüht, in ein Haarsieb gegossen, mit einer halben Maas Milch dick gekocht, eine Messerspitze voll Zimmt, 4 Loth gestoßener Zucker, eine am Zucker abgeriebene Citrone, 2 Loth abgezogene, bittere Mandeln, welche mit Milch fein gestoßen werden, dazu genommen, Alles untereinander gerührt und die Masse in Chokoladebecher gefüllt; man läßt die Crême recht kalt werden, stürzt sie beim Serviren auf eine Platte, gießt rothen Wein dazu und streut Zucker und Zimmt darauf.

517. Crême von Roiaille.

Ein Achtelpfund Biscuit, 4 Loth bittere und süße Mandelbrode werden in einer messingenen Pfanne mit 3 Schoppen Milch, 10 Loth an einer Citrone abgeriebenem Zucker, 2 Messerspitzen voll gestoßenem Zimmt 4 Minuten lang unter beständigem Umrühren gekocht. Inzwischen werden 6 Eiergelb in ein Gefäß geschlagen, das Gekochte, wenn es ein wenig erkaltet ist, daran gerührt und durch ein Haarsieb getrieben. Eine Kaffeetasse oder ein eigentlicher Crêmebecher wird in kaltes Wasser getaucht, die Crême darein gefüllt, der Becher aufs Feuer gestellt und mit einem Deckel mit schwachen Kohlen zugedeckt, bis die Crême fest ist, was bei gewöhnlichen Bechern in einer halben Stunde geschieht. Alsdann wird die Crême auf eine Platte gestürzt und mit 3 bis 4 Löffeln voll Himbeergelée übergossen.

518. Russische Crême.

2 Loth Hausenblase werden mit einem Schoppen Wasser so lange gekocht, bis sie aufgelöst ist, dann zieht man das Wasser durch ein Haarsieb in ein Geschirr. Man kocht nun eine halbe Maas Milch (Rahm ist noch besser) mit einem Viertelpfund an einer Pomeranze abgeriebenem Zucker, rührt 6 Eiergelb mit ein wenig Milch glatt;

rührt die kochende Milch und das Hausenblasenwasser langsam an die Eiergelb, drückt den Saft von 2 Pomeranzen daran, läßt Alles noch einmal in der Pfanne miteinander anziehen, gießt die Crême durch ein Haarsieb in eine Porzellanschüssel, einen halben Schoppen Arak noch dazu nebst einem Schoppen Schlagrahm, füllt die Crême in einen mit Anisöl bestrichenen Sulzmodel und läßt sie auf dem Eis erkalten.

519. Russische Crême anderer Art.

3 Löffel voll gesiebten Zucker und 3 Eiergelb rührt man ganz dick miteinander, gießt 2 Löffel voll Arak daran, rührt es wieder eine Viertelstunde, mischt zulezt den Schnee von den 3 Eierweiß dazu, und richtet die Crême auf eine Saladière an; man kann nun, wenn man will, auch Schlagrahm dazu nehmen.

520. Crême von Schaum.

Man schlägt 12 Eierweiß zu einem Schnee. Eine halbe Maas Milch wird in einer breiten messingenen Pfanne mit einem Stücke ganzen Zimmt und 4 Loth an einer Citrone abgeriebenem Zucker 6 Minuten lang gekocht und an 8 Eier in einem Topfe langsam gerührt; dann läßt man die Milch mit den Eiern noch einmal in der Pfanne anziehen, gießt sie durch ein Haarsieb in ein breites Geschirr, welches zum Tische bestimmt ist, macht noch einmal Milch siedend, und wenn sie aufsteigt, legt man von dem Eierschnee 4 Kugeln (die man mit einem Löffel macht) in die kochende Milch, läßt sie ein wenig kochen, legt sie auf ein Haarsieb, daß sie ablaufen, legt sie auf die kalte Crême, läßt ein Pfund Raffinadezucker mit einem halben Glas Wasser in einer messingenen Pfanne so lange kochen, bis er spinnt, macht mit Hülfe eines Löffels 2 Gitter von dem Syrup über die Kugeln, färbt die eine Kugel roth (man begießt sie mit Himbeersaft), die andere gelb; im Winter kann man Chokoladeeis darüber machen.

521. Schnee anderer Art.

In einen Schoppen dicken süßen Rahm, der mit dem Löffel abgehoben worden ist, werden 6 Loth gestoßener Zucker und ein halbes Glas Champagnerwein gemischt und die ganze Mischung in einem weiten Topf mit dem Chokoladesprudler gesprudelt, der Schaum sodann mit dem Löffel in ein Haarsieb gebracht und damit fortgefahren bis Alles fertig ist. Dann kommt der Schaum auf eine Platte und wird mit Zucker bestreut.

522. Crême à la Sultan.

Ein Viertelpfund Zucker und ein halbes Glas Wasser läßt man auf dem Feuer so lange kochen, bis der Zucker dunkelgelb ist, gießt eine halbe Maas Milch dazu, ein Stück ganzen Zimmt, läßt es miteinander kochen, nimmt 6 Loth Zucker, welcher an einer Citrone abgerieben wurde, 3 Finger voll Mehl, 8 Eiergelb dazu, rührt die gekochte Milch langsam daran, läßt Alles auf dem Feuer nochmals anziehen, zieht die Crême durch ein Haarsieb auf ein Geschirr, welches man zu Tische geben will, schlägt von den 8 Eierweiß einen steifen Schnee, macht einen Kranz davon um die Crême herum, in die Mitte eine runde Kugel, streut grob gestoßenen Zucker darüber, stellt sie in ein Bratrohr und läßt sie schön gelb werden. Die Crême wird warm servirt.

523. Gestürzte Crême von Thee.

In einer halben Maas Milch mit einem Stück ganzen Zimmt oder Vanille wird 1 Loth Thee in einer messingenen Pfanne eine Minute lang aufgekocht. Dann kommt ein Kälberstand von $1\frac{1}{2}$ Schoppen so lange aufs Feuer, bis er zergangen ist, worauf 8 Loth Zucker dazu gethan und der Kälberstand in einem mit Zimmtöl bestrichenen Sulzmodel auf's Eis gestellt wird, bis er fest ist; nun wird die oben beschriebene Crême darüber gegossen.

524. Crême von Vanille.

Eine halbe Maas Milch, ein Stückchen ganzen Zimmt, ein Stückchen ganze Vanille, 4 Loth Zucker läßt man eine Weile mit= einander kochen, verrührt 3 Finger voll Mehl und 8 Eiergelb mit= einander, rührt die gekochte Milch langsam daran, läßt Alles noch einmal in der Pfanne anziehen, zieht die Crême durch ein Haarsieb in ein Geschirr, deckt einen Deckel mit schwachen Kohlen darauf, stellt das Geschirr in kochendes Wasser, läßt die Crême fest werden, brennt sie mit einem glühenden Schäufelchen, streut Zucker darauf und gibt sie warm zu Tisch.

525. Gebackene Weincrême.

Eine halbe Maas Wein läßt man mit der Schale einer Citrone, einem Stück ganzen Zimmt und einem Viertelpfund Zucker kochen, rührt ein wenig Mehl mit kaltem Wasser glatt, schlägt 8 Eiergelb daran, rührt dieses in den kochenden Wein, läßt Alles in der Pfanne noch einmal kochen, gießt die Crême durch ein Haarsieb auf die Platte, schlägt einen Schnee von den 8 Eierweiß, macht runde Kugeln, so groß wie ein Hühnerei, überstreut sie mit fein geschnittenen Man= deln und grob gestoßenem Zucker und stellt die Crême eine Viertel= stunde vor dem Anrichten in den Ofen.

526. Blanc Manger (wie man es an Höfen macht).

1 Pfund abgezogene Mandeln, worunter 2 Loth bittere seyn müssen, stößt man mit Wasser so fein wie Mehl, gießt 3 Schoppen Wasser dazu und preßt sie in einem Tuch fest aus, und behandelt sie überhaupt, als wollte man eine Mandelmilch machen. Dann reibt man eine Pomeranze und eine Citrone am Zucker ab, thut das Geriebene, nebst einem halben Pfund Zucker und 3 Loth in Wasser aufgelösten Hausenblase, sammt der Mandelmilch und dem Saft von 1 Pomeranze und dem Saft von 2 Citronen, in eine messingene Pfanne, läßt Alles miteinander einen Sud thun, zieht es durch ein Haarsieb in

ein reines Geschirr, läßt es erkalten und macht 4 farbige Sulzen auf
folgende Art: zu 2 bis 3 Blättchen ganzen Safran nimmt man
2 Löffel voll Kälberstand und 2 Eßlöffel voll weißen Wein. In ein
zweites Geschirr gießt man 3 bis 4 Tropfen Cochenillefarbe und Käl=
berstand; läßt im dritten Geschirr Kälberstand zerlaufen, stößt grüne
Nelkenblätter, preßt sie durch ein Haarsieb, gießt sie an den Kälber=
stand, bestreicht einen Sulzmodel mit Mandelöl, gießt die gefärbten
Sulzen hinein, läßt sie gestehen, gießt die Mandelmilch darauf, stellt
den Model aufs Eis, läßt Alles gestehen, stürzt den Inhalt auf eine
Platte und garnirt sie nach Geschmack.

527. **Blanc Manger auf grüne Art.**

Ein Viertelpfund abgezogene Mandeln, worunter 2 Loth bittere seyn
müssen, stößt man mit Wasser so fein wie Mehl, treibt sie durch
mit 3 Schoppen Milch, läßt die Mandelmilch mit dem Stand von
3 Kalbsfüßen und einem Viertelpfund Zucker aufkochen, rührt 6 Eiergelb
mit 2 Messerspitzen voll Mehl glatt an, rührt dieses mit der gekochten
Milch auf dem Feuer noch einmal recht glatt, zieht die Masse durch
ein Haarsieb, läßt sie erkalten, streicht einen Sulzmodel mit gutem
Oel aus, füllt die Crême darein und stellt sie aufs Eis, daß sie gesteht.

528. **Himbeergelée.**

Es werden so viel Himbeeren rein verlesen, als man zu brauchen
glaubt. Man bindet sie in einem Topf fest zu und läßt ihn über
Nacht stehen; den andern Tag stellt man ihn in einen andern Topf
oder Kessel mit kochendem Wasser, deckt ihn fest zu, so daß der
Dampf nicht mehr heraus kann, zieht den hellen Saft durch ein
Haarsieb und mischt Zucker daran (zu einem Schoppen Saft rechnet
man 3 Viertelpfund Zucker), läßt ihn miteinander kochen, schäumt
ihn fleißig ab; will man probiren, ob er gut ist, so nimmt man einen
Löffel voll in eine Kaffeetasse und läßt ihn kalt werden; ist er sulzig,
so ist er gut. Man bewahrt ihn in einem Zuckerglas.

529. **Gesulzte Himbeeren.**

Von einer Maas reiner Himbeeren sucht man 30 bis 40 Stücke,
die recht groß sind, aus und legt sie bei Seite. Die andern thut
man in einen Topf, bindet ihn mit einem Tuche zu, stellt ihn in
einer Casserolle in siedendes Wasser, läßt sie eine Stunde darin kochen,
nimmt sie heraus und läßt den Saft durch ein Tuch laufen. Es
muß eine halbe Maas Saft geben. Dann löst man 2 Loth Hausen=
blase im Wasser auf, zieht sie durch ein Haarsieb, thut sie in eine
messingene Pfanne, gießt den Himbeerensaft dazu nebst einem Schoppen
weißen Burgunderwein, einem halben Pfund Zucker, 2 Eierweiß,
schlägt so lange mit einem Schaumbesen darein, bis es anfängt
zu kochen, stellt es vom Feuer, läßt es ein wenig stehen und dann
die Sulz durch einen Filzhut laufen; sollte es das erste Mal nicht
hell genug werden, so muß es 2 bis 3 Mal übergossen werden; dann

nimmt man den dazu bestimmten Model und läßt etwas Weniges darein laufen; läßt es gestehen, legt von den ausgelesenen Himbeeren nach Geschmack in dem Model herum, gießt etwas Sulz dazu und so läßt man es wieder gestehen und macht so fort, bis der Model voll ist. Man stellt die Sulz auf's Eis und läßt sie dort gestehen.

530. Johannisbeergelée.

Johannisbeergelée wird auf dieselbe Art gemacht wie Himbeergelée.

531. Gesulzte Kirschen.

Ein halbes Pfund Weichseln werden ausgesteint, durch ein Haar= sieb gepreßt, die Steine gestoßen und mit dem Saft der Kirschen, einer Bouteille Roussillon und 3 Schoppen Kalbssulz sammt 12 Loth Zucker, 3 Eierweiß, 8 Nelken und etwas ganzem Zimmt gekocht; dann schlägt man mit der Schneegabel so lange in die Pfanne, bis der Inhalt anfängt zu kochen (es darf aber nur so lange kochen wie ein weichgesottenes Ei), stellt die Pfanne nun vom Feuer weg, gießt die Kirschensulz durch einen Filtrirhut, und sollte sie nicht schön roth seyn, so hilft man mit Cochenillefarbe nach; man zupft nun die Stiele von einem andern halben Pfund Weichseln ab, läßt sie in einem Geschirr auf der Glut ein wenig schwitzen, legt sie dann in ein Haarsieb, daß sie ablaufen, gießt etwas von der Sulz in einen beliebigen Model, läßt es ein wenig stehen, legt 6 bis 8 Kirschen in die Form, dann gießt man Sulz darüber, macht den Model halb= voll damit, läßt es wieder stehen, legt wieder Kirschen darein, und so noch einige Mal, bis der Model gefüllt ist. Dann läßt man die Gelée auf dem Eis gestehen und stürzt sie auf eine Platte.

532. Gelée für Kranke.

2 Loth Hausenblase läßt man in einer Pfanne mit einer halben Maas Wasser auf einem gelinden Feuer verlaufen; ist von der Hau= senblase nichts mehr zu sehen, so gießt man einen Schoppen guten Seerwein dazu, stößt 2 bis 3 Hände voll Brunnenkresse im Mörser, preßt den Saft durch ein Tuch aus, thut ihn in die Pfanne, läßt Alles miteinander aufkochen, schlägt noch 2 Eierweiß daran, zieht es durch einen Filzhut in eine porzellanene Schüssel, 2 bis 3 Tropfen Berlinerblau darein, läßt es stehen und gibt dem Kranken je einen Löffel voll davon; es ist sehr gut für die Brust.

533. Pomeranzengelée.

6 Kalbsfüße, von denen die Knochen ausgelöst worden, läßt man mit 4 Maas Wasser bis auf eine Maas einkochen, dann zieht man die Sulz durch ein Haarsieb und läßt sie über Nacht stehen. Den andern Tag kocht man die Sulz mit 3 saftigen an einem halben Pfund Zucker abgeriebenen Pomeranzen, von denen man den Saft und das Mark sammt dem Saft von 3 Citronen nimmt. Das Fett wird von der Sulz abgeschöpft und Alles miteinander mit 2 Schoppen Mark=

gräßler Wein in einer messingenen Pfanne, auf der ein Deckel mit Koh=
len sich befindet, gekocht; man läßt die Gelée eine Viertelstunde stehen
und gießt sie dann durch einen Filzhut in ein Geschirr; sollte die
Gelée noch nicht hell genug seyn, so läßt man sie noch einmal durch=
laufen, taucht eine Sulzform in kaltes Wasser, gießt die Gelée hinein,
stellt sie auf's Eis und stürzt sie dann auf eine Platte.

Salat.

534. Häringsalat.

Von 2 großen Häringen zieht man die Haut ab, gräthet sie
aus, schneidet sie in beliebige Stückchen, schält 4 Borsdorferäpfel,
schneidet sie auch in solche Stückchen, wie den Häring, 4 Kartoffeln,
Zwiebeln, Pfeffer, verrührt die Milch vom Häring mit Provenceröl,
thut alles Geschnittene in eine Salatschüssel, gießt das Gerührte dar=
über, etwas Essig dazu, macht es untereinander und legt es oben auf
den Salat.

535. Vermischter Salat.

Rothe Rüben, Kartoffeln, Bohnen, Bohnenkerne, Endivie, Kopf=
salat, Ochsenmaul, eingemachte Gurken, Sellerie, gelbe Rüben, weiches
Welschkorn wird in eine Schüssel gethan, das Gelbe von 3 hartge=
sottenen Eiern durch ein Haarsieb getrieben und mit 3 Löffeln voll
Provenceröl, etwas gutem Essig, Salz und Pfeffer der Salat an=
gemacht.

536. Endiviensalat mit rothen Rüben gefärbt.

Schöne Endivie wird klein geschnitten, in laues Wasser gelegt,
Kartoffeln geschält und eine halbe Stunde in rother Rübenbrühe ge=
legt, die Endivie angemacht, in die Schüssel gelegt, die Kartoffeln zu
Rädchen geschnitten und der Salat damit nach Gefallen garnirt.

537. Salat à la patrie.

Ein gebratenes Huhn oder Kalbsbraten schneidet man in kleine
Stückchen, 2 hartgesottene Eier, gesottene Birnen, gedämpfte Aepfel,
Zwetschgen, Kirschen, Weichseln, Häring, Sardellen; die lezteren, sau=
ber gepuzt und geschnitten, etwas Endivien, Kapern, Kopfsalat nimmt
man in eine Schüssel, rührt 2 Löffel voll Estragonessig, 3 Löffel voll
Provenceröl, Salz und Pfeffer damit an, nimmt eine nicht sehr tiefe
Salatschüssel, legt den Salat schön wie eine Pyramide aufeinander,
treibt das Gelbe von 6 hartgesottenen Eiern durch ein Haarsieb,
schneidet das Weiße in beliebige Stückchen, legt sie in rothe Rüben=
brühe, rührt alles eine Viertelstunde miteinander, gießt über das Ver=
rührte noch einen Eßlöffel voll Essig, 3 Tropfen Oel, eine Messer=
spitze voll Salz, etwas Muskatnuß, bedeckt den Salat ganz damit

und steckt oben darauf eine schöne Zwetschge oder eine eingemachte Nuß, neben herum die Eier, welche in der rothen Rübenbrühe gelegen sind und eingemachte Kirschen.

538. Eingesezter Salat.

In einem schönen Sulzmodel läßt man messerrückendick saure Sulz herumlaufen und dann gestehen, legt den Model schön mit Blumenwerk aus, mit Endiviensalat, der nicht zu groß und nicht zu klein seyn darf, mit grünen Bohnen, Bohnenkernen, Kartoffeln, drückt alles fest ein, verrührt 4 Eßlöffel voll feines Provenceröl, 2 Eßlöffel voll Senf, das Gelbe von 2 hartgesottenen Eiern mit 2 Eßlöffeln voll Essig, gießt es über den Salat, läßt es eine Zeit lang stehen und stürzt es beim Anrichten auf die dazu bestimmte Platte.

539. Italienischer Salat.

2 große Häringe werden sauber gepuzt, die Gräthe herausgethan, in Stückchen geschnitten, 6 bis 8 Kartoffeln in viereckige Stückchen, auch 4 abgeschälte Borsdorfer Aepfel dazu geschnitten, 2 große Eßlöffel voll Kapern, eben so viel Oliven, die aber ausgesteint werden, 4 hartgesottene Eier, 2 sauber gewaschene, weichgesottene Selleriewurzeln und etwas Endivie, alles wird in einer Schüssel mit Essig und Provenceröl angemacht; die hartgesottenen Eier werden in lange Stückchen geschnitten, der Salat schön aus der Schüssel mit Häringsstückchen herausgelegt und in der Mitte ein schöner Stern von rothen Rüben gemacht; von hartgesottenen Eiern macht man das Weiße und Gelbe zu dem Stern und von Kapern das Grüne.

Torten.

540. Biscuittorte.

Ein Pfund Zucker wird mit 20 Eiergelb und dem Schnee der 20 Eierweiß eine halbe Stunde gerührt; wenn die Masse dick ist, nimmt man eine Citrone, welche am Reibeisen abgerieben wurde, nebst dem Saft derselben und 24 Loth Stärkmehl zu der Masse, bestreicht eine Tortenform mit Butter, füllt alles hinein und backt die Torte im Ofen.

541. Schwarzbrodtorte.

Ein Pfund feingestoßener Zucker, ein halbes Pfund geschälte und ein halbes Pfund ungeschälte Mandeln (die leztern werden nicht sehr fein und die ersteren mit Eierweiß fein gestoßen), 12 Loth altgebackenes, schwarzes, geriebenes Brod, eine geriebene Muskatnuß, die gewiegte Schale einer Citrone, 2 Messerspitzen voll gestoßenen Zimmt, eben so viel Muskatblüthe und gestoßene Nelken, 2 Messerspitzen voll Cardamomen, eben so viel Kubeben, 24 Eiergelb, alles dieses wird eine halbe Stunde miteinander stark gerührt; dann der Schnee von 10 Eierweiß, ein Viertelpfund Citronat und Pomeranzen damit vermischt, eine Tortenform mit Butter bestrichen, mit Brosamen bestreut, die Masse darein gefüllt und die Torte in einem heißen Ofen ausgebacken.

542. Citronentorte.

Ein halbes Pfund geschälte Mandeln wird fein geschnitten, die Schale von 2 feingewiegten Citronen, das Mark von 6 Citronen, von denen man die Kerne nimmt, ein Viertelpfund Citronat und Pomeranzenschalen miteinander vermischt; dann kocht man ein halbes Pfund Zucker mit einer Tasse Wasser in einer messingenen Pfanne, schäumt den Zucker fleißig ab, kocht nun Obiges in dem Zucker miteinander, läßt die Masse erkalten, legt ein Springblech mit gutem Butterteig aus, füllt die Masse darein, macht einen dünnen Deckel von Butterteig darüber, bestreicht diesen mit Eiergelb und backt die Torte in einem nicht zu heißen Ofen.

543. Aufgelaufene Citronentorte.

Ein halbes Pfund Zucker, woran 4 Citronen abgerieben werden, nimmt man, fein gestoßen, in eine Schüssel, schlägt 8 Eiergelb daran, rührt dieses eine halbe Stunde miteinander, mischt den Saft von 2 Citronen, 2 Loth feines Mehl und den Schnee von den 8 Eierweiß unter die Masse, füllt diese in ein Plafond, welches mit Butterteig ausgelegt ist und backt die Torte im Ofen.

544. Chokoladetorte.

Ein Pfund Zucker, fein gestoßen, wird mit 20 Eiergelb und dem Schnee von 16 Eierweiß eine Viertelstunde gerührt, ein Viertelpfund geriebene Chokolade, ein halbes Loth gestoßener Zimmt und 12 Loth Stärkmehl langsam unter die Masse gerührt und die Torte in einer mit Butter bestrichenen blechernen Form gebacken.

545. Geläuterte Chokoladetorte.

Man zieht ein halbes Pfund Mandeln ab, reibt sie mit Eierweiß recht fein, rührt sie in einer Schüssel mit 4 Eiern und Dottern eine halbe Stunde lang, gießt in eine messingene Pfanne ein halbes Glas Wasser, ein halbes Pfund feinen Zucker, läßt es kochen, bis der Zucker dicke Fäden spinnt; dann mengt man 6 Loth feingeriebene Chokolade, ein halbes Loth Zimmt, den gekochten Zucker, die Chokolade und den Zimmt unter die gerührte Masse, rührt alles gut untereinander, bestreicht einen Tortenmodel mit Butter, bestreut ihn mit Zucker, füllt die Masse darein und backt die Torte im Ofen.

546. Heilbronner Chokoladetorte.

Man rührt ein halbes Pfund Butter leicht, nimmt ein halbes Pfund feingesiebten Zucker und eben so viel abgezogene, feingestoßene Mandeln, sowie das Gelbe von 2 auf dem Reibeisen abgeriebenen

Citronen und den Saft davon, schlägt 12 Eiergelb daran und rührt alles eine halbe Stunde miteinander, schlägt von 8 Eierweiß einen steifen Schnee, mischt 10 Loth geriebene Chokolade mit demselben unter die Masse, bestreicht eine Tortenform mit Butter, bestreut sie mit Zucker, füllt die Masse darein und läßt die Torte eine Stunde backen.

547. Chokolademandeltorte.

16 Eiergelb werden eine halbe Stunde gerührt, dann nimmt man ein Pfund feingesiebten Zucker, 25 Loth geschälte, feingestoßene Mandeln, den Saft von einer Citrone, ein starkes Loth Zimmt, die feingewiegte Schale einer Citrone, den Schnee von 8 Eierweiß dazu, rührt alles nun eine Stunde miteinander, dann kommt noch zulezt 10 Loth geriebene Chokolade dazu; die Torte wird in einem mit Butter bestrichenen und mit Mutschelmehl bestreuten Model gebacken. Will man sie noch besser haben, so nimmt man ein halbes Loth Citronat und eben so viel Pomeranzenschalen dazu; macht ein Eis darüber von dem Schnee eines Eierweißes, einem Achtelspfund Zucker und 2 Loth Chokolade, bestreicht die Torte damit und läßt sie noch ein Mal im Ofen anziehen.

548. Crêmetorte.

Man formirt eine Torte von rohem Butterteig, legt rohe Kartoffeln darauf, backt sie so, damit sie nicht zusammenschrumpft, und wenn sie erkaltet ist, bestreicht man sie mit eingemachten Johannisbeeren, Himbeeren oder Kirschen. Man macht folgende Crême dazu: Ein Viertelpfund Zucker wird an 2 Citronen abgerieben, auf ein Papier geschabt und getrocknet; dann rührt man einen Kochlöffel voll Mehl in einer Pfanne mit süßer Milch glatt an, gießt noch einen Schoppen Milch dazu, thut 6 bis 7 Eiergelb daran, kocht dieses wie einen Brei, rührt es, bis es kalt ist, streicht es dann behutsam auf das Eingemachte, schlägt von 6 Eierweiß einen Schnee, mengt den getrockneten Citronenzucker damit, thut den Schnee auf die Crême und stellt die Torte bei geringer Hitze in den Ofen.

549. Eiercrêmetorte.

Ein Pfund feingestoßener Zucker wird mit 20 Eiergelb und dem Schnee von 16 Eierweiß so lange gerührt, bis die Masse dick ist; hierauf nimmt man das Gelbe einer am Reibeisen abgeriebenen Citrone und den Saft derselben zu der Masse, mengt 16 Loth Stärkmehl darunter, bestreicht ein 3 Finger hohes und nicht sehr breites Plafond mit Butter, bestreut es mit Zucker und backt die Torte darin. Man macht folgende Crême dazu: 1½ Loth Hausenblase löst man in einem Schoppen Wasser auf, gießt das Wasser durch ein Haarsieb, reibt eine Pomeranze an 6 Loth Zucker ab, gießt das Hausenblasenwasser in eine messingene Pfanne, nimmt den Zucker, einen Schoppen süßen Rahm, den Saft von 2 Pomeranzen mit 6 Eiergelb dazu, kocht alles auf dem Feuer zu einer Crême, gießt sie durch ein Haarsieb in eine Porzellanschüssel und läßt sie erkalten. Dann schlägt man in einer Schüssel einen Schoppen süßen Rahm wie einen Eierschnee, läßt ihn in einem Haarsieb ablaufen und mischt ihn, wenn die Crême kalt ist, darunter, legt die Torte auf eine Platte, löst den Deckel oben ab, schneidet eine 2 Zoll tiefe Oeffnung in die Torte, höhlt diese aus, gießt die Crême hinein, legt den Deckel wieder darauf und macht auf diesen ein Citronen= oder Chokoladeeis, wie es schon öfters beschrieben wurde. Die Torte wird nun mit etwas Citronat und eingemachten Früchten geziert.

550. Torte auf englische Art.

Man rührt 3 Viertelpfund Butter in einer Schüssel schaumig, nimmt ein Viertelpfund gesiebten Zucker, ein halbes Pfund Mandeln, von einer halben Citrone die abgeriebene Schale dazu, rührt alles recht miteinander, belegt ein schwarzes Blech mit Papier, streut ein wenig Mehl darauf und macht 4 bis 6 Kuchen (ehe man die Masse vertheilt, muß ein halbes Pfund Mehl darein gearbeitet werden); macht die Kuchen so groß als man die Torte haben will, backt sie im Ofen schön gelb aus; sind die Kuchen alle gebacken, so legt man einen Kuchen auf die Platte, die zu Tische gegeben werden soll, über= streicht diesen mit Citronen= oder Pomeranzencrême, legt den zweiten Kuchen darauf, bestreicht ihn mit Aepfelmuß, den dritten mit einer andern Crême und so fort (der obere muß aber leer bleiben). Nun macht man die Torte schön rund, schlägt ein Eierweiß zu Schnee, ein Achtelpfund Zucker dazu, rührt es miteinander, bis es dick ist, überstreicht die Torte damit, streut rothen Streuzucker darüber, thut sie in Backofen und läßt sie trocknen.

551. Erolzheimer Torte.

Von einem Pfund feingesiebten Zucker und 5 Eierweiß rührt man ein dickes Eis, nimmt noch ein Pfund abgezogene, der Länge nach feingeschnittene Mandeln, eine Messerspitze voll feinen Zimmt und 2 am Reibeisen abgeriebene Citronen dazu, auch den Saft von einer halben Citrone, mischt alles untereinander, legt ein Springblech mit Oblaten aus, füllt die Masse darein und backt die Torte im Ofen. Bemerkt wird noch, daß ein halbes Pfund der Mandeln am Reib= eisen abgerieben und das andere halbe Pfund geschnitten wird.

552. Guirlandentorte.

Ein halbes Pfund geschälte Mandeln werden recht fein geschnit= ten, ein halbes Pfund derselben gestoßen, die letztern mit einem hal= ben Pfund gestoßenen Zucker und 12 Eiergelb so lange gerührt, bis die Masse dick ist, dann mischt man die geriebene Schale von einer halben Citrone, den Schnee von 8 Eierweiß und eine Hand voll Mut= schelmehl darunter, füllt die Masse in ein mit Butter bestrichenes Springblech und backt die Torte. Nun schlägt man einen steifen Schnee von 12 Eierweiß, mengt 12 Loth gestoßenen Zucker, ein halbes

Pfund geschnittene Mandeln darunter, streicht diesen Guß recht eben auf die gebackene Torte und trocknet sie noch eine Viertelstunde im Ofen. Nun rührt man in einer messingenen Pfanne ein halbes Pfund Zucker und das oben beschriebene halbe Pfund geschnittene Mandeln beständig miteinander, bis der Zucker flüssig und gelb ist, nimmt den Springreif von der Torte, macht von den gerösteten Man= deln eine schöne Guirlande um dieselbe und in die Mitte eine Krone.

553. Karmelitertorte.

Ein halbes Pfund geschälte Mandeln schneidet man der Länge nach so fein wie möglich, schlägt 7 Eiergelb in einer tiefen Schüssel zu einem steifen Schaum, thut ein halbes Pfund gesiebten Zucker darein und rührt ihn eine Viertelstunde lang recht stark; dann kommt das Gelbe von 2 Citronen und der Saft von einer, ein Viertelpfund Mehl und die Hälfte der Mandeln unter die Masse, die man sofort in eine mit Butter bestrichene Tortenform einfüllt, mit den übrigen Mandeln überstreut und schön gelb ausbackt. Die Torte wird sodann auf eine Platte gestürzt.

554. Kartoffeltorte.

Gute sogenannte Gruberkartoffeln werden Tags zuvor im Dampf gekocht oder im Rohr gebraten. Dann werden sie gerieben (zu einem halben Pfund Zucker nimmt man 3 Viertelpfund Kartoffeln), mit dem Zucker, 7 ganzen Eiern und 7 Eierdottern eine halbe Stunde gerührt, man nimmt 2 Loth abgezogene, feingestoßene bittere Mandeln dazu, eine am Reibeisen geriebene Citrone nebst dem Saft einer halben Citrone, bestreicht eine blecherne Form mit Butter, bestreut sie mit Zucker und backt die Torte darin.

555. Krachtorte.

Von einem Pfund Mandeln zieht man die Schalen ab, schneidet sie fein und der Länge nach und röstet sie mit einem Pfund Raffi= nadezucker in einer messingenen Pfanne unter beständigem Umrühren so lange, bis der Zucker gelb ist. Alsdann bestreicht man einen Me= lonenmodel mit Mandelöl, drückt die Fugen mit einem Theil der ge= rösteten Mandeln gut aus, macht die andern wieder warm und drückt den Model ganz damit aus. Wenn die Torte erkaltet ist, stürzt man sie aufrecht auf eine Platte, so daß die Oeffnung nach oben sieht, und gießt folgende Sauce darüber: Man schlägt einen Schoppen Rahm in einer Schüssel mit einem steifen Backbesen wie einen Eierschnee, läßt ihn auf dem Haarsieb ein wenig ablaufen und thut 3 Loth Vanillezucker darunter.

556. Linzer Torte.

Von einem halben Pfund Butter, einem halben Pfund gestoße= nem Zucker, einem halben Pfund feinem Mehl, einem halben Pfund ungeschälten, feingestoßenen Mandeln, 4 Loth geriebener Chokolade,

6 hartgesottenen Eiergelb, welche durch ein Haarsieb getrieben werden, 6 frischen Eiergelb, 1 Loth gestoßenem Zimmt, einem halben Quint
gestoßenen Nelken wird ein Teig gemacht, fingerdick ausgewellt, ein
Reif von festem Papier um die Torte gemacht, damit sie nicht zerläuft, von dem übrigen Teig werden Streifen geschnitten, ein Gitter
davon über die Torte gemacht, diese auf ein schwarzes, mit Oblaten
belegtes Blech gethan und bei mittlerer Hitze eine halbe Stunde im
Ofen gebacken. Nun macht man folgendes Eis darüber: Von einem
Eierweiß, dem Saft einer halben Citrone und einem Viertelpfund Zucker
wird das Eis gerührt, das Gitter der Torte mit demselben bestrichen,
dieselbe im Ofen mit dem Eis getrocknet, und ehe sie zu Tische gegeben wird, in die Oeffnungen der Gitter eingemachte Johannisbeeren
gethan.

557. Gewöhnliche Mandeltorte.

Ein Pfund feingesiebter Zucker wird mit einem Pfund abgezogenen, so fein wie möglich gestoßenen Mandeln, 16 Eiergelb und dem
Schnee von 16 Eierweiß dick gerührt (dieser kommt aber erst dazu,
wenn die Masse bereits dick ist). Dann kommt noch eine ganze,
am Reibeisen abgeriebene Citrone und der Saft von einer halben
Citrone, nebst einer Hand voll Mutschelmehl dazu. Wenn die Masse
beisammen ist, wird eine blecherne Form mit Butter bestrichen und
darin die Torte im Ofen gebacken.

558. Mandeltorte anderer Art.

8 Eierweiß werden zu einem steifen Schnee geschlagen, die 8
Eiergelb mit 12 Loth fein gestoßenen Mandeln, 12 Loth fein gestoßenem Zucker, 4 Loth fein geschnittenem Citronat, 4 Loth fein geschnittenen Pomeranzenschalen dazu genommen, alles ganz dick miteinander
nebst dem Gelben von einer halben Citrone gerührt, sodann eine
blecherne Form mit Butter bestrichen, die Masse darein gefüllt und
bei geringer Hitze gelb gebacken.

559. Geschnittene weiße Mandeltorte.

Von einem Pfund fein gestoßenem Zucker und 10 Eierweiß rührt
man ein dickes Eis, ein halbes Pfund geschälte Mandeln schneidet
man der Länge nach so fein wie möglich, reibt ein halbes Pfund ungeschälte Mandeln, nebst dem Gelben von 2 Citronen am Reibeisen
oder Muskatnußreiber ab, schneidet ein Viertelpfund Citronat und
Pomeranzenschalen fein, mengt alles langsam unter das Eis, legt
ein Springblech oder einen Ring auf einem schwarzen Blech mit Oblaten
aus, thut die Masse darein und backt die Torte bei geringer Hitze
schön aus. Es wird bemerkt, daß der Ring oder das Springblech,
ehe die Oblaten darein kommen, mit Butter bestrichen werden muß.

560. Meringuentorte.

12 Eierweiß werden zu einem steifen trockenen Schnee geschlagen und dieser mit einem Pfund fein gestoßenem und gesiebtem Zucker

vermischt; von dieser Masse wird ein Theil in eine Spritze mit einem fingerdicken Rohr gefüllt und davon 4 bis 6 Säulen auf ein ganz reines Brett gespritzt, die man im Ofen bei gelinder Hitze anziehen läßt. Mittlerweile macht man eine Rundung von der Form und Größe eines Tellers von der übrigen Masse und legt sie um die aus dem Ofen genommenen Säulen so, daß diese über die Rundung hervorragen. Das Ganze läßt man sodann im Ofen schön und gut ausbacken.

561. Nudeltorte.

Von einem halben Pfund abgeschälten Mandeln wird die Hälfte nicht sehr fein gestoßen, die andere Hälfte lang geschnitten, der Saft von einer Citrone daran gedrückt und mit einem halben Pfund fein gestoßenem Zucker und fünf ganzen Eiern eine Viertelstunde gerührt, von 2 Eiern feine Nudeln gemacht, so fein als möglich geschnitten, im heißen Schmalz oder Butter gelb gebacken, eine Citrone am Reibeisen abgerieben, 4 Loth Citronat und Pomeranzen fein gewiegt unter die Masse gemischt und von 4 Eierweiß ein steifer Schnee dazu genommen. Man bestreicht einen Tortenmodel mit Zucker und Butter, füllt die Masse darein und backt die Torte in einer gelinden Hitze gut aus.

562. Pistazientorte.

8 Loth Pistazien werden über Nacht in kaltem Wasser eingeweicht; an 12 Loth abgezogene und fein gestoßene Mandeln und ein Viertelpfund fein gestoßenen Zucker werden 16 Eiergelb geschlagen und eine halbe Stunde miteinander gerührt; unterdessen zieht man die Pistazien ab und wiegt sie auf einem Wiegbrett; desgleichen wiegt man 4 Loth Citronat und 4 Loth Pomeranzenschalen miteinander, aber nicht sehr fein; von einer Citrone wird das Gelbe fein gewiegt und der Saft auch dazu gegossen; nachdem die Pistazien in diese Masse gekommen, rührt man sie nochmals eine Weile, schlägt von 8 Eiern einen steifen Schnee und mengt ihn langsam unter die Masse, bestreicht eine blecherne Form mit Butter und backt in derselben die Masse im Ofen. Sie braucht eine Stunde zum Backen.

563. Punschtorte.

Man macht eine Butterbiscuitmasse auf folgende Art: 3 Viertelpfund Butter wird schaumig gerührt, dann kommt 3 Viertelpfund feingestoßener Zucker und 18 Eiergelb, sammt dem Schnee von den Eierweiß, die geriebene Schale einer Citrone und 26 Loth Mehl zu der Masse. Nun füllt man in 4 tellergroße, gleiche Formen einen Schöpflöffel voll von der Masse, backt sie recht schön gelb aus, läßt sie dann erkalten und verrührt in einem Geschirr 2 Eßlöffel voll Arak mit Himbeeren, im zweiten Geschirr eben so viel Arak mit Johannisbeeren, im dritten Arak mit Aepfelmarmelade, legt einen Bogen Papier auf ein Springblech, einen von den gebackenen kleinen Kuchen darauf, bestreicht diesen mit den Himbeeren, legt den zweiten

11

auf den erſten, beſtreicht ihn mit Johannisbeeren, legt den dritten auf den zweiten, beſtreicht dieſen mit der Aepfelmarmelade, legt den vierten Kuchen auf und ſchneidet nun die Torte recht rund; wenn es nöthig iſt, feuchtet man ein Stück Oblate mit Arak an, macht dieſe recht ſchön gleich um die Torte herum und macht folgendes Arakeis: an ein halbes Pfund fein geſiebten Zucker ſchüttet man Arak, bis es flüſſig iſt, daß man die Torte damit überziehen kann, doch darf das Eis nicht zerlaufen. Man gießt nun das Eis über die Torte und garnirt ſie mit eingemachten Früchten.

564. Blinde Punſchtorte.

An 6 Loth fein geſtoßenen Zucker ſchlägt man 6 Eiergelb, rührt ſie eine Viertelſtunde miteinander, thut das Gelbe von einer halben am Reibeiſen abgeriebenen Citrone und den Saft dazu, ſchlägt von 6 Eiern einen ſteifen Schnee, mengt 6 Loth feines Mehl unter die Maſſe, beſtreicht ein Aufzuglech mit Butter, thut den vierten Theil von der Maſſe darein, läßt ſie im Ofen halb gar kochen; dann ver- rührt man 2 Eßlöffel voll Himbeeren mit 2 Eßlöffeln voll Arak, nimmt das Brett aus dem Ofen, ſtreicht die Himbeeren darüber, thut die andere Maſſe darauf und backt ſie im Ofen ganz aus. Darüber macht man folgendes Eis: 4 Loth Zucker und 2 Eßlöffel voll kaltes Waſſer läßt man in einer meſſingenen Pfanne bis zum Faden dick kochen, ſchlägt von 3 Eierweiß einen ſteifen Schnee, rührt ihn in den gekochten Zucker, ſtürzt die Torte auf eine Platte, überzieht ſie mit dem Eierſchnee und macht den Ueberzug mit einem Meſſer glatt.

565. Sandtorte.

Ein halbes Pfund Butter läßt man in einer Schüſſel zergehen, rührt 6 Eierdotter, ein halbes Pfund feinen Zucker, eine geriebene Citrone, den Schnee von 6 Eierweiß und ein halbes Pfund Mehl recht dick mit der Butter, füllt die Maſſe in einen Model und backt die Torte im Ofen.

566. Sauerkrauttorte.

Von einem halben Pfund Sauerkraut drückt man den Saft aus, legt es in kaltes Waſſer, gießt aber alle Tage friſches daran und wiederholt dieſes 5 bis 6 Tage; nun kocht man das Kraut weich, läßt es in einem Seiher ablaufen, drückt es feſt aus, wiegt die Schalen von 3 Citronen, ſchneidet 3 Loth abgezogene Mandeln, 3 Loth Citronat und Pomeranzenſchalen länglicht, läßt ein halbes Pfund Zucker mit einem halben Glas voll Waſſer in einer meſſingenen Pfanne kochen, bis der Zucker Blaſen wirft, thut das Kraut und das Geſchnittene darein, läßt Alles 2 bis 3 Minuten kochen, belegt einen Plafond mit Butterteig, beſtreicht ihn mit Ei, legt rohe Kar- toffeln in das Blech, damit der Teig nicht zuſammenſchrumpft, backt ihn ſchön gelb, drückt von 2 Citronen den Saft daran, nimmt die

Kartoffeln weg, füllt die Masse in das Blech und läßt die Torte eine Viertelstunde im Ofen backen.

567. Schweizer Torte.

Man rührt 6 Loth Schmalz in einer Schüssel bis es ganz weiß ist, stoßt 3 Viertelpfund abgezogene Mandeln fein, nimmt von 2 Citronen das am Reibeisen abgeriebene Gelbe und ein halbes Pfund fein gestoßenen Zucker dazu, rührt es mit einem Viertelpfund schönem Mehl eine halbe Stunde recht untereinander, bestreicht einen Plafond (Springblech) mit Butter, thut 2 Drittheile von der Masse darein, bestreicht sie mit Eiern, macht von dem zurückbehaltenen Drittheile der Masse ein Gitter darüber, bestreicht es ebenfalls mit Eiern und läßt es im Backofen schön gelb backen. Wenn die Torte aus dem Ofen kommt, wird sie auf die Platte gelegt, auf der man sie zur Tafel geben will, und die Gitteröffnungen werden mit etwas Eingemachtem ausgefüllt.

568. Spanische Torte.

Von einem guten Butterteig backt man 5 bis 6 tellergroße Kuchen, legt einen davon auf die Platte, welche zu Tische gegeben wird, bestreicht ihn recht sehr dick mit eingemachten Johannisbeeren, legt den zweiten darauf, bestreicht ihn mit Aepfelmarmelade, den dritten mit eingemachten Himbeeren, den vierten mit Aprikosenmarmelade, legt den fünften darauf, bestreicht ein Stück Oblate mit Ei, legt es schön um die Torte herum, oben darauf ein Chokoladeeis, welches auf folgende Art bereitet wird: 4 Loth Zucker werden in einer messingenen Pfanne mit 2 Täfelchen Chokolade gekocht, die Torte damit im Ring herum überzogen; ein Citroneneis gemacht, wie folgt: ein Eierweiß, ein Viertelpfund feingestoßener Zucker und der Saft von einer halben Citrone werden miteinander weiß gerührt, dieses in den innern Rand, nach dem Chokoladeeis, über die Torte, mit Hülse einer Schachtel, gegossen, darauf die Torte im Ofen getrocknet und mit Früchten garnirt.

Kuchen.

569. Aepfelkuchen.

Man legt ein Kuchenblech mit Butterteig aus, überlegt diesen mit guten, geschnittenen Aepfeln, rührt die gewiegte Schale einer halben Citrone, 2 Löffel voll sauren Rahm, eine große Hand voll gestoßenen Zucker, 2 Messerspitzen voll gestoßenen Zimmt, einen halben Schoppen Milch recht untereinander, gießt dieses über die Aepfel, schneidet noch ein wenig Butter darauf und backt den Kuchen im Ofen.

570. Aepfelkuchen anderer Art.

Gute Aepfel, die nicht verkochen, schält und schneidet man in 4 Theile, läßt sie mit den Kernen und Schalen an einer Maas

11 *

Waſſer in einer meſſingenen Pfanne eine Viertelſtunde lang kochen, gießt ſie durch ein Haarſieb, das Waſſer davon wieder in die Pfanne, 12 Loth Zucker, die Schale von einer halben Citrone, ein Stück ganzen Zimmt, ein Glas Wein und die Aepfel dazu, läßt dieſe weich, aber nicht verkochen, dann auf einem Haarſieb ablaufen und den Syrup ſo lange kochen, bis er Fäden ſpinnt. Nun legt man ein Kuchenblech mit Butterteig aus, rohe Kartoffeln oder ganze Aepfel darauf, daß der Teig nicht zuſammenſchrumpft; backt nun den Teig, nimmt die Kartoffeln oder Aepfel wieder weg, legt die gedämpften Aepfel auf dem Kuchen herum, übergießt ſie mit dem Syrup und gibt den Kuchen zu Tiſche. Gebacken darf er nun nicht mehr werden.

571. Aepfelkuchen mit einem Gitter.

Geſchälte Aepfel kocht man in einer Caſſerolle mit einem Stück Butter, einem Stück Zucker, einem Viertelpfund Roſinen und Eibeben, 2 Meſſerſpitzen voll geſtoßenem Zimmt, der gewiegten Schale von einer halben Citrone recht weich und läßt ſie ſodann in einem Ge= ſchirr erkalten. Man macht einen Mandelteig auf folgende Art dazu: von einem Viertelpfund geſchälten fein geſtoßenen Mandeln, einem Viertelpfund Butter, einem halben Pfund feinem Mehl, 3 Loth geſtoßenem Zucker, 3 Eiergelb (wenn es ſeyn muß, kann man auch noch ein wenig kaltes Waſſer dazu nehmen), macht man einen Teig, wellt ihn aus, ſchlägt ihn übereinander, wellt ihn wieder aus, belegt ein mit Butter beſtrichenes Kuchenblech damit, legt die Aepfel darein, macht, wie gewöhnlich, einen Rand um den Kuchen herum, ſchneidet 12 fingerbreite Streifen von dem nämlichen Teig (den man zu dieſem Zwecke zurückgelegt hat), legt dieſe kreuzweiſe, wie ein Gitter, über den Kuchen, beſtreicht ihn mit Eiern und backt ihn.

572. Aepfelkuchen mit einer Kruſte.

Geſchälte (ſog.) Breitling legt man in ein mit Butterteig über= legtes Kuchenblech, röſtet in einem Viertelpfund Butter 3 Hände voll geriebenes Brod, nimmt 4 Loth geſtoßenen Zucker, 3 Loth geſtoßene Mandeln und 2 Meſſerſpitzen voll Zimmt dazu, vermiſcht es mit= einander, ſtreut es recht dick auf den Kuchen und backt dieſen.

573. Blitzkuchen.

12 Loth zerlaſſene Butter, 12 Loth Zucker, 12 Loth Mehl, das Gelbe von einer Citrone und 5 Eier rührt man recht gut mit= einander, beſtreicht einen Plafond mit Butter und backt den Kuchen ſchön gelb.

574. Brodkuchen auf engliſche Art.

3 Viertelpfund Zucker, ein Pfund abgezogene, geſtoßene Man= deln, 14 Eiergelb, die am Reibeiſen abgeriebenen Schalen von 2 Citronen rührt man in einer Schüſſel eine halbe Stunde recht ſtark miteinander, nimmt ein Loth geſtoßenen Zimmt dazu, rührt nun Alles nochmals durcheinander, 6 Loth geriebenes Brod, den Schnee

von 6 Eierweiß dazu, füllt die Masse in ein mit Butter bestrichenes Backblech und backt den Kuchen im Ofen.

575. Butterkuchen auf besondere Art.

Von einem Pfund schönen Mehl, 3 Viertelpfund Butter, 3 Löffeln voll Bierhefe, 2 Messerspitzen voll Muskatblüthe, 3 Eßlöffeln voll Rosenwasser und 2 Loth fein gestoßenem Zucker macht man einen festen Teig, arbeitet ihn recht lange, stellt ihn zu gelinder Wärme, läßt ihn gehen, nimmt ihn aufs Nudelnbrett und wellt ihn daumen= dick aus, arbeitet ein Viertelpfund Butter daran, bestreicht einen Bogen Papier mit Butter, legt den Kuchen darauf, thut ihn in einen Plafond, verklopft 6 Eier, gießt sie über den Kuchen, stellt ihn in den Backofen, läßt ihn schön gelb backen und streut Zucker und Zimmt darüber.

576. Citronenkuchen auf besondere Art.

8 Citronen reibt man am Reibeisen ab, zieht die weiße Haut davon, schneidet das Mark in Schnitten, drückt die Kerne davon aus, mengt ein Viertelpfund Mandeln, mit Rosenwasser, recht fein gestoßen, nebst dem Citronenmark und dem Gelben von den abgerie= benen Citronen, schlägt 8 Eier daran, rührt 8 Loth fein gestoßenen Zucker, 2 geriebene Kreuzerbrode dazu und Alles eine halbe Stunde miteinander, bestreicht einen Plafond mit Butter, füllt die Masse darein, backt den Kuchen im Ofen schön gelb und streut Zucker und Zimmt darauf.

577. Citronenkuchen auf englische Art.

Die Schalen von 6 Citronen werden fein gewiegt, das Mark derselben mit einer am Zucker abgeriebenen Pomeranze, nebst dem Pomeranzensaft, 3 Viertelpfund gestoßenem Zucker, einem halben Pfund abgezogener, etwas grob gestoßenen Mandeln dazu genommen, eine Stunde stehen gelassen und dann folgender Teig gemacht: auf einem Nudelbrett macht man mit 2 Händen voll Mehl, 2 Eier= gelb, einem Löffel voll gestoßenem Zucker, Butter, so groß wie ein Hühnerei, und Rosenwasser einen Teig an, wellt ihn aus, legt ihn in ein mit Butter bestrichenes Springblech, schlägt noch zu der Masse, welche eben beschrieben wurde, 6 Eier, füllt sie in das Blech und backt den Kuchen, man kann ihn nach dem Backen aufbrennen oder ein Citroneneis darauf machen.

578. Eierkuchen mit Ochsenmark.

Ein Viertelpfund süße Mandeln, worunter 6 bis 8 bittere kommen, werden mit Rosenwasser recht fein im Mörser gestoßen, die Schalen von 2 Citronen fein gewiegt, 3 geschnittene Aprikosen, 3 ge= schälte, geschnittene Aepfel dazu genommen, ein Viertelpfund Ochsen= mark, 10 Eier, 4 Loth gestoßener Zucker, ein Schoppen süßer Rahm mit dem Besagten vermischt, ein Kuchenblech mit Oblaten ausgelegt, die Masse darauf gebracht und im Ofen gebacken.

579. Hochzeitkuchen.

Man rührt 4 Eier und ein halbes Pfund Butter so lange, bis er weiß wird, rührt 3 Löffel voll Bierhefe mit etwas lauer Milch daran, 4 Loth gestoßenen Zucker, arbeitet den Teig zusammen, klopft ihn eine Viertelstunde lang, stellt ihn zur Wärme, läßt ihn halb reif werden, wellt ihn aus, schneidet 10 Loth Butter auf den Kuchen, schlägt ihn übereinander, wie einen Butterteig, wellt ihn 2 Finger hoch aus, legt geschälte Aepfel und Rosinen auf den Kuchen am Rand herum, schlägt den Kuchen 3 Finger breit übereinander, bestreicht einen Bogen Papier mit Butter, legt den Kuchen darauf, läßt ihn gehen, bestreicht ihn mit verklopften Eiern, vermischt ein Loth abgezogene Mandeln mit 2 Loth gestoßenem Kandelzucker, streut sie auf dem Kuchen herum und backt ihn schön gelb aus. Mit allem Recht kann man ihn einen Hochzeitkuchen heißen, wenn er gut gemacht ist.

580. Käskuchen.

Ein Kuchenblech wird mit Hefen= oder Butterteig ausgelegt; nun vermischt man Molken oder Ziegern, der nicht sehr sauer ist, mit einem halben Schoppen dicken, sauren Wein, 4 ganzen Eiern, 2 Löffeln voll feinem Mehl, einer Hand voll Schnittlauch und einer Messerspitze voll Salz, rührt dieses eine Viertelstunde miteinander, schüttet die Masse auf den Kuchen, schneidet noch ein wenig Butter darauf und backt ihn.

581. Kirschenkuchen.

Ein halbes Pfund Butter läßt man in einer Schüssel zerlaufen, dann nimmt man ein halbes Pfund gestoßenen Zucker, ein halbes Pfund gestoßene, unabgezogene Mandeln, 12 Eiergelb, 6 Eierweiß dazu, rührt Alles 3 Viertelstunden miteinander; wenn es dick ist, wiegt man ein Viertelpfund Citronat und Pomeranzenschalen, doch nicht sehr fein; 2 Wecken, von denen die Rinde abgeschnitten worden, eingeweicht und ausgedrückt, 1 Loth gestoßenen Zimmt, 1 Quint gestoßene Nelken, rührt nun Alles nochmals miteinander, schlägt noch von 4 Eierweiß einen Schnee davon, backt den Kuchen in einem mit Butter bestrichenen Aufzugblech und drückt vor dem Backen ein Pfund ausgesteinte Kirschen mit einem Löffel ganz locker an den Kuchen.

582. Kirschenkuchen anderer Art.

Von 3 Schoppen Milch und Griesmehl kocht man in einer messingenen Pfanne einen dicken Brei, thut ihn in eine Schüssel, schneidet ein Viertelpfund Butter daran, ein Viertelpfund gestoßenen Zucker, eine halbe am Reibeisen abgeriebene Citrone, 6 Eiergelb, rührt Alles eine halbe Stunde stark miteinander, mischt den Schnee von den 6 Eierweiß darunter, zuletzt ein Pfund abgezupfte Kirschen dazu und läßt den Kuchen in einem Aufzugblech, welches dick mit Butter bestrichen ist, im Ofen schön gelb backen.

583. Kirschenkuchen mit Hellenenmasse.

Ein halbes Pfund Butter wird schaumig gerührt, 9 Eiergelb, das Gelbe einer halben am Zucker abgeriebenen Citrone, ein halbes Pfund Mehl nebst dem Schnee von 9 Eierweiß darunter gerührt; ein Plafond mit Butter bestrichen, die Masse darein gethan, 1 Pfund ausgesteinte Kirschen darauf gelegt und mit dem Finger leicht in die Masse gedrückt, sodann in einem Bratrohr gebacken.

584. Kirschenkuchen mit Schwarzbrod.

16 Loth schwarzes, geriebenes Brod feuchtet man mit einem Glas guten, alten Wein an, reibt eine ganze Muskatnuß daran, 1 Loth gestoßenen Zimmt, 1 Quint gestoßene Nelken, 2 Messerspitzen voll Muskatblüthe, die fein gewiegte Schale einer Citrone, ein halbes Pfund Zucker, ein halbes Pfund gestoßene Mandeln, 12 Eiergelb dazu, rührt Alles eine halbe Stunde miteinander, der Schnee von 6 Eierweiß und 1 Pfund schwarze ausgesteinte Kirschen werden zulezt damit vermischt, und der Kirschenkuchen in einem mit Butter bestrichenen Aufzugblech im Ofen gebacken.

585. Magdalenenkuchen.

Ein halbes Pfund Butter wird schaumig gerührt, 9 Eiergelb, ein halbes Pfund Zucker, eine abgeriebene Citrone, 2 Pfund Mehl, der Schnee von den 9 Eierweiß mitgerührt, die Hälfte der Masse in ein Potagblech gefüllt, eingemachte Früchte darauf und die andere Hälfte über diese gethan, der Kuchen mit Mandeln bestreut und bei guter Hitze gebacken.

586. Mailänder Kuchen.

Ein halbes Pfund Butter wird leicht gerührt und mit 5 Eiern, 3 Viertelpfund Mehl, 3 Loth fein gestoßenem Zucker zu einem Teig gemacht (sollte er zu fest seyn, so nimmt man etwas Milch dazu); dieser auf dem Nudelnbrett ausgewellt, mehrmals übereinander geschlagen, fingersdick ausgewellt und nun in einem mit Butter bestrichenen Kuchenblech gebacken. Man kann entweder Citronen= oder Chokoladeeis darüber machen.

587. Mandelkuchen.

Ein halbes Pfund abgezogene Mandeln stößt man im Mörser recht fein mit Eierweiß, läßt ein Viertelpfund Butter in einer Schüssel zerlaufen, siedet das Besagte mit einem halben Pfund fein gestoßenem Zucker eine halbe Stunde lang, thut 2 Hände voll fein geriebenes Geigenmehl dazu, mischt den Schnee von einigen Eierweiß langsam darunter, legt ein Backblech, welches zuerst mit Butter bestrichen wurde, mit Oblaten aus, die Masse darein, backt den Kuchen im Ofen, und kann, wenn man es liebt, Rosinen und Zibeben darauf streuen.

588. Punschkuchen.

Ein Viertelpfund Mandeln wird mit einem Ei gestoßen, ein Viertelpfund Zucker und nach und nach 8 Eiergelb daran gerührt, ein halbes Pfund geschmolzene Butter mit einem Löffel voll Mehl schaumig gerührt, etwas Arak, dann der Schnee von den 8 Eierweiß dazu genommen, mit den Mandeln und dem Zucker gerührt, ein Springblech mit Butter bestrichen, die Masse eingefüllt und bei gelinder Hitze gebacken.

589. Rahmkuchen.

Man macht von einem halben Pfund Mehl, 4 Loth Butter, 2 Eiergelb, einem halben Glas Wein und 2 Loth fein gestoßenem Zucker einen Teig auf dem Nudelbrett wie einen Butterteig, wellt ihn aus, schlägt ihn übereinander, wiederholt dieses noch einmal, legt den Teig in ein mit Butter bestrichenes Springblech, verrührt 6 Eiergelb, einen Schoppen sauren und eben so viel süßen Rahm, 3 Loth gestoßenen Zucker, eine halbe am Reibeisen abgeriebene Citrone, ein Viertelpfund Rosinen und Zibeben, den Schnee von 4 Eierweiß miteinander, nebst einem Kochlöffel voll feinem Mehl, welches mit Milch glatt gerührt worden, füllt dieses auf den Kuchen und backt ihn im Ofen.

590. Speckkuchen.

Man nimmt ein Pfund Mehl in eine Schüssel, macht von guter Bierhefe ein Teigchen mit Milch an und läßt es bei gelinder Wärme gut gehen. Dann rührt man ein Viertelpfund Butter leicht, nimmt 4 Eiergelb und 2 Messerspitzen voll Salz dazu und legt das Teigchen in die Butter sammt Mehl, arbeitet den Teig so lange bis er Blasen wirft, thut ihn wieder in die Schüssel und läßt ihn gehen. Wenn er reif ist, nimmt man ihn aufs Nudelbrett, wellt ihn 2 Finger dick aus, schlägt ihn am Rand 2 Finger breit ein, streicht ihn mit verklopftem Ei, schneidet grünen Speck in Würfel, vermengt ihn mit Salz und Kümmel, streut ihn auf dem Kuchen herum, bestreicht einen Bogen Papier mit Butter, legt den Kuchen darauf, thut ihn auf ein schwarzes Blech und backt ihn schön gelb im Ofen.

591. Blinder Speckkuchen.

Man legt ein Kuchenblech mit einem geriebenen Teig aus, den man folgendermaßen bereitet: Mit einem Viertelpfund Mehl, 2 Eiergelb, 4 Loth Butter, 3 Loth fein gestoßenem Zucker, der gewiegten Schale von einer halben Citrone und 2 Löffeln voll saurem Rahm macht man auf dem Nudelbrett einen Teig an, schafft ihn so lange, bis nichts mehr von der Butter zu sehen ist, arbeitet ihn zusammen, wellt einen Kuchen davon aus, bestreicht ein Kuchenblech mit Butter, legt den Teig darein, drückt mit den Fingern, wie gewöhnlich, einen Rand daran, rührt 10 Eiergelb, 10 Loth gestoßenen Zucker, 4 Loth zerlassene Butter, die gewiegte Schale von einer halben Citrone, 8 Loth feines Mehl sammt dem Schnee der 10 Eierweiß untereinander, füllt die Masse auf den Teig, backt den Kuchen in einem nicht zu heißen Ofen halb aus, bestreut ihn mit 3 Loth in Würfel geschnittenem Citronat, der mit einem Loth grob gestoßenem Kandiszucker vermischt wird, und backt ihn nun vollends aus.

592. Stachelbeerkuchen.

Man legt ein Plafond (Kuchen- oder Backblech) mit mürbem Teig aus, schneidet die Stiele, die Butzen und das Wollige von den Stachelbeeren, legt das Blech damit aus, rührt von einem Viertel- pfund fein gestoßenem Zucker, 2 Messerspitzen voll Zimmt, 6 Eier- weiß und dem Saft einer halben Citrone ein schönes weißes Eis, gießt es über die Beeren und backt den Kuchen im Ofen.

593. Theekuchen.

Mit 2 Löffeln voll Bierhefe und etwas Milch macht man in einem Mäßchen Mehl einen kleinen Teig an; wenn er gegangen ist, thut man 2 ganze Eier, 3 Löffel voll sauren Rahm, etwas gewiegte Citronenschalen, Salz und 2 Loth fein gestoßenen Zucker dazu, macht Alles zu einem Teig an, arbeitet diesen nun auf dem Nudelnbrett wie einen Butterteig, macht ihn ein wenig fest, wellt ihn aus, schneidet ein Viertelpfund Butter darein, überschlägt ihn, wellt ihn so lange bis die Butter recht hineingearbeitet ist, wellt ihn 2 Finger dick aus, läßt ihn auf einem mit Butter bestrichenen Blech gehen, bestreicht den Kuchen mit zerlassenem Schmalz, bestreut ihn mit gewiegten Mandeln und grob gestoßenem Zucker und backt ihn dann.

594. Traubenkuchen.

Ganz guten Butterteig legt man in ein Backblech, abgezupfte Trauben darüber, mischt ein halbes Pfund fein geschnittene Mandeln, ein Viertelpfund gestoßenen Zucker, ein halbes Loth gestoßenen Zimmt, den Schnee von 12 Eierweiß untereinander, schüttet die Masse auf die Trauben und backt den Kuchen in einem nicht zu heißen Ofen.

595. Weichselkuchen.

Von 1½ Pfund Weichseln werden die Stiele und Steine genom- men, 10 Loth zerlassene Butter in eine Schüssel gethan, von 6 Wecken oder Milchbroden die Rinde geschnitten, dieselben in Wasser einge- weicht, fest ausgedrückt, 10 Loth gestoßene Mandeln, 6 ganze Eier und 4 Dotter, ein wenig Zimmt und Nelken eine halbe Stunde mit allem Obigen gerührt, auch der Schnee von 4 Eierweiß damit ver- mischt, ein Plafond mit Butterteig ausgelegt, das Gerührte darauf gegossen und der Kuchen im Ofen gebacken.

596. Weinbeerkuchen.

16 Loth geriebenes schwarzes Brod, eine geriebene Muskatnuß, 2 Messerspitzen voll Nelken, ein halbes Loth gestoßenen Zimmt mischt man untereinander, belegt ein Kuchenblech mit Butterteig, rührt

12 Eiergelb, ein halbes Pfund gestoßenen Zucker und 8 Loth zer=
laſſene Butter eine Viertelstunde miteinander, nimmt ein halbes
Pfund Roſinen, den Schnee von den 12 Eierweiß dazu, mengt das
Brod mit dem Uebrigen zuſammen, füllt Alles auf den Butterteig
und backt den Kuchen im Ofen.

597. Wiener Kuchen.

4 starke Kochlöffel voll Mehl werden mit einem Schoppen Milch
kalt angerührt, dann auf dem Feuer dick gerührt, 6 Eierweiß, ein
Viertelpfund Butter, Zucker nach Belieben dazu genommen (auch kann
man etwas gewiegte Citronenſchalen dazu nehmen), die Maſſe in eine
beliebige Form gefüllt und gebacken.

598. Züricher Kuchen.

Man rührt eine starke Hand voll feines Mehl und ein Stückchen
Butter in der Größe eines Hühnereies mit einem Schoppen Milch
gut ab, stellt es ans Feuer und fährt fort mit Rühren, bis es ein
dicker Brei ist, worauf man es erkalten läßt. Sodann rührt man
5 Eiergelb und ein ganzes Ei mit einem Loth Zucker und dem Gelben
von einer Citrone daran. Ist es zu dick, so kann man es mit
2 Caffeebecher voll süßem Rahm verdünnen. Hierauf wird ein Vier=
telpfund Confekt geschnitten (z. B. ein Viertelpfund Makronen), 2 Loth
Citronat und Pomeranzenſchalen unter die Maſſe gerührt, ein Spring=
blech mit Butter bestrichen, von 5 Eierweiß ein steifer Schnee unter
die Maſſe gerührt und dieſe sofort im Ofen schön gelb gebacken.

599. Zwetschgenkuchen.

Man legt ein Kuchenblech mit Butterteig aus, steint die Zwetschgen
aus, belegt den Kuchen recht dick damit, und zwar so, daß der
Schnitt davon nach oben steht, bestreut sie mit 3 Loth gestoßenem
Zucker, 2 Meſſerspitzen voll Zimmt, schneidet noch 2 Loth Butter
darüber und backt den Kuchen.

600. Zwetschgenkuchen mit Hefenteig.

Man macht Hefenteig wie zu Dampfnudeln, wellt ihn halb=
fingersdick aus, legt ihn in ein Backblech und die Zwetschgen, welche
vorher ausgesteint wurden, dick auf den Teig; verrührt 3 Eier, einen
halben Schoppen sauren Rahm, eine Hand voll gestoßenen Zucker
und eine Hand voll geriebenes Brod miteinander, gießt dieſes über
die Zwetschgen und backt den Kuchen im Ofen.

Hefenbackwerk.

601. Bauernhefenküchlein.

An 2 Pfund Mehl in einer Schüſſel schlägt man 4 ganze Eier
und arbeitet dieſen Teig mit einem halben Schoppen dickem saurem

Rahm, 3 Loth gestoßenem Zucker, 2 Messerspitzen voll Salz, einem Viertelpfund sauber gewaschenen kleinen Weinbeeren, einem Viertel= pfund zerlassener Butter recht zusammen, thut noch 2 Löffel voll weiße Bierhefe dazu, legt den Teig wieder in die Schüssel, stellt ihn zu gelinder Wärme und läßt ihn gehen; wenn er reif ist, legt man ihn aufs Nudelnbrett, macht runde Küchlein daraus wie ein Hühnerei, zieht sie auseinander, daß sie in der Mitte wie Papier so dünn werden, legt sie in heißes Schmalz, backt sie gelb aus und streut Zucker und Zimmt darauf.

602. Caffeebrod.

Ein halbes Pfund Mehl, 4 Loth Zucker, ein Ei, 2 Löffel voll dicke Bierhefe macht man mit lauer Milch zu einem festen Teig an, mischt etwas zerlassene Butter, etwas Citronenschalen und Anis darunter und arbeitet ihn auf dem Nudelnbrett recht lange, macht sodann 2 Laibchen davon, wellt diese einen Schuh lang aus, läßt sie bei gelinder Wärme stehen, bestreicht sie mit Eiern und backt sie im Ofen.

603. Citronenbrod mit Hefe.

Man nimmt ein Pfund feines Mehl in eine Schüssel, macht mit 2 Löffeln voll guter Bierhefe und einem halben Schoppen lauer Milch ein Teiglein in der Mitte der Schüssel an, thut 4 Loth zer= lassene Butter, 2 ganze Eier und 2 Dotter nebst dem geriebenen Gelben von einer Citrone dazu, klopft den Teig eine Viertelstunde, läßt ihn gehen bis er reif ist, macht auf einem Nudelnbrett 2 lange Würste davon, legt sie auf ein mit Mehl bestreutes Blech, stellt dieses zur Wärme, läßt den Teig noch einmal gehen, bestreicht ihn zuerst mit einem verklopften Ei, streut Zucker darauf und backt ihn im Ofen schön gelb; schneidet ihn aber erst den andern Tag an. Man kann das Citronenbrod zum Thee und zum Desert geben.

604. Augsburger Kugelhopf.

9 Loth Butter rührt man in einer Schüssel, 6 Eiergelb, 3 Loth fein gestoßenen Zucker, 12 Loth feines Mehl, 2 Eßlöffel voll gute Bierhefe, zuletzt den Schnee von den 6 Eierweiß darunter, läßt den Teig gehen, füllt ihn in einen mit Butter bestrichenen Kugelhopfen= model und backt ihn.

605. Biscuitkugelhopf.

12 Eiergelb, das Weiße davon zu steifem Schnee geschlagen, ein halbes Pfund fein gestoßener Zucker, eine am Reibeisen abgeriebene Citrone werden miteinander eine halbe Stunde gerührt, bis die Masse ganz dick ist; dann rührt man nach und nach ein halbes Pfund ganz feines Mehl dazu, bestreicht den Kugelhopfenmodel (oder türkischen Bund) mit Butter, füllt die Masse darein und backt ihn schön gelb.

606. Frankfurter Kugelhopf.

Mit einem Pfund Mehl, 2 Löffeln voll Bierhefe, einem halben Schoppen lauer Milch macht man in einer Schüssel ein kleines Teiglein an, läßt es bei gelinder Wärme gehen, schneidet 10 Loth Butter dazu, thut ein Viertelpfund sauber gewaschene, kleine Weinbeeren, 2 Loth große ausgesteinte, in 2 Theile geschnittene Weinbeeren, ein Loth gestoßenen Zucker, eine Messerspitze voll Salz, 4 Stück abgezogene, bittere, grob gestoßene Mandeln, 4 ganze Eier darunter, macht den Teig mit Allem an, klopft ihn eine Viertelstunde, bestreicht einen Kugelhopfenmodel mit Butter, streut ein wenig Zucker darein, füllt die Masse hinein, läßt nun den Kugelhopfen bei gelinder Wärme noch ein wenig gehen und backt ihn im Ofen gelb.

607. Münchner Kugelhopf.

Man läßt ein halbes Pfund Butter in einer Schüssel zergehen, rührt ihn ganz schaumig, rührt 12 Eier, welche vorher in lauem Wasser gelegen sind, nach und nach daran, nebst 4 Loth fein gestoßenem Zucker, das Gelbe von einer am Reibeisen abgeriebenen Citrone, einen halben Schoppen dicken süßen Rahm, 12 Eßlöffel voll ganz feines Mehl, 3 Loth Rosinen, 2 Loth fein geschnittenen Citronat, 3 Löffel voll gute Bierhefe, mengt dieses Alles recht untereinander, bestreicht einen Kugelhopfenmodel mit Butter, füllt die Masse darein, läßt sie bei gelinder Wärme gut gehen und backt den Kugelhopfen bei nicht starker Hitze im Ofen.

608. Pariser Kugelhopf.

Ein Pfund Mehl, 2 Löffel voll gute Bierhefe, 3 Eßlöffel voll laue Milch werden in eine Schüssel genommen, ein kleines Teiglein in der Mitte der Schüssel von Obigem angerührt, welches man in gelinder Wärme gehen läßt; dann stößt man ein Loth bittere Mandeln recht fein mit einem Schoppen Milch, gießt diese durch ein Haarsieb, preßt die Mandeln fest aus und stellt nun die Mandelmilch zur Wärme; hierauf werden 10 Loth Butter in einer Schüssel schaumig gerührt, 6 Eier, 4 Loth gestoßener Zucker und eine Messerspitze voll Salz nach und nach daran gerührt, mit der Mandelmilch der Teig vollends angemacht, eine Viertelstunde lang geklopft, ein Kugelhopfenmodel mit Butter bestrichen, mit Zucker und Mandeln bestreut, der Teig darein gefüllt und im Ofen gebacken.

609. Stuttgarter Kugelhopf.

Man nimmt ein Pfund Mehl in eine Schüssel, macht von 3 Löffeln voll guter Bierhefe und einem halben Schoppen Rahm ein Teiglein in der Mitte der Schüssel an, läßt es gehen, schneidet ein Viertelpfund Butter dazu, 4 Eiergelb, ein Loth gestoßenen Zucker, eine Messerspitze voll Salz, macht einen guten, etwas festen Teig von Allem an, gießt, wenn es nöthig ist, noch etwas laue Milch dazu, arbeitet ihn eine Viertelstunde lang und läßt ihn schön gehen, wenn er reif ist, wellt man ihn auf einem Nudelbrett ein wenig breit aus, bestreicht den Kuchen mit 4 Loth zerlassener Butter, streut 10 Loth große und kleine Weinbeeren darauf, wickelt ihn zusammen wie eine Wurst, bestreicht einen türkischen Bund mit Butter, legt die Wurst darein, läßt sie gut gehen und backt den Kugelhopfen bei ziemlich starker Hitze schön gelb.

610. Käsküchlein.

Man macht von einem Pfund Mehl, Parmesankäs, 3 Löffeln voll saurem Rahm, 2 Messerspitzen voll Salz, 2 Löffeln voll Bierhefe und 2 Löffeln voll Kirschengeist einen Teig, arbeitet ihn eine halbe Stunden lang, läßt ihn in der Wärme gehen, macht mit einem Löffel Küchlein daraus und backt sie in heißem Schmalz.

611. Nürnberger Traubenkuchen.

Ein halbes Pfund frische Butter wird recht schaumig gerührt, ein halbes Pfund fein gestoßener Zucker nebst 8 Eiergelb (eines nach dem andern), gestoßener Zimmt nach Belieben, 6 bis 8 Hände voll schöne zeitige Traubenbeeren unter die Masse gethan, von den 8 Eierweiß ein steifer Schnee geschlagen, dieser nebst einem Löffel voll Mehl locker unter die Masse gemischt, ein Geschirr, welches zur Tafel bestimmt ist, mit Butter bestrichen, die Masse darein gefüllt und schön gelb gebacken.

612. Trisenetschnitten.

Man macht in einer Schüssel, worin 2 Pfund Mehl sind, mit 2 Löffeln voll Bierhefe und lauer Milch ein Teiglein an, läßt es gehen und schlägt 2 Eiergelb dazu, auch 3 Loth fein gestoßenen Zucker, eine Messerspitze voll Salz, 3 Eßlöffel voll Himbeersaft, macht von diesem Allen einen Teig an, arbeitet ihn eine Viertelstunde lang auf dem Nudelbrett, läßt ihn hierauf in der Schüssel nochmals gehen, macht, wenn er ganz reif ist, auf dem Nudelbrett 2 Laibchen davon, wellt diese lang aus, legt sie auf ein mit Mehl bestrichenes Blech, läßt sie auf diesem wieder gehen, bestreicht sie mit Eiern, backt sie im Backofen und läßt sie 2 bis 3 Tage liegen. Man schneidet sie in gewöhnliche Schnitten, mischt ein Pfund fein gestoßenen Zucker, ein Loth rothen Sandel, ein Loth Trisenet, ein Loth gestoßenen Zimmt, 2 fein geriebene Muskatnüsse, eine kleine Messerspitze voll Nelken untereinander, gießt eine Bouteille Wein in ein Geschirr, taucht 4 bis 6 Schnitten zumal in den Wein, reibt sie mit dem gemischten Gewürz gut ein, legt sie in einem andern Geschirr aufeinander, fährt so fort bis alle eingerieben sind, läßt sie über Nacht zugedeckt stehen, taucht und reibt alle den folgenden Tag wieder so ein, läßt sie auf einem Bogen Papier in einem abgekühlten Ofen langsam trocknen und bewahrt sie in einer Schachtel auf. Man kann sie ein halbes Jahr auf diese Art aufheben.

613. Waffeln mit Bierhefe.

Von einem halben Pfund Mehl, 2 Löffeln voll dicker guter Bier=
hefe, lauer Milch und einer Messerspitze voll Salz wird ein Teig ge=
macht, den man bei gelinder Wärme gehen läßt. Inzwischen wird
ein halbes Pfund Butter in einer Schüssel leicht gerührt, 6 Eier
darunter gethan und unter den Teig geknetet. Dann klopft man den
Teig stark, läßt ihn noch einmal gehen, backt ihn in heißen mit
Speckschwarte bestrichenen Waffeleisen auf beiden Seiten aus und
bestreut die Waffeln auf der Platte mit Zucker und Zimmt.

614. Zimmtschnitten.

Man macht einen nicht sehr starken Hefenteig, wie schon öfters
beschrieben worden ist; läßt ihn gehen, nimmt 3 Loth fein gestoßenen
Zucker, 3 Messerspitzen voll Zimmt dazu, macht den Teig mit diesem
an, läßt ihn gehen, bis er reif ist, macht dann auf einem Nudeln=
brett 3 Würste davon, legt sie auf ein schwarzes, mit Mehl bestreu=
tes Blech, läßt sie noch einmal in der Wärme gehen, bestreicht sie
mit Eiern, streut Zucker und Zimmt darauf, backt sie schön gelb und
läßt sie erkalten. Hierauf werden sie in 2 Messerrücken dicke Schnitten
geschnitten, eine jede davon mit folgendem Gemische bestreut: nämlich
von einem halben Pfund feingestoßenem Zucker, einem Loth gestoße=
nem Zimmt, einer ganzen geriebenen Muskatnuß und einer Messer=
spitze voll Cardamomen, tüchtig eingerieben, alle aufeinander gelegt,
eine Viertelstunde liegen gelassen, nochmals, aber nur ganz leicht,
durch das Obenbeschriebene gezogen, auf ein schwarzes Blech, worauf
Papier seyn muß, gelegt und in einem abgekühlten Ofen getrocknet.
Man kann die Schnitten zum Dessert, auch zu kalter Schale geben.

615. Karlsruher Zwieback.

4 Pfund Mehl nimmt man in eine Schüssel nebst 4 starken Eß=
löffeln voll Bierhefe und 3 Schoppen lauer Milch, macht einen Teig
an, der aber sehr stark seyn muß, stellt das Geschirr zur Wärme,
läßt den Teig gehen, legt ihn in ein anderes Geschirr; arbeitet von
einer Maas lauer Milch, 12 Loth fein gestoßenem Zucker, 4 Loth
zerlassener Butter einen festen Teig zusammen, nimmt das zuerst
gemachte, kleinere Teiglein dazu, arbeitet Alles nochmals, bis nichts
mehr vom Mehl zu sehen ist, nimmt ihn nun aufs Nudelnbrett, schafft
ihn noch 3 Viertel= oder eine ganze Stunde, stellt ihn in der Schüssel
zur Wärme, läßt ihn schön gehen (er braucht $1\frac{1}{2}$ bis 2 Stunden
bis er reif ist), deckt ihn zu, daß er keine Haut zieht, nimmt ihn
wieder aufs Nudelnbrett, macht mit der Hand runde Kugeln davon,
wellt diese fingerlang aus, bestreut ein schwarzes Blech mit Mehl,
sezt eine an die andere an bis zu Ende, läßt den Teig noch einmal
in der Wärme gehen, bestreicht sie mit verklopftem Ei und backt sie
im Ofen schön gelb, schneidet sie aber erst den dritten Tag an. Man
röstet die Schnitten, die man messerrückendick macht, auf einem schwarzen

Blech bei gelinder Wärme. Man kann die Schnitten ein Vierteljahr aufheben und gibt sie zum Thee, Caffee und Punsch.

616. Holländer Zwieback.

Ein Pfund Zucker und 5 Eiergelb werden eine halbe Stunde miteinander gerührt, für einen Kreuzer grob gestoßener Fenchel und ein halbes Pfund Mehl dazu genommen, Alles miteinander vermischt, auf dem Nudelnbrett fingerlange Stängelchen von dem Teig gemacht, und im Ofen gebacken. Man läßt sie erkalten, schneidet sie der Länge nach entzwei, bäht sie im Ofen gelb und kann sie zu Thee und Caffee geben.

Schmalzbackwerk.

617. Aepfelkrapfen.

Ein Pfund Mehl, 8 Loth zerlassene Butter, 3 Loth fein ge= stoßener Zucker, eine Messerspitze voll Zimmt und ein Schoppen warme Milch geben einen Teig, an welchen 5 Eier geschlagen und eine kleine Messerspitze voll Salz gestreut wird; der Teig wird auf dem Nudeln= brett so lange gearbeitet, bis er Blasen wirft, mit 3 Löffeln voll Bier= hefe noch ein wenig gearbeitet, auf dem Nudelnbrett messerrückendick ausgewellt, mit einem Model Kräpfchen daraus gestochen, mit Aepfel= muß gefüllt, diese gelb gebacken und mit Zucker und Zimmt bestreut.

618. Aepfelküchlein.

Hinreichend Mehl wird mit Wein zu einem Flädchenteig ge= macht und 6 Eßlöffel voll heißes Schmalz, einer nach dem andern, daran gerührt; sollte der Teig zu dick werden, so wird mit Wein nachgeholfen. In diesen Teig werden Backäpfelschnitze getaucht, in heißem Schmalze sehr langsam unter häufigem Schütteln gebacken, auf Brodschnitten gelegt, damit sie ablaufen, mit Zucker und Zimmt bestreut und ganz heiß aufgetragen.

619. Aepfelküchlein anderer Art.

Mehl wird in einer Schüssel mit lauem Weißbier zu einem Teig, wie Flädchenteig, gemacht, 5 Eßlöffel voll siedend heißes Schmalz, einer nach dem andern, daran gerührt, Schnitte von guten Back= äpfeln geschält, das Kernhaus ausgestochen, in den Teig gemengt, in heißem Schmalz langsam unter häufigem Schütteln der Pfanne ausge= backen und Zucker und Zimmt darauf gestreut.

620. Gebackene Aepfelschnitten.

Von 3 bis 5 Stück Mundbroden schneidet man die harte Rinde unten ab, taucht 3 bis 4 Schnitten zumal in die Milch, legt sie auf= einander und macht fort bis sie zu Ende sind. Nun macht man

folgenden Teig: einen Schoppen lauen Wein rührt man mit Mehl
wie einen Flädchenteig, schält 6 bis 8 Aepfel, thut ein Stück Butter
in eine Casserolle, die Aepfel, 2 Loth Zucker, ein Achtelpfund kleine
Weinbeeren dazu, kocht sie damit weich, thut 2 Messerspitzen voll
Zimmt daran, verrührt alles wie einen Brei und läßt es auf einer
Platte erkalten; dann macht man Schmalz heiß, nimmt einen halben Löffel
voll Aepfel, rührt sie an den Teig, nimmt 2 von den Schnitten, streicht
von den gekochten Aepfeln einen Eßlöffel voll darauf, deckt eine andere
Schnitte darauf, taucht sie in den Teig, backt sie gelb aus und streut
Zucker und Zimmt darauf.

621. Bauernmocken.

In einen Vorteig (Zusatz) von Mehl, Hefe und Milch wird
Käs von einer Maas saurer Milch gethan, 2 Eier und ein Eigelb
daran geschlagen, 3 Eßlöffel voll dicker saurer Rahm, ein Achtelpfund
Zucker dazu gethan und alles mit Salz und Schnittlauch wohl ver=
mengt. Dieser Teig wird noch eine Viertelstunde geklopft, bis er sich
von der Schüssel losmacht und dann stehen gelassen, bis er reif ist.
Dann sticht man mit einem Löffel lange Küchlein, legt sie in heißes
Schmalz und backt sie langsam.

622. Gebackene Flädlein mit Mandelfülle.

Es werden Flädlein wie gewöhnlich gebacken; nur kommt etwas
Zucker in die Masse. Man rührt ein Viertelpfund abgezogene und
mit Eierweiß fein gestoßene Mandeln, 6 Loth fein gestoßenen Zucker,
eine halbe am Reibeisen abgeriebene Citrone, 3 ganze Eier ganz dick,
legt die Flädlein auseinander und bestreicht ein jedes mit der Fülle,
rollt sie zusammen, schneidet jede dieser Rollen in 2 Theile, wendet
sie in einem verklopften Ei um und backt sie in Schmalz gut aus.
Man macht eine Wein= oder Milchsauce von Arak daran.

623. Gebackene Küchlein von Kalbsbrieschen.

2 abgeriebene Wecken weicht man in Wasser ein, drückt sie fest
aus, rührt ein Viertelpfund Butter in einer Schüssel leicht, nimmt
die Wecken dazu, siedet 2 Kalbsbrieschen in Wasser, schneidet diese,
nachdem die Gurgeln und Adern davon geschnitten worden, in kleine
Stückchen, dämpft in einer Casserolle mit einem Stück Butter 2 bis
3 gewiegte Schalottenzwiebeln, etwas Schnittlauch oder Petersilie, die
Brieschen und Obiges miteinander, läßt es dann erkalten, rührt nun
5 Eier, eins nach dem andern, an die in Butter gerührten Wecken,
thut die Brieschen nebst Salz und Muskatnuß dazu, macht von der
Masse runde Küchlein und backt sie schön gelb in Schmalz. Man
kann sie als Beilage geben.

624. Kapuzinerküchlein.

Man macht in einer Schüssel mit 2 Pfund Mehl, 3 Löffeln
voll Bierhefe und einem halbsauren Rahm einen Vorteig, läßt ihn

geben, stoßt ein Achtelpfund geschälte Mandeln, worunter einige bit=
tere seyn müssen, recht fein, schneidet ein Viertelpfund Butter in den
Teig, nimmt die Mandeln nebst 3 Eiern, einem Viertelpfund Zibe=
ben, wovon die Kerne genommen wurden, dazu, arbeitet nun den
Teig mit allem zusammen und läßt ihn nochmals in der Wärme
gehen. Wenn er reif ist, wellt man ihn 2 messerrückendick aus, schnei=
det mit dem Backrädchen dreieckige Stückchen davon aus, backt die
Küchlein in Schmalz und streut Zucker und Zimmt darauf.

625. Kartoffelküchlein.

Man reibt Kartoffeln, welche schon Tags zuvor gesotten worden,
auf dem Reibeisen ab. Nebenbei macht man aus einem Mäßchen
Mehl, guter Bierhefe und Milch einen Vorteig oder Hefenteig, den
man in gemäßigter Wärme stehen läßt. Sodann läßt man ein Pfund
Butter in einer Schüssel zergehen, thut die Kartoffeln daran, gießt einen
halben Schoppen dicken sauren Rahm dazu und rührt es wohl durch=
einander. Man kann auch Schnittlauch dazu thun; auch kommt Salz
und Muskatnuß daran. Nun wird alles mit dem Hefenteig und
3 Eiergelb untereinander geknetet. Ist der Teig reif, so werden
Küchlein daraus gemacht und in Schmalz gebacken.

626. Königsnudeln.

Ein Schoppen Milch wird siedend gemacht; man rührt so viel
Mehl darunter bis es ein dicker Brei ist, nimmt etwas frische
Butter dazu, schlägt 4 Eier, eines nach dem andern und 4 Dotter
daran und kocht es so lange, bis es ganz trocken ist, thut es hernach
in eine Schüssel nebst 2 Löffeln voll guter Bierhefe, und läßt es eine
Zeit lang bei der Wärme stehen, macht Nudeln davon, backt sie in
heißem Schmalz gut aus und streut Zucker und Zimmt darauf.

627. Berliner Pfannenkuchen.

Von einem Pfund Mehl macht man in einer Schüssel mit 2
Löffeln voll guter dicker Bierhefe und lauer Milch ein kleines Vor=
teigchen, stellt es auf die Seite und läßt es gehen. Sodann rührt
man 8 Loth Butter in einer Schüssel ganz schaumig, 4 Eiergelb,
eines nach dem andern, daran, arbeitet die gerührte Butter und das
Mehl durcheinander, Salz und Zucker dazu, dann den Teig noch eine
Viertelstunde; sollte er noch zu fest seyn, so kann noch lauer Rahm
dazu genommen werden. Den Teig stellt man noch ein Mal in die
Wärme und läßt ihn gehen, aber nicht ganz reif. Unterdessen nimmt
man ein Viertelpfund große und kleine Weinbeeren, wellt den Teig
zur Hälfte auf dem Nudelnbrett stark messerrückendick aus, bestreicht
ihn mit zerlassener Butter, belegt ihn ganz mit Rosinen und Zibeben,
wellt den andern Teig eben so dünn aus, legt ihn auf den ersteren
Kuchen, schneidet oder sticht mit einem runden Möbelchen Küchlein
davon aus, backt sie in einer Pfanne mit heißem Schmalz schön gelb
aus und streut Zucker und Zimmt darauf.

12

628. Oesterreichischer Pfannenkuchen.

Man schneidet Speck in Würfel, läßt ihn in einer Flädchenpfanne zergehen und schneidet 2 bis 3 Zwiebeln der Länge nach daran; dann macht man einen Kochlöffel voll Mehl mit Milch an und schlägt 3 Eier daran, schneidet Fleisch, von welcher Gattung es seyn mag, in kleine Stückchen und legt es in die Pfanne, schüttet den Teig darauf, deckt die Pfanne zu und läßt den Kuchen auf beiden Seiten backen.

629. Gebackene Rosen.

Von 3 bis 4 Eiern macht man einen Nudelteig, arbeitet 4 Loth Butter darunter, wellt ihn stark messerrückendick aus, sticht mit einem blechernen Rosenmödelchen 4 Stücke davon aus, bestreicht ein jedes in der Mitte, legt die 4 Stückchen aneinander, drückt sie in der Mitte fest zusammen, backt sie in heißem Schmalz und bestreut sie mit Zucker und Zimmt.

630. Schneeballen.

Man nimmt 4 Eiergelb, 2 Löffel voll gestoßenen Zucker, etwas abgeriebene Citronenschale, 2 Löffel voll dicken sauren Rahm, 6 Loth Mehl, thut alles zusammen auf ein Nudelbrett, wellt einen Teig wie zu Nudeln, formt mit dem Backrädchen etwa 4 Zoll große Kreise und zieht in jeden Kreis 6 Linien hinein, indem man jedoch einen kleinfingerbreiten Rand läßt; sodann hebt man von den sich ergebenden 7 Streifen den zweiten, vierten und sechsten in die Höhe, wodurch die andern sich senken, bringt die Ballen in eine nicht zu große Pfanne mit siedendem Schmalz, backt sie schön gelb aus und streut Zucker und Zimmt darauf.

631. Strauben.

Man läßt in einer messingenen Pfanne 4 Loth Butter, eine halbe Maas Wasser und Mehl so lange miteinander kochen, bis der Teig sich von der Pfanne losschält; nun rührt man ungefähr 6 bis 7 Eier daran, bis der Teig so dünn ist, daß er läuft, bestreicht einen Straubentrichter mit heißem Schmalz, läßt durch diesen den Teig ins heiße Schmalz laufen, wendet die Strauben um, backt sie auch auf der andern Seite und streut Zucker und Zimmt darauf.

632. Weinstrauben.

Man rührt einen Schoppen Wein, 2 Loth Butter, eine Messerspitze voll Zimmt, 12 Loth Mehl und 2 Loth Zucker recht glatt miteinander, macht den Teig mit Eierweiß dünn, daß er gut läuft, begießt den Straubentrichter mit heißem Schmalz und läßt den Teig dadurch in eine Pfanne mit heißem Schmalz laufen, backt in diesem die Strauben gelb, wendet sie um, backt sie auf der andern Seite, krümmt sie über einem Holz und streut Zucker und Zimmt darauf.

633. Zuckerstrauben.

Ein Viertelpfund Mehl, 6 Loth Zucker, 3 Löffel voll Wein und 3 Löffel voll Rosenwasser rührt man mit Eierweiß an, macht den Teig etwas dünner als gewöhnlichen Straubenteig, läßt heißes Schmalz durch den Straubentrichter laufen, backt durch diesen die Strauben in heißem Schmalz aus, drückt sie, während sie noch heiß sind, über ein Wellholz und streut Zucker und Zimmt darauf.

634. Tabaksrollen.

Ein Butterteig oder sonst ein mürber Teig wird stark messer= rückendick ausgewellt, 3 Finger breite und halbviertel lange Streifchen davon geschnitten und mit Eiern bestrichen. Dann wird ein Viertel= pfund Zibeben und Rosinen in einem kleinen Geschirr mit einem Glas Wein eine Viertelstunde lang gekocht, bis keine Brühe mehr vorhan= den ist; nachdem dieses mit 2 Loth abgezogenen Mandeln und einem Loth Citronat vermischt ist, streicht man die Masse auf die Streifchen und rollt diese, wenn sie mit Eier bestrichen sind, auf Hölzchen, die gleichfalls mit Butter bestrichen sind, bindet sie mit Faden zusammen und backt sie in heißem Schmalz schnell gelb. Nachher nimmt man den Bindfaden wieder ab, läßt die Rollen auf Brodschnitten ablau= fen, zieht die Hölzchen heraus und streut Zucker und Zimmt auf die Rollen.

635. Kleine Tabaksrollen.

Ein halbes Pfund Mehl, 4 Loth gestoßene Mandeln, 4 Loth fein gestoßener Zucker, 4 Loth zerlassene Butter, ein halbes Glas Wein und von einer halben Maas saurer Milch der Rahm werden zu einem Teig gemacht, messerrückendick ausgewellt und Streifchen davon auf fingerdicke und fingerlange Hölzchen, die mit Butter be= strichen sind, aufgerollt, mit Bindfaden umbunden, in heißem Schmalz schön gelb gebacken und mit Zucker und Zimmt bestreut.

636. Gebrühter Teig.

Man läßt einen Schoppen Wasser, einen Schoppen Milch und 3 Loth Butter in einer messingenen Pfanne kochen, rührt so viel Mehl darein, bis es so dick wie Teig ist, und trocknet es auf dem Feuer gut ab. Diesen Teig nimmt man in eine Schüssel und schlägt 6 bis 8 Eier daran. Er ist zu breiten Küchlein, Holderküchlein und anderem Backwerk zu gebrauchen; auch kann man Kälberfüße darin backen.

12*

Zuckerbackwerk und Confekt.

637. Anisküchlein.

Man schlägt 5 Eierweiß zu einem Schnee, thut ein halbes Pfund schönen weißen Zucker daran, rührt dieß eine halbe Stunde lang, mischt dann für 2 Kreuzer reinen Anis und so viel Mehl darunter, bis der Teig nicht mehr zerläuft, belegt ein schwarzes Blech mit Ob= laten, sezt kleine Häuflein von dem Teige darauf und backt sie bei gelinder Hitze im Ofen, so daß sie ganz weiß bleiben.

638. Auislaibchen auf Oblaten.

Ein halbes Pfund Zucker, 7 Eierweiß und den Saft von einer Citrone rührt man zu weißem Eis, nimmt dann 6 Loth feines Mehl und 2 Loth sauber gewaschenen Anis dazu. Nachdem man an einem kleinen Wenig von dieser Masse im Ofen beobachtet hat, ob sie nicht mehr zerfließt, werden auf weiße Oblaten, die man auf ein schwarzes Blech gelegt, von der Masse mit einem Caffeelöffel kleine Laibchen gesezt, langsam im Ofen gebacken, aber nur so, daß sie keine gelbe Farbe bekommen, sondern hübsch weiß bleiben.

639. Aepfel in Butter gebacken.

Man schält Borsdorferäpfel, schneidet oben einen kleinen Deckel ab und das Kernhaus heraus, kocht kleine und große Weinbeeren eine halbe Viertelstunde lang mit Wein auf, wiegt sie und füllt die Aepfel damit aus. Dann wellt man einen feinen Butterteig messer= rückendick aus, schneidet 2 zwei Finger breite Streifchen, legt sie über's Kreuz, stellt einen Apfel darauf und hebt die 2 Streifchen am Apfel in die Höhe; oben kommen andere 2 Streifchen zu liegen, die man abwärts biegt und mit den unteren mit Ei zusammenklebt; sodann bestreicht man alle Streifchen mit Ei, sezt die Aepfel auf ein schwar= zes Blech, backt sie und streut Zucker darauf.

640. Aepfelschaum.

Man bratet 6 Borsdorferäpfel, schabt das Mark davon und rührt es mit einem Viertelpfund fein gesiebtem Zucker eine halbe Stunde lang; schlägt sodann von 3 Eiern einen steifen Schnee, mengt diesen mit dem Gelben von einer halben am Reibeisen abgeriebenen Citrone unter die Masse, belegt ein Blech mit Oblaten, sezt Häuflein darauf und backt sie im Ofen.

641. Kleine Butterbiscuits.

Zu einem Viertelpfund frischer Butter, in einer Schüssel zu Schaum gerührt, rührt man nach und nach 6 Eiergelb, ein Viertel= pfund fein gesiebten Zucker, die Schale von einer halben Citrone, am Reibeisen abgerieben, den Schnee von 6 Eierweiß, mit 6 Löffeln voll feinem Mehl vermischt, und macht alles gut untereinander. Diesen

Teig füllt man in 1 Finger lange und 2 Finger breite, mit zerlassener
Butter innen angefeuchtete Kapseln von steifem Papier und backt
sie darin im Ofen.

642. Kleine Butterbiscuits anderer Art.

Ein halbes Pfund Butter wird in einer Schüssel schaumig gerührt; dann werden 6 Eier, eines nach dem andern, ein halbes Pfund
fein gestoßener Zucker, wenn man will, auch eine kleine Hand voll
Weinbeeren, 6 Loth Mehl darunter gerührt und die Masse in kleine
blecherne, bestrichene Mödelchen gefüllt und im Ofen gebacken.

643. Citronenbiscuit.

Eine ganze Citrone wird an einem Stück Zucker abgerieben, das
Geriebene mit 2 Eierweiß und einem halben Pfund fein gestoßenem
Zucker zu einem dicken Eis gerührt, dieses auf einem Nudelnbrett ge-
wellt, mit der Hand breit gedrückt, ein Biscuitmödelchen in kaltes
Wasser getaucht, der Teig darein gelegt und die Biscuits in einem
abgekühlten Ofen gebacken.

644. Schmales Anisbrod.

Ein Pfund Zucker, 10 Eiergelb, den Schnee von 10 Eierweiß
rührt man eine halbe Stunde stark untereinander, dann nimmt man
eine am Reibeisen abgeriebene Citrone, ein starkes Pfund Mehl, 2
Hände voll sauber gewaschenen Anis zu Obigem, streut Mehl auf
ein schwarzes Blech, macht lange, handbreite Stangen von dem Teig,
legt sie darauf, backt sie im Ofen, schneidet sie, wenn sie erkaltet
sind, in Schnitten und bäht sie in einem nicht zu heißen Ofen.

645. Belgrader Brod.

Ein Viertelpfund abgezogene Mandeln wird möglichst fein geschnitten, eben so viel Mandeln mit Rosenwasser fein gestoßen, beides
sodann in eine Schüssel zusammen gethan, 12 Loth Zucker, 10 Loth
Mehl, ein Quint gestoßener Zimmt, ein Quint Nelken, das fein gewiegte Gelbe von einer Citrone und 1 Messerspitze voll Pottasche,
daran 2 bis 3 Eier geschlagen, gibt einen Teig, den man fingerdick
auswellt und fingerlange Stückchen daraus schneidet; diese klopft man
mit dem Messer ein wenig breit, läßt sie auf Oblaten auf einem
schwarzen Blech eine Viertelstunde stehen und backt sie dann im Ofen.

646. Citronenbrod.

Aus einem Pfund Mehl, einer Messerspitze voll Salz, 4 Loth
feinem Zucker, 8 Loth zerlassener Butter, 2 Löffeln voll guter Bierhefe, dem Gelben von einer halben Citrone, 2 Eiern und 2 Dottern,
macht man in einer Schüssel einen festen Teig, arbeitet ihn eine Viertelstunde auf dem Nudelnbrett und macht einen langen Stängel davon,

den man auf einem mit Mehl bestreuten schwarzen Blech bei gelin=
der Wärme gut gehen läßt; wenn er reif ist, bestreicht man ihn mit
einem verklopften Ei und backt ihn im Ofen. Den andern Tag schnei=
det man den Stängel in dünne Schnitten, die man auf einem schwar=
zen Bleche im Ofen schön gelb ausbackt.

647. Citronenbrod anderer Art.

Zu einem halben Pfund gesiebtem Zucker thut man den Schnee
von 2 Eierweiß und 2 Eiergelb, rührt dieß eine Viertelstunde; hiezu
rührt man ferner das am Reibeisen abgeriebene Gelbe einer Citrone
und von einer halben Citrone den Saft, mengt 8 Loth Mehl darunter,
sezt von dieser Masse lange oder runde Laibchen auf Oblaten auf
einem Bleche und backt sie.

648. Brod von hartgesottenen Eiern.

Von 6 hartgesottenen Eiern wird das Gelbe durch ein Haarsieb
getrieben, aufs Nudelnbrett genommen, 4 Loth Zucker, 2 Eiergelb, etwas
Gelb von einer Citrone und Mehl darunter gemischt, zerlassene Butter
daran gegossen und wie ein Nudelnteig gearbeitet; aus diesem macht
man ein Viertel lange Stängel, sezt sie auf ein mit Speck bestriche=
nes schwarzes Blech, bestreicht sie mit einem Ei und grobgestoßenem
Zucker, backt sie im Ofen gelb und gibt sie zum Thee.

649. Freimaurerbrod.

1½ Viertelpfund abgezogene und mit Rosenwasser gestoßene Man=
deln, 1½ Viertelpfund Zucker, 4 Loth fein gewiegter Citronat, 2 Loth
Pomeranzenschalen ebenfalls fein gewiegt, ein halbes Quint gestoßener
Zimmt, ein Quint Nelken und der Schnee von 2 bis 3 Eierweiß werden
in einer Schüssel eine Viertelstunde lang mit einander gerührt, finger=
lange Stängel daraus gemacht und diese auf einem mit Speck oder
Wachs bestrichenen Blech im Ofen gebacken.

650. Freimaurerbrod anderer Art.

An ein Viertelpfund fein gesiebten Zucker schlägt man 2 ganze
Eier und 2 Dotter und rührt es recht untereinander, bis es dick
wird; dann reibt man von einer halben Citrone das Gelbe am Reib=
eisen ab, knetet Mehl darein, bis man es gut auf dem Nudelnbrett
arbeiten kann, macht fingerslange Stängelchen daraus, legt sie auf
ein mit Speck bestrichenes Blech, macht mit dem Messerrücken 2 Risse
in dieselben, schneidet Citronat so lang und so breit als die Risse
sind, legt ihn in die Risse, läßt sie noch eine Viertelstunde stehen,
daß sich der Zucker in die Höhe zieht, und backt sie dann.

651. Schlozerbrod.

Ein halbes Pfund fein gesiebten Zucker, 2 ganze Eier und 3 Dot=
ter und von einer Citrone das am Reibeisen abgeriebene Gelbe rührt
man eine Viertelstunde miteinander, mischt 18 Loth Mehl darunter,

macht auf dem Nudelnbrett fingerlange Stängelchen davon, die in der Mitte etwas dünner sind, als an den Enden, bestreicht ein schwarzes Blech mit Speck, bestreut es mit Anis, sezt die Brödchen, nicht sehr nahe zusammen, darauf und backt sie im Ofen schön gelb aus.

652. Schwedisches Brod.

Man stoßt ein Viertelpfund Mandeln mit Rosenwasser nicht zu fein und mischt sie mit einem halben Pfund fein gesiebtem Zucker, einem Quint Zimmt, einem Quint Nelken, einem Quint Cardamomen, Muskat= blüthe, einer Messerspitze voll Pfeffer und 4 Loth feinem Mehl, schlägt ein Ei daran, macht einen Teig davon, wellt ihn fingerdick aus, sticht mit einem kleinen Trinkgläschen Stückchen daraus, legt sie auf ein mit Wachs bestrichenes Blech und backt sie im Ofen. Wenn sie aus dem Ofen kommen, macht man folgendes Eis daran: An ein Eiweiß rührt man 4 Loth Zucker, einige Tropfen Citronensaft, rührt dieses eine Zeit lang miteinander, bestreicht die Brode mittelst eines Pinsels damit und läßt sie im Ofen ganz ausbacken.

653. Spanisches Brod.

Ein Ei und 3 Eiergelb, ein Viertelpfund fein gesiebten Zucker, ein Stückchen gestoßene Vanille rührt man eine starke Viertelstunde miteinander, mengt ein Viertelpfund feines Mehl darunter, legt auf ein schwarzes Blech steifes Papier, bestreut es mit ein wenig Zucker, sezt mit einem Caffeelöffel kleine Häuflein von der Masse darauf und läßt sie in einem abgekühlten Ofen ausbacken.

654. Wiesbadner Brod.

Ein Viertelpfund Butter, ein halbes Pfund Mehl, 6 Loth Zucker, von einer Citrone das Gelbe am Reibeisen abgerieben, 6 Eiergelb geben zusammen einen Teig, aus dem man fingerlange Stängelchen macht, welche man mit einem Messer auf einem schwarzen, mit Speck bestrichenen Bleche reißt, im Ofen backt und mit Citronen= oder Chokoladeeis übergießt.

655. Butterblumen.

Ein halbes Pfund Butter, ein halbes Pfund Mehl, 4 Löffel voll Zucker, 3 Löffel voll Wein werden auf dem Nudelnbrett mit einem Eigelb zu einem Teige gemacht, den man stark messerrücken= dick auswellt, mit allen Formen blecherner Mödelchen Figuren daraus sticht; diese legt man auf ein schwarzes Blech, bestreicht sie mit Ei, bestreut sie mit gestoßenen Mandeln und backt sie.

656. Butterbrezeln.

Ein Viertelpfund Butter, ein halbes Pfund Mehl, ein Viertel= pfund Zucker, ein Ei, ein Dotter und ein Eßlöffel voll süßer oder saurer Rahm wird in einer Schüssel oder auf dem Nudelnbrett recht unter= einander gemacht und kleine Brezeln oder Ringchen daraus formirt, mit Eiergelb bestrichen, bittere gewiegte Mandeln darauf gestreut und gebacken.

657. Butterlaibchen.

Es werden 2 Eier mit einem Viertelpfund Butter, einem Viertelpfund Zucker und einem Viertelpfund fein gestoßenen Mandeln eine Viertelstunde lang gerührt, 1½ Viertelpfund Mehl, von einer halben Citrone das Gelbe, am Reibeisen abgerieben, und eine Messerspitze voll gestoßener Zimmt darein gearbeitet; von diesem Teige werden Laibchen von der Größe einer Welschnuß auf ein mit Speck bestrichenes Blech gelegt, mit Ei bestrichen, mit grob gestoßenem Zucker bestreut und gebacken.

658. Schweizer Butterlaibchen.

Es werden 2 Eier, ein Viertelpfund Zucker, eben so viel Mandeln und ein Viertelpfund Butter miteinander abgerührt; alsdann kommen 1½ Vierling Mehl daran, wenn es beliebt, auch klein geschnittene Citronenschalen und gestoßener Zimmt. Nun wird ein Blech mit Mehl bestreut, mit einem Löffel von dem Teig Laibchen, etwas größer als ein Pfeffernüßchen, aufgesezt und im Backofen gebacken. Man kann sie mit Ei bestreichen, mit Zucker und gewiegten Mandeln bestreuen, oder auch die Mandeln aus dem Teig weglassen und dafür zu so viel Butter und Zucker als oben bestimmt ist, 3 Eier, ein halbes Pfund Mehl, 8 bis 10 abgezogene Mandeln und 3 Loth geschnittenen Citronat in den Teig nehmen; im Uebrigen werden sie wie die vorigen Laibchen gemacht.

659. Butterstritzel.

Von einem Pfund Butter, einem Pfund Mehl, 4 Eiergelb, 2 Löffeln voll Zucker macht man einen Teig (sollte er zu fest seyn, so kann ein wenig Wasser dazu genommen werden), arbeitet diesen auf einem Nudelbrett zusammen, schlägt ihn übereinander, verfährt so 4 Mal damit; zum fünften Mal wellt man ihn laubdünn aus, streut gestoßenen Zucker darauf, schlägt ihn 4 Mal übereinander, schneidet 1 Finger lange und 2 Finger breite Stückchen davon, legt sie auf ein schwarzes Blech, bestreicht sie mit Eierweiß, streut Zucker darauf und backt sie im Ofen schön gelb.

660. Caffeeküchlein.

Eine halbe Maas Milch oder Wasser, ein Viertelpfund Butter und ein Viertelpfund Zucker, woran eine Citrone abgerieben wurde, läßt man 4 Minuten lang miteinander kochen, rührt 12 Loth Mehl daran und kocht Alles miteinander so lange, bis der Teig trocken ist, dann schlägt man 6 Eier daran, bestreicht ein schwarzes Blech mit Speck, streut ein wenig Mehl darauf, sezt mit einem Löffel von dem Teig Häufchen darauf und backt sie im Ofen gelb.

661. Chokoladeküchlein.

Man schlägt 2 Eierweiß zu einem steifen Schnee, rührt ein halbes Pfund fein gesiebten Zucker darein, eben so viel geriebene Chokolade, mischt es untereinander, sezt Häufchen davon auf ein schwarzes, mit Wachs bestrichenes Blech und backt sie im Ofen.

662. Citroneneis.

Die Schale von einer Citrone reibt man an einem Viertelspfund Zucker ab; der übrige Zucker wird fein gestoßen und gesiebt, von der Citrone der Saft daran gedrückt; dann schlägt man ein Eiweiß zum Schnee, rührt es miteinander eine Viertelstunde und braucht es nach Belieben.

663. Gelbes Eis.

Eine kleine Messerspitze voll Safran und einen Löffel voll kochendes Wasser läßt man einen Augenblick stehen, nimmt ein Viertelspfund fein geriebenen Zucker dazu, schlägt ein Eiweiß daran, rührt es eine Viertelstunde miteinander, nimmt von dem angebrühten Safran tropfenweise dazu, bis es schön gelb ist und braucht es nach Belieben.

664. Rothes Eis.

An ein Viertelpfund geriebenen feinen Zucker schlägt man ein Eiweiß, rührt es eine Viertelstunde miteinander, thut tropfenweise Erbsensaft oder Cochenillefarbe dazu, bis es schön roth ist, und braucht es nach Belieben.

665. Weißes Eis.

Ein Viertelpfund Zucker wird ganz fein gestoßen, durch ein Haarsieb gezogen, ein Eiweiß daran geschlagen und von einer Citrone der Saft dazu gethan; man rührt es eine Viertelstunde, bis es ganz weiß wird, und braucht es nach Belieben.

666. Zimmteis.

An ein Viertelpfund fein geriebenen Zucker schlägt man ein Eiweiß, rührt es eine Viertelstunde miteinander, nimmt ein Loth gestoßenen Zimmt dazu und ein paar Tropfen Citronensaft.

667. Gebackene Finger von Mandelnteig.

Von einem Pfund Mehl, einem Viertelpfund Butter, einem Viertelpfund gestoßenen Mandeln, einem halben Glas Wein, Zimmt und Nelken (nach Belieben), der Schale von einer Citrone, etwas Pomeranzenschalen und 2 Eiern wird ein glatter Teig bearbeitet, Fingerlein daraus gemacht und im heißen Schmalz gebacken.

668. Flugpasteten.

4 Eierweiß werden zu einem steifen Schnee geschlagen, ein Täfelchen geriebene Chokolade darunter gerührt, Manchetten von

weißem Papier gemacht, diese auf ein schwarzes Blech gestellt, die Masse darein gefüllt und 4 Minuten lang im Rohr getrocknet.

669. Galanterieküchlein.

Ein Pfund schönes Mehl und ein Pfund Butter reibt man mit der Hand untereinander, bis nichts mehr von der Butter zu sehen ist, nimmt ein halbes Pfund gesiebten Zucker und 2 Eier dazu, wellt den Teig aus, schlägt ihn übereinander, wellt ihn fingerdick aus, sticht mit einem blechernen Mödelchen Küchlein davon aus, bestreicht sie mit Eierweiß, streut grob gestoßenen Zimmt und Zucker darauf und backt die Küchlein schön gelb.

670. Geduldzeltchen.

Von 5 Eierweiß wird ein steifer Schnee geschlagen, mit einem halben Pfund Zucker und 8 Loth Mehl und dem Gelben einer Citrone ganz dick gerührt, ein schwarzes Blech mit Wachs bestrichen, mit einem durchs Wasser gezogenen Trichter tropfenweise von der Masse auf das Blech laufen gelassen und im Ofen getrocknet; sie müssen aber weiß bleiben.

671. Aufgelaufene Geduldzeltchen.

An ein Ei wird in einer Schüssel ein Viertelpfund fein gesiebter Zucker eine halbe Stunde lang gerührt, hernach ein Viertelpfund vom schönsten Mehl, das von einer halben Citrone am Reibeisen abgeriebene Gelbe darunter gemischt, davon auf ein mit Wachs oder Speck bestrichenes schwarzes Blech kleine Häuflein gesezt und im Ofen gebacken.

672. Haselnußküchlein.

Ein Viertelpfund Zucker, 6 Eierweiß, die abgeriebene Schale von einer Citrone, 8 Loth Butter, 4 Loth Mehl und 2 Hände voll gestoßene Haselnüsse arbeitet man recht durcheinander, backt sie im Waffeleisen gelb und streut Zucker darauf.

673. Hippen mit Mandeln.

2 Eierweiß, ein Viertelpfund gesiebter Zucker, ein Viertelpfund fein gestoßene Mandeln und eine Messerspitze voll Zimmt werden eine Viertelstunde miteinander gerührt, die geriebene Schale von einer Citrone, der Saft von einer halben Citrone und 3 Loth Mehl damit vermischt, ein schwarzes Blech mit Speck bestrichen, Hippen von der Masse gemacht, dieselben schön gebacken und, wenn sie noch recht warm sind, über ein rundes Holz gedrückt.

674. Hippen ohne Mandeln.

4 Loth Mehl rührt man mit Wein oder weißem Bier glatt, nimmt 4 Eierweiß, 3 Loth gestoßenen Zucker, ein Quint Zimmt und eine halbe Muskatnuß dazu, rührt noch einmal Alles recht untereinander, bestreicht ein Hippeneisen mit Speck, macht es heiß, gießt einen Eßlöffel voll von dem Teig daran, backt die Hippen schön gelb und drückt sie noch heiß über ein rundes Holz.

675. Wiener Hippen.

Man macht von einem Vierling Mehl, 4 Loth Schmalz, 4 Loth gestoßenen Mandeln, einem Viertelpfund gesiebten Zucker, 4 Eiern, von der Schale und dem Saft einer Citrone und einem Löffel voll süßem Rahm einen glatten Teig, backt ihn im Hippeneisen und rollt die Hippen, ehe sie kalt werden, auf.

676. Gewöhnliches Hutzelnbrod (Schnitzbrod).

Man siedet Hutzeln und Zwetschgen, so viel man braucht, nimmt auch nach Belieben Rosinen dazu, schneidet ein halbes Pfund abgezogene Mandeln der Länge nach, macht 50 bis 60 Stücke welsche Nüsse aus, nimmt Zimmt, Nelken, Anis, Feigen, ein Glas Kirschengeist dazu, mischt Waizenmehl und etwas Bierhefe mit der gekochten Hutzelnbrühe, macht einen (sog.) Vorteig davon und läßt ihn in der Wärme gehen; wenn er reif ist, arbeitet man ihn recht zusammen, salzt ihn, stellt ihn wieder zur Wärme, läßt ihn halbreif werden, macht Laibchen davon, arbeitet von den gewürzten Hutzeln darein, bestreicht die Laibchen mit Hutzelnbrühe, läßt sie noch einmal gehen und backt sie dann im Ofen.

677. Bozener Hutzelnbrod.

Einen Vierling Hutzeln siedet man recht weich, schneidet sie in kleine Stückchen, nimmt Butzen und Stiele davon, macht ein Pfund Zibeben, ein Pfund Weinbeeren, 2 Pfund sauber gewaschene ausgesteinte Zwetschgen, 12 Feigen, ein Pfund abgezogene und fein geschnittene Mandeln, 2 Loth Zimmt, ein halbes Loth Nelken, für 6 Kreuzer Kubeben und Kardamomen (fein gestoßen), ein Pfund Citronat und Pomeranzenschalen (fein geschnitten) gut untereinander, nimmt 3 Hände voll Mehl aufs Nudelbrett, macht einen festen Teig mit Wasser, wellt ihn stark messerrückendick aus, schlägt die Masse darein, macht das Brod rund, aber höchstens 4 Finger hoch, stupft es ein wenig, thut es in den Backofen und läßt es recht schön backen. Man macht folgendes Eis darüber: von 2 Eierweiß und einem Viertelpfund fein gestoßenem Zucker, dem Saft einer halben Citrone rührt man ein dickes Eis, bestreicht das Hutzelnbrod messerrückendick damit und garnirt es mit eingemachten Früchten nach Belieben.

678. Kindbetterinbrod.

Ein Viertelpfund Butter, ein Viertelpfund fein gestoßene Mandeln, von einer halben Citrone das Gelbe, 4 Loth fein gestoßener Zucker, ein Viertelpfund feines Mehl und ein Ei werden zu einem Teig zusammengearbeitet, daraus daumengroße Stängelchen, an beiden Enden spitzig, gemacht, mit dem Messer Gitter darauf gerissen, auf ein schwarzes, mit einer Speckschwarte bestrichenes Blech gelegt, mit Eierweiß bestrichen, mit grob gestoßenem Zucker bestreut und im Ofen gebacken.

679. Kofern.

Man rührt 6 Loth Butter, 4 Loth Zucker, eine halbe am Reib= eisen abgeriebene Citrone, ein ganzes Ei, 8 Loth feines Mehl, einen Löffel voll süßen Rahm, ein halbes Loth Pomeranzenschalen, Zimmt und Nelken nach Belieben, miteinander recht glatt an, bestreicht das Koferneisen mit Speck, macht es heiß, gießt einen Löffel voll von dem Teig hinein, macht das Eisen fest zu, backt die Kofern auf diese Art aus und drückt sie, während sie noch heiß sind, auf ein rundes Holz.

680. Böhmische Kolatschen.

Aus 2 Pfund Mehl, 3 Löffeln voll guter weißer Bierhefe und einem Schoppen warmer Milch macht man in einer Schüssel einen Vorteig, den man bei gelinder Wärme gut gehen läßt. Hierauf wird er mit 5 Eierdottern und 2 Loth gestoßenem Zucker mit der Hand gearbeitet, auf dem Nudelbrett ausgewellt, 12 Loth Butter auf den Kuchen geschnitten, die Kuchen übereinander geschlagen und nochmals ausgewellt; dieses Verfahren wird so lange fortgesetzt, bis nichts mehr von der Butter zu sehen ist. Dann kommt der Teig wieder in die Schüssel, wo man ihn gehen läßt; hernach macht man runde Häuschen davon, welche man auf ein Blech sezt und langsam gehen läßt; drückt mit einem Ei eine Vertiefung hinein, füllt diese mit Aprikosenmarme= lade aus, legt ein wenig Schnee von Eierweiß darauf, bestreut die= selben mit Zucker und Vanille und backt sie eine halbe Stunde nicht zu heiß.

681. Luftnudeln.

8 Loth Butter, 8 Loth Wasser und 12 Loth Zucker werden in einer messingenen Pfanne miteinander gekocht und dann 9 Loth feines Mehl und für 9 Kreuzer gestoßene Vanille dazu gerührt. Ist der Teig so getrocknet, daß er sich von der Pfanne losschält, so wird er in eine Schüssel genommen, 6 Eier, eines nach dem andern, daran gerührt und von solcher Masse daumenlange Nudeln auf einem mit Fett bestrichenen schwarzen Bleche bei guter Hitze gebacken.

682. Makronen.

Ein halbes Pfund abgezogene Mandeln werden mit Eierweiß im Reibstein fein gerieben (auf ein Pfund Mandeln rechnet man 4 große oder 5 kleine Eierweiß), in einer Schüssel mit einem Pfund gesiebtem Zucker zusammengearbeitet und 2 Eierweiß daran gerührt. Davon sezt man runde oder längliche Makronen auf Oblaten auf einem schwarzen Bleche und backt sie in einem abgekühlten Ofen aus.

683. Gebackene Mandeln.

Man rührt 3 Eierdotter und ein Ei an ein Viertelpfund Zucker, nimmt es in eine Schüssel, reibt eine Citrone am Reibeisen ab, läßt welschnußgroß Butter zergehen und rührt Alles untereinander. Darauf mischt man 5 Loth Mehl darunter, wellt den Teig auf dem

Nudelnbrett fingersdick aus, sticht mit einem blechernen Möbelchen, das die Form einer Mandel hat, die Kuchen aus, backt die Küchelchen im heißen Schmalz gelb und bestreut sie mit Zucker. Beim Ausstechen darf nicht mehr viel Mehl hinein gearbeitet werden.

684. Gebackene Mandeln anderer Art.

Man stößt ein Viertelpfund abgezogene Mandeln mit Rosenwasser ganz fein, bringt sie in eine Schüssel, schlägt 2 Eier daran, thut 4 Loth fein gestoßenen Zucker dazu und rührt die Masse eine Viertelstunde lang. Dann kommt von einer halben Citrone die am Reibeisen abgeriebene Schale und eine Messerspitze voll Zimmt dazu. Alles wird nun mit 12 Loth feinem Mehl gut gerührt, auf einem mit Mehl bestreuten Brett kleinfingerdick gewellt und ebenfalls mit einem Möbelchen Mandeln daraus gestochen, die man in heißem Schmalz schön gelb ausbackt und mit Zucker bestreut.

685. Gebackene Mandeln anderer Art.

3 Eierdotter, 1 Löffel voll Kirschengeist und 2 Löffel voll Zucker macht man untereinander, rührt so viel Mehl darein, bis man den Teig würgen kann; im Uebrigen werden sie gemacht, wie die andern gebackenen Mandeln und mit Zimmt und Zucker bestreut.

686. Geröstete oder gebackene Mandeln.

Ein halbes Pfund Zucker wird geläutert, ein halbes Pfund Mandeln mit einem Tuch abgerieben und in dem Zucker gekocht, bis sie krachen. Dann werden sie vom Feuer genommen und so lange umgerührt, bis sie kalt sind, ferner wieder gekocht, bis sie glänzen, auf einem Brett verzupft und dann aufbewahrt.

687. Mandelbögen.

Man schneidet ein Viertelpfund abgezogene Mandeln so fein wie möglich, von einer Citrone wird das Gelbe abgerieben, von 3 Eiern ein steifer Schnee geschlagen und die Mandeln mit 3 Loth gestoßenem Zucker darunter gemengt. Dann bestreicht man ein schwarzes Blech mit Wachs, schneidet stark messerrückendicke, fingerbreite und fingerlange Stückchen von der Masse darauf und backt sie im Ofen gelb; dann wird das Gebackene gleich auf dem Wellholz krumm gemacht.

688. Aufgelaufenes Mandelubrod.

Ein Pfund abgeschälte Mandeln werden der Länge nach so fein als möglich geschnitten, von 4 Eierweiß und einem Viertelpfund gesiebtem Zucker ein dickes Eis gerührt, ein Loth feines Mehl nebst den Mandeln dazu genommen, Oblaten auf ein schwarzes Blech gelegt, fingersdick die Masse darauf gestrichen und das Mandelnbrod im Ofen gebacken.

689. Falsches Mandelnbrod.

1½ Viertelpfund Mehl, ein Viertelpfund Zucker, ein Viertel=
pfund Butter, ein Stück Zucker, woran eine Citrone abgerieben,
wird zusammen auf dem Nudelnbrett zu einem Teig gemacht; dazu
kommen 2 bis 3 Löffel voll Wein, dann wird der Teig noch einmal
gearbeitet, stark messerrückendick ausgewellt, mit einem viereckigen
Mödelchen Küchlein daraus gestochen, diese auf einem mit Mehl
bestreuten Blech, mit verklopftem Ei bestrichen, viel Zucker und
Zimmt darüber gestreut und im Ofen gebacken.

690. Mandelhäufchen.

Man schneidet ein halbes Pfund abgezogene Mandeln der Länge
nach, rührt sie mit 4 Loth Citronat, Pomeranzenschalen, der Schale
einer Citrone (welches Alles fein gewiegt wird), 4 Eierweiß zu Schnee
geschlagen und ein halbes Pfund gesiebten Zucker eine starke Viertel=
stunde, belegt ein schwarzes Blech mit Oblaten, setzt Häufchen von
der Masse darauf und backt diese im Ofen gelb.

691. Mandelhäufchen anderer Art.

Der steife Schnee von 2 Eierweiß und ein Viertelpfund fein
gesiebter Zucker werden zu dickem Eis gerührt, etwas Citronengelb
daran gerieben und mit einem Viertelpfund abgezogenen, möglichst
fein geschnittenen Mandeln untereinander gemacht. Sodann werden
Oblaten auf ein schwarzes Blech gelegt und von der Masse Häufchen
so groß wie eine Welschnuß darauf gesetzt, worauf man sie in einem
abgekühlten Ofen gelb backt.

692. Mandelkränzchen.

Aus 12 Loth Mehl, einem Viertelpfund Butter, 4 Loth Zucker,
2 Löffeln voll Rosenwasser, 2 bis 3 Eierweiß wird auf dem Nudeln=
brett ein Teig gut durchgearbeitet, Kränzchen davon gemacht, die
man auf ein mit Mehl bestreutes Blech legt, mit Ei bestreicht, mit
grob gestoßenem Zucker und Mandeln bestreut und im Ofen gelb backt.

693. Mandelküchlein.

Aus einem Viertelpfund Butter, einem halben Pfund Mehl,
4 Loth Zucker und einem Eidotter wird auf dem Nudelnbrett ein
Teig gemacht, dieser messerrückendick ausgewellt, mit einem Trinkglas
Küchlein daraus gestochen und auf ein mit Mehl bestreutes Blech
gelegt. 4 Loth abgezogene Mandeln werden mit Rosenwasser gestoßen
und auf einen Teller geschüttet, wo noch 2 Loth gestoßener Zucker,
2 Messerspitzen voll Zimmt und der Saft von einer Citrone darunter
gemengt wird. Diese Masse wird auf die Küchlein vertheilt und die=
selben im Ofen gelb gebacken.

694. Mandelschnecken.

Ein Butterteig wird messerrückendick ausgewellt und eine halbe Viertelelle lange Riemen daraus geschnitten. Ein Viertelpfund abge= zogene, nicht sehr fein gestoßene Mandeln wird mit dem Gelben, dem Mark und dem Saft einer Citrone und 4 Loth Zucker vermischt, die Masse auf die Streischen gestrichen, diese in Form von Schnecken zusam= mengerollt und auf einem mit Mehl bestreuten Blech gelb gebacken.

695. Muskazine.

Ein halbes Pfund Mandeln wird abgerieben, fein gestoßen, 2 ganze Eier, ein Eiweiß, ein halbes Pfund gesiebter Zucker, eine abgeriebene Citrone, 3 Loth fein gewiegter Citronat und Pomeranzen= schalen, ein Loth Zimmt, ein Quint Nelken dazu genommen, eine halbe Stunde miteinander gerührt, der Teig auf ein Nudelnbrett mit Zucker und Mehl gelegt, die Mödel mit Zucker ausgestreut, der Teig fest darein gedrückt, Oblaten auf ein schwarzes Blech gelegt, die Mus= kazinen aus den Mödeln auf die Oblaten gelegt und gebacken.

696. Nonnenkrapfen.

2 Pfund geriebenes schwarzes Brod läßt man auf einem schwarzen Blech im Ofen gelb werden, reibt eben so viel braune Nürnberger Lebkuchen gleichfalls am Reibeisen und macht das Brod und die ge= riebenen Lebkuchen in einer Schüssel mit 3 Messerspitzen voll gestoße= nen Nelken, einem Loth gestoßenem Zimmt, für 6 Kreuzer Cardamom und fein gestoßenen Kubeben, nebst einem halben Schoppen Honig zu einem festen Teig, den man zugedeckt stehen läßt. Man nimmt nun Mehl aufs Nudelnbrett so viel man braucht, macht einen Teig wie zu geschnittenen Nudeln, wellt ihn stark messerrückendick aus, legt einen Eßlöffel voll von der Masse darauf, doch so, daß fingerbreit leer bleibt, schlägt den Teig darüber, macht mit einem Backrädchen runde Kräpschen davon, legt sie auf ein schwarzes Blech, stellt sie in einen Ofen und trocknet sie; sie müssen ganz weiß bleiben.

697. Ofenküchlein.

Die Ofenküchlein werden auf die nämliche Art gemacht wie an= deres derartiges Backwerk. Einen Schoppen Wasser, 4 Loth Butter, 2 Loth Zucker läßt man in einer messingenen Pfanne miteinander kochen, rührt 10 Loth feines Mehl darein, kocht es wieder bis es sich von der Pfanne losmacht. Dann kommt der Teig in eine Schüssel, wo man 4 bis 5 Eier, eines nach dem andern, daran rührt. Dieser Teig wird auf ein schwarzes mit Mehl bestreutes Blech gesezt, mit etwas Eingemachtem oder mit geschnittenen Mandeln, jedenfalls mit Zucker überstreut und in gelinder Hitze gebacken.

698. Pfaffenbrod.

Von einem Eiweiß schlägt man einen steifen Schnee, rührt 3 Eiergelb, 8 Loth fein gestoßenen Zucker dazu und das Ganze eine

Viertelstunde untereinander; dann werden 8 Loth abgezogene und möglichst fein geschnittene Mandeln mit 5 Loth Mehl und dem Gelben einer halben am Reibeisen abgeriebenen Citrone unter die Masse gethan. Nun nimmt man eine Hand voll Mehl und Zucker untereinander auf das Nudelnbrett, wellt den Teig darauf stark messerrückendick aus, schneidet einen Finger lange und 2 Finger breite Stückchen davon, läßt diese auf einem mit Speck bestrichenen Bleche eine Viertelstunde lang stehen, damit sich der Zucker in die Höhe zieht, und backt sie in gelinder Ofenhitze aus.

699. Pfaffenkappen.

An ein Viertelpfund abgezogene Mandeln und ein Viertelpfund Zucker werden 2 Eier und 2 Dotter geschlagen und mit einer am Reibeisen abgeriebenen Citrone wie eine Mandeltorte gerührt bis der Teig dick ist. Inzwischen wellt man einen mürben Butterteig messerrückendick aus, schneidet mit einem warmen Messer 3 Finger breite und eine Viertelelle lange Streifen möglichst genau, legt einen Löffel voll von der gerührten Masse mitten auf einen Streifen, faßt die beiden Ecken über's Kreuz und legt sie in die Mitte des Streifen, bestreicht sie mit Ei, faßt die andern zwei Ecken über's Kreuz und legt sie in die Mitte des Streifen, so daß er die Form einer Pfaffenkappe bekommt; bestreicht ihn sodann wieder mit Ei, streut grob gestoßenen Zucker darauf, sezt die Streifen auf ein schwarzes Blech und backt sie.

700. Pfeffernüßchen.

3 Eierweiß schlägt man zu einem steifen Schnee, rührt das Gelbe von den Eiern, dann ein halbes Pfund gesiebten Zucker darein und rührt Alles eine Viertelstunde miteinander; wiegt sodann von einer Citrone das Gelbe, so wie 2 Loth Citronat und Pomeranzenschalen und thut sie mit 2 Messerspitzen voll Zimmt, einer Messerspitze voll Nelken und einem halben Pfund feinem Mehl an die Masse und macht Kügelchen von der Größe einer Haselnuß daraus; sodann bestreicht man ein schwarzes Blech mit einer Speckschwarte, auf welchem man die Kügelchen im Ofen gelb backt.

701. Pomeranzenküchlein.

Zu einem Viertelpfund fein gestoßenem Zucker schlägt man in einer Schüssel 4 Eiergelb und rührt sie eine Viertelstunde durcheinander; dann wiegt man 2 Loth Citronat und Pomeranzenschalen, 3 Loth abgezogene Mandeln, von einer halben Citrone das Gelbe zusammen, aber nicht zu fein, und mischt es unter die Masse; hernach rührt man 6 Loth feines Mehl darein, legt steifes Papier auf ein schwarzes Blech, streut Zucker darauf und sezt Häufchen auf das Papier, stellt sie zur Probe in den Ofen, ob sie nicht mehr zerlaufen; sollten sie noch zerlaufen, so wird noch mehr Mehl dazu genommen, und die Häufchen werden alsdann gebacken.

702. Basler Lebkuchen.

Man macht ein halbes Pfund Zucker, ein halbes Pfund Mehl, ein Achtelpfund abgezogene, grob gestoßene Mandeln, eine geriebene Citronenschale, 2 Loth grob gewiegten Citronat, ein halbes Loth Zimmt, 2 Messerspitzen voll Nelken, eben so viel Muskatblüthe und den Schnee von 2 Eierweiß untereinander, macht einen Teig davon, wellt ihn auf dem Nudelnbrett fingerdick aus, sticht mit einem blechernen Mödelchen Stückchen davon, backt diese auf einem mit Mehl bestreuten Blech nicht ganz aus und bestreicht sie mit folgendem Eis: Man kocht ein Viertelpfund Zucker und 2 Löffel voll Wasser so lange miteinander, bis der Zucker Fäden zieht, gießt den Saft von 3 bis 4 Citronen daran, läßt das Eis noch einmal aufkochen, bestreicht damit die Lebkuchen und trocknet sie im Ofen.

703. Nürnberger Lebkuchen.

Man stellt eine halbe Maas Honig in einer messingenen Pfanne auf's Feuer; wenn er anfängt zu kochen, thut man ein halbes Pfund gestoßenen Zucker darein, läßt es 8 Minuten miteinander kochen, schneidet ein Pfund abgezogene Mandeln queer durch und mischt sie darunter, läßt Alles noch eine Minute kochen, nimmt es in eine Schüssel, von 2 Citronen das Gelbe, 4 Loth Citronat und 4 Loth Pomeranzenschalen dazu (die Citronen nicht sehr fein gewiegt), 1 Loth gestoßenen Zimmt, ein halbes Quint Nelken, Cardamomen, Kubeben, jedes für einen Kreuzer, auch eine geriebene Muskatnuß und rührt 2 Pfund Mehl in die Honigmasse. So lang der Teig warm ist, nimmt man ihn aufs Nudelnbrett, streut den dazu bestimmten Model mit Mehl aus, drückt von dem Teig in den Model, so daß er einen kleinen Finger dick ist, stürzt ihn um, bestreut ein schwarzes Blech mit Mehl, legt die Lebkuchen darauf, bestreicht sie mit Ei und backt sie im Ofen. Es kann auch noch eine Messerspitze voll Potasche dazu genommen werden.

704. Weiße Mandellebkuchen.

Man schneidet ein Pfund abgezogene Mandeln so fein als möglich, läßt sie auf einem Blech im Bratrohr gelb anlaufen, rührt 8 Eierweiß und ein Pfund feingesiebten Zucker eine Viertelstunde lang miteinander, wiegt ein Quint Cardamomen, 4 Loth Citronat, eine Citronenschale recht fein, nimmt ein halbes Loth gestoßenen Zimmt, eine Messerspitze voll Nelken dazu, mischt die Mandeln und ein Pfund feines Mehl mit dem Obigen, macht einen Teig davon, klopft ihn auf dem Nudelnbrett mit dem Messer breit, macht 3 Finger breite und einen Finger lange Küchlein davon, legt sie auf Oblaten und backt sie im Ofen. Man macht folgendes Eis darauf: Ein Viertelpfund Zucker und 2 Eßlöffel voll Wasser kocht man miteinander, drückt den Saft von einer Citrone darein, läßt das Eis noch einmal aufkochen, bestreicht damit die Kuchen vermittelst eines Pinsels und trocknet sie im Ofen.

13

705. Geringe Art von Lebkuchen.

Man läßt eine halbe Maas Honig in einer meſſingenen Pfanne eine Viertelſtunde kochen, nimmt ihn in eine Schüſſel, thut 3 Löffel voll Kirſchengeiſt, geſtoßenen Fenchel, Anis, Ingwer, eine Meſſerſpitze voll Pfeffer, eben ſo viel Potaſche und ſo viel Mehl dazu, daß man ihn arbeiten kann, nimmt ihn dann auf das Nudelnbrett, drückt ihn in die dazu beſtimmten Model, ſezt die Lebkuchen auf ein ſchwarzes mit Mehl beſtreutes Blech, beſtreicht ſie mit Ei, legt auf die vier Ecken eines jeden Lebkuchen eine abgezogene Mandel und backt ſie im Ofen.

706. Salzküchlein.

Man rührt 3 Eiergelb mit einem Pfund Zucker eine Viertelſtunde lang, rührt dazu 6 Loth mit Roſenwaſſer geſtoßene Mandeln eine Viertelſtunde, ſchneidet viereckige Stückchen von Oblaten, ſtreicht von der Maſſe ſtark meſſerrückendick darauf, legt ſie auf ein ſchwarzes Blech, ſtreut grob geſtoßenen Zucker darauf und backt ſie.

707. Scharmützeln.

5 Eierweiß ſchlägt man zu einem ſteifen Schnee, rührt ihn mit einem Pfund fein geſtoßenen Zucker eine halbe Stunde, bis es ein dickes Eis iſt, ſchneidet von ſteifem Papier runde Stückchen, macht kleine Kapſeln davon, zieht ſie über ein rundes Holz oder über einen Fingerhut, füllt die Kapſeln halb voll, ſtellt ſie auf ein ſchwarzes Blech und thut dieſes in einen abgekühlten Ofen. Sie müſſen ganz weiß bleiben.

708. Schneehäufchen.

3 Eierweiß ſchlägt man zu einem ſteifen Schnee, nimmt ein halbes Pfund Zucker und 3 bis 4 Tropfen Anisöl darunter (doch darf die Maſſe nicht flüſſig, ſondern feſt ſeyn), beſtreicht ein ſchwarzes Blech mit Wachs, ſezt kleine Häufchen von der Maſſe darauf und backt ſie in einem abgekühlten Ofen.

709. Chokoladeſchnitten.

Ein halbes Pfund feingeſiebter Zucker wird mit 3 Eiergelb eine Viertelſtunde gerührt, ein Viertelpfund abgezogene, feingeſtoßene Mandeln, ein Viertelpfund fein geriebene Chokolade, 2 Loth Stärkmehl, von 6 Eierweiß der Schnee mit Obigem vermiſcht, ein Blech mit Butter beſtrichen, die Maſſe darein gefüllt und ſchön gelb gebacken, aber erſt den andern Tag angeſchnitten.

710. Jägerſchnitten.

Man rührt ein halbes Pfund Zucker und 10 Eiergelb in einer Schüſſel eine halbe Stunde recht ſtark miteinander; eine am Reibeiſen abgeriebene ganze Citrone, 4 Loth abgezogene, der Länge nach geſchnittene Mandeln, der Schnee von 6 Eierweiß, 6 Loth feines Mehl werden nun unter das Obige gemiſcht, eine blecherne Form mit Butter beſtrichen, ein wenig Zucker darein geſtreut, die Maſſe hinein geſchüttet, bei gelinder Hitze gebacken und den andern Tag erst zu Schnitten geschnitten.

711. Weiße Mandelschnitten.

In einer Schüssel werden ein halbes Pfund Zucker, ein Viertelpfund fein gestoßene Mandeln, eine am Reibeisen abgeriebene Citrone und 6 Eier eine halbe Stunde recht stark miteinander gerührt, dann 2 Hände voll feines, geriebenes Geigenmehl, 3 Finger voll weißes Mehl darunter vermischt, eine lange, blecherne Form mit Butter bestrichen, die Masse darein gefüllt und bei gelinder Hitze gebacken. Den andern Tag schneidet man den Kuchen in Schnitten und läßt sie auf einem schwarzen Blech im Ofen schön gelb bähen.

712. Weinbeerschnitten.

Man rührt in einer Schüssel ein halbes Pfund Zucker und 2 ganze Eier recht dick miteinander, 3 Messerspitzen voll gestoßenen Zimmt, 4 Loth kleine schwarze Weinbeeren und eine Messerspitze voll Nelken dazu, arbeitet so viel Mehl darein, bis es ein nicht sehr fester Teig ist, macht auf einem Nudelnbrett eine lange Wurst daraus, legt diese auf ein schwarzes, mit Speck bestrichenes Blech, läßt sie in einem Backofen bei gelinder Hitze langsam backen und schneidet sie, wenn sie erkaltet ist, zu Schnitten; man kann sie 2 bis 3 Wochen aufbewahren.

713. Spiegelküchlein.

Man schneidet von Oblaten 2 Finger breite und 2 Finger lange Stückchen, thut etwas Eingemachtes auf ein Stückchen, legt das andere darüber und macht folgenden Teig: Einen halben Schoppen Milch und ein halbes Loth Butter macht man siedend, rührt 4 Kochlöffel voll Mehl in einer Schüssel mit der Milch glatt an, nimmt 3 Eier und eine Messerspitze voll Salz dazu, taucht die Oblatenküchlein in den Teig, backt sie in heißem Schmalz und streut Zucker und Zimmt darauf.

714. Münchner Springerlein.

Man stößt ein halbes Pfund abgezogene Mandeln recht fein mit Rosenwasser, rührt sie mit einem halben Pfund fein gesiebtem Zucker und einem Achtelpfund Stärkmehl so lange in einer messingenen Pfanne, bis sich der Teig von der Pfanne ablöst, legt ihn aufs Nudelbrett, bestreut ihn mit Mehl und Zucker, bestreut die dazu bestimmten hölzernen Mödel mit gesiebtem Zucker, drückt den Teig darein, stürzt die Mödel um, legt die Springerlein auf ein mit Wachs bestrichenes schwarzes Blech, läßt sie über Nacht oder wenigstens 2 bis 3 Stunden stehen, backt sie in gelinder Hitze und kann Citronen- oder Zimmteis darauf machen.

715. Stuttgarter Springerlein.

Ein Pfund fein gesiebter Zucker wird in einer Schüssel mit 5 Eiern eine halbe Stunde lang gerührt, von einer ganzen Citrone das Gelbe am Reibeisen abgerieben und mit einem Pfund Mehl darein gemischt.

13*

Man bindet feines Mehl in ein Stückchen weißen Flor, streut damit die Mödel gut aus, drückt von dem Teig in die Mödel ein, schneidet das Abgedrückte mit einem Messer ab, legt es auf das Nudelnbrett und macht fort, bis Alles zu Ende ist. Man läßt es über Nacht stehen; den andern Tag bestreicht man ein schwarzes Blech mit Speck, streut Anis darauf, legt die Springerlein darauf, rührt ein dickes Eis von einem Viertelpfund Zucker, 2 Eierweiß und dem Saft einer halben Citrone, backt die Springerlein halb aus, streicht sie mit dem Eis an und läßt sie im Ofen vollends ausbacken.

716. Tyrolerkrapfen.

Man macht einen Teig von einem Viertelpfund Mandeln, einem Viertelpfund Butter, 6 Loth Zucker, einem Viertelpfund Mehl, etwas Anis, 2 Eiergelb, einer halben abgeriebenen Citrone, gießt 2 Löffel voll Wein daran, wellt ihn aus, schneidet dreieckige Stückchen daraus, legt die Krapfen auf ein mit Mehl bestreutes Blech, bestreicht sie mit Ei, streut grob gestoßenen Zucker darauf und backt sie.

717. Amsterdamer Waffeln.

Ein Viertelpfund Mehl wird in einer Schüssel mit lauem Wein glatt gerührt, 2 Messerspitzen voll Zimmt, 4 Loth gestoßener Zucker und der Schnee von 6 Eiern langsam darunter gemengt. Ist das Waffeleisen im Feuer, oder noch besser in Kohlen heiß gemacht und inwendig mit Speck bestrichen, so wird es voll Teig gegossen, das Eisen langsam zugemacht, die Waffel auf beiden Seiten schön gelb gebacken und darauf mit Zimmt und Zucker bestreut.

718. Münchner Waffeln.

Man rührt ein halbes Pfund Butter ganz schaumig, rührt auch 16 Loth Mehl in einer Schüssel mit lauer Milch glatt an, 6 Eier, eines nach dem andern, daran, 2 Messerspitzen voll gestoßenen Zimmt, eine gewiegte halbe Citrone, 8 Stück abgezogene bittere Mandeln, dieses Alles wird mit einem Löffel voll Zucker unter die Butter so lang gerührt, bis von der Butter nichts mehr zu sehen ist, im Eisen gelb gebacken und Zucker und Zimmt darauf gestreut.

719. Waffeln von saurem Rahm.

Ein halbes Pfund Mehl wird in einer Schüssel mit saurem Rahm glatt gerührt, 6 Eiergelb, eines nach dem andern, eine Messerspitze voll Salz, ein Eßlöffel voll Zucker, 6 Loth abgezogene und fein gestoßene Mandeln, worunter 6 bis 8 Stück bittere seyn müssen, dazu gethan, Alles gut untereinander gerührt, von 6 Eiern ein steifer Schnee geschlagen, langsam unter die Masse gerührt und im Waffeleisen auf beiden Seiten ausgebacken.

720. Schweizer Waffeln.

Eine halbe Maas dicker Rahm wird in einer Schüssel mit einem kleinen weißen Besen zu einem dicken Schnee geschlagen, 4 Eiergelb, daran verklopft, 3 Hände voll feines Mehl, 6 Loth zerlaufene Butter, eine Messerspitze voll Salz nach und nach daran gerührt, von 4 Eiern ein steifer Schnee geschlagen und mit dem Teig vermischt. Wäre der Teig noch zu schwer, so kann mit süßem Rahm nachgeholfen werden. Die Waffeln werden in heißem Eisen gebacken und auf beiden Seiten mit Zucker bestreut.

721. Stuttgarter Waffeln.

Ein halbes Pfund Butter rührt man in einer Schüssel weiß und schaumig; daran kommen 9 Eiergelb, eines nach dem andern daran verrührt, ein Viertelpfund gestoßene Mandeln, 9 Löffel voll Rosenwasser und 4 Löffel voll Kirschengeist; alles dieses wird untereinander gemacht. Dann schlägt man von 9 Eierweiß einen steifen Schnee, vermischt diesen mit einem Viertelpfund feinem Mehl, macht dieses mit der vorigen Masse untereinander, das am Reibeisen abgeriebene Gelbe einer halben Citrone dazu, im Waffeleisen gelb gebacken und mit Zucker und Zimmt bestreut.

722. Straßburger Waffeln.

Zu einem schaumig gerührten halben Pfund Butter schlägt man nach und nach 6 Eier; dann macht man von 10 Loth Mehl mit lauer Milch und einer Messerspitze voll Salz einen Flädchenteig, rührt ihn unter die Butter eine Viertelstunde lang, backt die Waffeln davon, wie gewöhnlich, auf beiden Seiten und bestreut sie mit Zucker und Zimmt.

723. Waffeln mit spanischem Wein.

Ein Viertelpfund Mehl wird mit spanischem Wein glatt gerührt, 4 Loth zerlassene Butter daran gegossen und 4 Eiergelb, eines nach dem andern, nebst einer Messerspitze voll gestoßenem Zimmt und eben so viel Salz daran gerührt. Dazu kommt noch der steife Schnee von 4 Eierweiß und 2 Löffel voll saurer Rahm. Das heiße Waffeleisen wird mit einer Speckschwarte innen bestrichen und mit Teig angefüllt, die Waffel auf beiden Seiten gebacken und mit Zucker bestreut.

724. Zimmtwaffeln.

Ein Viertelpfund Butter wird zu Schaum gerührt, 2 Eier, ein Viertelpfund Zucker, 4 Loth fein gestoßene Mandeln sammt der Schale, dieses Alles untereinander gerührt, und 4 Loth feines Mehl und ein halbes Loth fein gestoßener Zimmt dazu genommen. Von diesem Teige werden Theile in der Größe einer Welschnuß mitten in ein heißes mit Speckschwarte bestrichenes Waffeleisen gethan und auf beiden Seiten gebacken. Diese Waffeln kann man 2 bis 3 Wochen aufbewahren.

725. Gefüllte Waffeln.

Ein mürber Butterteig wird messerrückendick ausgewellt und ein Stück davon ins Waffeleisen gelegt. Auf diesen Teig wird ein Stück

Papier gelegt und der Teig auf einer Seite gebacken. Auf gleiche Weise wird noch ein Stück Teig auf einer Seite gebacken und beide Stücke werden auf der gebackenen Seite mit Ei bestrichen. Nachdem ein Löffel voll Johannisbeeren oder Himbeeren auf die ungebackene Seite des ersten Stücks gelegt worden, wird die ungebackene Seite des andern Stücks darauf gepaßt; beide Stücke kommen nun zusammen mit ihrer Fülle noch einmal ins Waffeleisen, werden noch ein wenig gebacken und dann mit Zucker und Zimmt bestreut.

726. Gerührte Waffeln.

Man rührt ein halbes Pfund Butter in einer Schüssel schaumig, mischt ein Viertelpfund abgezogene und fein gestoßene Mandeln unter die Butter, deßgleichen 3 Loth fein gestoßenen Zucker, rührt Alles untereinander, rührt 8 Eiergelb, eines nach dem andern, und zu einem Eigelb einen Löffel voll feines Mehl, von einer halben Citrone das am Reibeisen abgeriebene Gelbe, einen halben Schoppen dicken sauren Rahm dazu, schlägt von den 8 Eierweiß einen steifen weißen Schnee, mengt ihn ganz langsam unter die Masse, backt sie in heißem mit Speckschwarte bestrichenen Waffeleisen gut aus und bestreut die Waffeln mit Zucker und Zimmt.

727. Zimmtküchlein.

2 Eierweiß schlägt man zu einem steifen Schnee, rührt Zucker und ein Loth Zimmt darunter, bestreicht ein schwarzes Blech mit Wachs, sezt von der Masse Häuschen in der Größe einer Haselnuß darauf und backt sie in einem abgekühlten Ofen.

728. Zimmtstern.

Ein Pfund ungeschälte Mandeln werden mit einem Tuche sauber abgerieben, fein gewiegt und durch einen engen Seiher gerüttelt; was zurückbleibt, muß jedesmal wieder gewiegt werden. Diese Mandeln und der Schnee von 6 Eierweiß, untereinander gemacht, werden mit einem Pfund fein gesiebtem Zucker und einem Loth Zimmt vermischt, und der Teig zu stark messerrückendicken Kuchen ausgewellt, welche man mit einem Sternmodel mittlerer Größe aussticht. Hierauf wird ein schwarzes Blech mit Speck bestrichen, die Sterne darauf gesezt, jedoch nicht sehr nahe zusammen, und in gelinder Hitze gelb gebacken. Dazu kann man Citroneneis oder sonst ein Eis geben; ebenso kann man sie auch, wenn man will, auf Oblaten legen.

729. Aechtes Zuckerbrod.

An ein halbes Pfund fein gesiebten Zucker schlägt man 8 Eiergelb, rührt sie eine halbe Stunde ganz stark, reibt von einer Citrone das Gelbe ab (die Masse muß so dick seyn wie ein Brei), schlägt von 3 Eierweiß einen steifen Schnee darunter, mengt 10 Loth Mehl darunter, füllt in eine Spritze, die ein fingerdickes Rohr hat, von der Masse darein, legt steifes Papier auf ein schwarzes Blech und sprizt lange

Stängel, oben und unten rund, darauf, zieht sie durch sein gesiebten
Zucker und backt sie gelb.

730. Zuckerbretzeln.

Ein Viertelpfund Butter, ein halbes Pfund Mehl, ein Viertelpfund Zucker, ein Ei, ein Löffel voll dicker saurer Rahm geben einen
Teig, von welchem man kleine Bretzeln macht, die man auf ein
schwarzes Blech legt, mit Ei bestreicht, sein gestoßenen Mandeln und
etwas Zucker bestreut und backt.

Eingemachtes.

731. Aprikosen.

Man legt Aprikosen, die nicht überreif sind, in ein Geschirr,
gießt kochendes Wasser darüber, zieht die Haut davon ab, legt sie
auf ein Tuch und läßt sie abtrocknen. So viel Pfund Aprikosen, so
viel Pfund Zucker läßt man in einer Casserolle oder einer messingenen
Pfanne kochen, bis der Zucker Blasen wirft, legt die Aprikosen hierauf
mit einem silbernen Löffel darein, läßt sie so lange kochen, wie hartgesottene Eier, hebt sie sodann mit dem nämlichen Löffel in ein reines
Geschirr, läßt den Syrup noch etwas einkochen, gießt ihn über die
Aprikosen und läßt sie über Nacht stehen. Den andern Tag legt
man sie wieder in die Pfanne, läßt sie nur noch ein wenig kochen,
hebt sie sorgsam heraus, läßt den Syrup wieder einkochen, gießt ihn
an die Aprikosen und dieses wiederholt man 4 Tage nacheinander.
Am vierten Tage legt man die Aprikosen in das Geschirr, in welchem
sie aufbewahrt werden sollen, zieht Papier durch Kirschengeist, legt
es oben darauf, sticht Löcher in das Papier, bindet das Geschirr zu
und stellt es an einen trockenen Ort.

732. Birnen.

Die Muskatellerbirnen sind hiezu die besten; die Birnen werden
geschält, der Butzen ausgestochen und dafür eine Nelke, und statt des
Stiels ganzer Zimmt hineingesteckt; man kocht sie im Wasser weich, legt
sie auf ein Haarsieb und läßt sie ablaufen. Zu 3 Pfund Birnen rechnet
man 7 Viertelpfund Zucker, thut ihn in eine messingene Pfanne, gießt
von dem Wasser darein, in welchem die Birnen gekocht worden sind,
läßt ihn so lange kochen, bis er einen dicken Faden spinnt, thut die
Birnen dazu und läßt sie darin so lange kochen, wie hartgesottene Eier.
So macht man 4 Tage lang fort; den vierten Tag füllt man die
Birnen in ein Gefäß, begießt Kartenpapier mit etwas Kirschengeist,
legt es auf die Birnen und bindet das Gefäß fest zu.

733. Bohnen.

Von ganz kleinen, halb ausgewachsenen Bohnen zieht man die
Fäden ab und schneidet sie, nach Belieben, groß oder klein. Dann

macht man in einem Kessel Wasser kochend, salzt dieses gut, legt die Bohnen hinein, läßt sie 4 Minuten kochen, nimmt sie schnell heraus, legt sie eine Viertelstunde ins kalte Wasser, dann in einen Korb, daß sie gut ablaufen, läßt sie auf einem Nudelnbrett gut abtrocknen und bewahrt sie in einem gut verpichten Fäßchen auf folgende Art auf: unten hin legt man Traubenlaub, etwas grob gestoßenen Pfeffer und Salz, dann eine Lage Bohnen, Pfeffer und Salz darauf, dann wieder Bohnen, und macht so fort, bis das Fäßchen voll ist; man drückt die Bohnen zugleich mit der Hand fest ein und belegt das Fäßchen oben wieder mit Traubenlaub; so bleiben sie sehr schön grün.

734. Bohnen auf andere Art.

Schöne fette Bohnen (Schwertbohnen sind hiezu die besten) werden wie zu einem Bohnensalat geschnitten (zu einer Schüssel voll Bohnen rechnet man eine Hand voll Salz), in einem reinen Geschirr mit Salz vermengt, in ein sauber geputztes, gut verpichtes Fäßchen gelegt, welches oben und unten mit Traubenlaub belegt wird, die Bohnen werden fest eingedrückt, ein gut passender Deckel darauf gelegt und dieser gut beschwert; so halten sich die Bohnen bis zum Frühjahr. Man kocht sie auf folgende Art: man läßt sie in einem Geschirr mit kochendem Wasser eine Stunde lang kochen, gießt sie in einen Durchschlag und schüttet kaltes Wasser darüber, daß sie schön grün blieben; dann dämpft man sie in einer Casserolle mit einem Stück Butter, Zwiebel und Petersilie, streut oben darauf 3 Finger voll Mehl, schüttelt sie um, gießt einen Schöpflöffel voll Fleischbrühe oder Bouillon daran und läßt sie kochen, aber nicht zugedeckt, sonst verlieren sie ihre grüne Farbe.

735. Bohnen in Essig.

Hiezu müssen die Bohnen jung und noch ohne Kerne seyn. Solche schneidet man klein, läßt in einem Kessel Wasser kochen, thut die Bohnen darein, läßt 2 Wall darüber gehen, nimmt sie geschwind heraus, legt sie ins kalte Wasser, läßt sie eine Viertelstunde darin liegen, gießt sie in einen Durchschlag, läßt sie gut ablaufen, dann auf einem Tuch abtrocknen, belegt den Boden des für sie bestimmten Geschirres mit Weinlaub, grob gestoßenem Pfeffer mit Salz vermischt, macht eine Lage Bohnen darein, drückt sie mit der Hand fest ein, dann wird ein wenig Salz und Pfeffer darüber gestreut und wieder eine Lage Bohnen, so macht man fort, bis sie zu Ende sind und gießt eine Bouteille starken Weinessig darein. Man läßt sofort Schmalz zerlaufen, begießt die Bohnen damit, es muß halb fingerhoch darüber gehen (auch Provenceröl kann man statt Schmalz nehmen). Die Bohnen können zu Salat gebraucht oder zum Rindfleisch gegeben werden. Das Geschirr bindet man fest zu und stellt es an einen kühlen Ort.

736. Brockelerbsen.

Halbreife Brockelerbsen macht man aus und liest die wurmigen aus; zu einem Meßchen Kernen wirft man 2 Hände voll Salz, läßt sie über Nacht stehen, nimmt eine Schweinsblase oder eine Bouteille, füllt die Brockelerbsen sammt Salz hinein, bindet die Blase fest zu, macht eine Schleise von Bindfaden, so daß man sie aufhängen kann, macht Wasser in einem Kessel heiß, thut Stroh oder Heu daran, stellt die Bouteille darein, so, daß sie nicht an einander kommen, sollte es eine Blase seyn, so hängt man sie an einen Stecken und kocht sie eben so lange, wie die Bouteille, aber nicht länger als ein paar harte Eier, thut das Feuer davon, läßt es so lange stehen, bis das Wasser kalt ist und hängt die Blase an einem trockenen Orte auf. Sind die Brockelerbsen in eine Bouteille gefüllt, so wird diese fest zugepfropft und in den Keller gelegt.

737. Brockelerbsen auf französische Art.

Schöne junge Brockelerbsen werden ausgemacht, mit einer kleinen Hand voll Petersilie und einem Stück Butter in einer Casserolle eine Viertelstunde schwitzen gelassen, sodann in eine blecherne Büchse gethan und so viel Butter dazu genommen, daß die Erbsen ganz damit bedeckt werden, die Büchse vom Flaschner gut verlöthet, nochmals eine Viertelstunde im Dampf kochen gelassen, daß das Fett oben bleibt und dann im Keller bewahrt. Sie sind wie die frischen Brockelerbsen.

738. Champignons.

Nachdem die Champignons gepuzt und gewaschen, läßt man sie ablaufen, kocht sie eine Viertelstunde mit einem großen Stück Butter, legt sie sodann in ein Geschirr und läßt die Sauce noch mehr einkochen, es muß so viel Butter dazu genommen werden, daß sie ganz damit bedeckt werden. Dann gießt man die Sauce darüber, bindet das Geschirr zu und bewahrt es auf.

739. Gurken in Essig.

Kleine Gurken reibt man mit einem Tuche ab, thut sie in ein großes Geschirr, macht starkes Salzwasser daran, läßt sie 48 Stunden darin stehen (Pumpwasser ist, weil es härter ist, besser als Rohrwasser) und rührt sie öfters um. Wenn man sie einmachen will, legt man sie auf ein Tuch, läßt sie gut abtrocknen, schneidet Meerrettig in kleine Stückchen, schält Schalottenzwiebeln, Lorbeerblätter, ganzen Pfeffer, etliche ganze Nelken, Estragon, Basilikum, Thymian, macht Alles untereinander, legt in das dazu bestimmte Geschirr von den Gurken, dann von dem Geschnittenen, macht fort bis Alles zu Ende ist, legt dann ein langes Säckchen, worin etwas Senfmehl ist, auf die Gurken, bindet das Geschirr zu und bewahrt es auf den Winter.

740. Salzgurken.

Halbgewachsene Gurken legt man 24 Stunden ins Salzwasser, trocknet sie dann mit einem sauberen Tuch ab, belegt den Boden des dazu bestimmten Fäßchens mit grob gestoßenem Pfeffer, Lorbeerblättern und Traubenlaub, legt eine Lage Gurken, eine Lage von dem Ge= würz, dann wieder Gurken in das Fäßchen und fährt so fort, bis Alles zu Ende ist; oben darauf kommt grüner Fenchel, Citronen= kraut und Lorbeer. Dann läßt man Wasser, so viel man nöthig hat, und Salz miteinander kochen (zu einer Maas Wasser rechnet man eine große Hand voll Salz) läßt es wieder kalt werden, gießt es an die Gurken, macht das Fäßchen fest zu, läßt es unten und oben verpichen, legt es 8 Tage lang in die Sonne und rüttelt es alle Tage. In 14 Tagen sind die Gurken genießbar und halten sich ein ganzes Jahr gut.

741. Geschnittene Gurken.

Hiezu nimmt man Gurken, die noch keine Kerne haben, schält sie sauber, schneidet sie, wie zu Salat, salzt sie in einer Schüssel gut ein, drückt sie nach einer Stunde fest aus, schneidet Schalotten= zwiebeln fein, nimmt grob gestoßenen Pfeffer, nebst einem Eßlöffel voll gelben Senf dazu, mischt dieses unter die Gurken, drückt sie fest in einen steinernen Topf ein, gießt so viel guten Weinessig daran, daß er darüber geht, schmälzt sie mit zerlassenem Schmalz gut zu und bewahrt sie auf.

742. Johannisbeeren in Zucker.

Man beert schöne reife Johannisbeeren ab (zu 2 Pfund Beeren rechnet man wohlgewogen 1½ Pfund Zucker), thut den Zucker in eine messingene Pfanne, gießt einen Schoppen Wasser daran, läßt ihn so lange kochen, bis er Blasen gibt, legt die Beeren darein, läßt sie kochen, nimmt den Schaum sauber ab und probirt einen Tropfen auf einem Teller, ob sie gut sind; sind sie gut, so thut man sie in ein Geschirr und bewahrt sie auf.

743. Kirschen in Zucker.

Von nicht überreifen Kirschen schneidet man die Stiele halb ab; läßt 3 Viertelpfund Zucker mit einem halben Schoppen Wasser in einer messingenen Pfanne bis zum kleinen Faden kochen, legt die Kirschen in den Zucker und läßt sie so lange kochen, als Eier zum Hartsieden brauchen; hierauf hebt man die Kirschen mit dem Schaumlöffel in das Gefäß heraus, in welchem sie aufbewahrt werden sollen, läßt den Syrup einkochen, bis er dick ist, und gießt ihn so= dann über die Kirschen, läßt sie kalt werden, legt ein steifes Papier darüber, gießt etwas Kirschengeist oder Arak darauf, bindet das Geschirr zu, sticht mit einer Gabel kleine Löcher in die Bedeckung und bewahrt das Gefäß auf.

744. Kirschen in Essig.

Man schneidet die Stiele von schönen, zeitigen Kirschen stark halb ab, läßt ein Viertelpfund Zucker und so viel Essig, als man zu den Kirschen braucht, ein halbes Loth gestoßenen Zimmt und etwas ganze Nelken in einer messingenen Pfanne eine Viertelstunde miteinander kochen, nimmt sie vom Feuer und läßt sie erkalten. Wenn der Essig noch stark lau ist, gießt man ihn an die Kirschen, deckt sie zu und läßt sie 2 Tage stehen. Den dritten Tag kocht man den Essig in der Pfanne noch ein Mal, gießt ihn wieder lau an die Kirschen, zieht ein Papier, so groß man es braucht, durch Kirschengeist, legt dieses oben auf das Geschirr, bindet es zu und bewahrt es auf.

Anmerkung. Alles mit Essig Eingemachte darf nur mit ganz reinem Weinessig gekocht werden, sonst verdirbt es.

745. Ausgesteinte Kirschen.

Man steint 2 Pfund schöne Kirschen aus, doch so, daß nicht zu viel Saft verloren geht, nimmt zu 2 Pfund Kirschen 1½ Pfund Zucker und läßt diesen in einer messingenen Pfanne oder Casserolle mit einem halben Schoppen Wasser kochen, bis der Zucker dicke Fäden spinnt, dann kommen die Kirschen nebst etwas ganzem Zimmt dazu, und werden so lange gekocht, als zu hartgesottenen Eiern Zeit erforderlich ist, dann fängt man die Kirschen mit einem Schaumlöffel heraus, läßt den Syrup kochen, bis er über sich steigt, thut die Kirschen in das für sie bestimmte Geschirr, gießt den Syrup, nachdem er recht gut eingekocht worden ist, daran, läßt sie kalt werden und bewahrt sie wie die übrigen in Zucker eingemachten Sachen auf; so halten sie sich 2 Jahre.

746. Kirschen in Dunst eingekocht.

Von schönen, zeitigen, nicht überreifen Kirschen zupft man die Stiele ab, füllt sie in eine Schweins- oder Rindsblase, welche vorher ins laue Wasser gelegt, mit der Hand ausgerieben, durchs kalte Wasser gezogen und fest ausgedrückt worden ist; macht sodann die Blase oben fest zu, damit kein Wasser hineinlaufen kann, macht eine Schleife von Bindfaden zum Aufhängen daran, schiebt einen Stecken durch die Schleife und läßt die Blase in einem Topf oder Kessel, der mit kochendem Wasser gefüllt ist, eine Viertelstunde ganz langsam kochen; die Blase bleibt aber im Kessel, bis das Wasser kalt geworden; dann läßt man sie ablaufen und hängt sie in die Luft an einen trockenen Ort. Auf diese Art bleiben die Kirschen 2 Jahre lang gut und man kann sie zu allen Backereien und Compotes brauchen. Man ist oft sehr bemüht, die Kirschen in eine Bouteille zu bringen, wobei man der Gefahr ausgesetzt ist, daß diese zerspringt; ich habe selbst die Erfahrung hievon in Frankreich gemacht.

747. Melonen in Essig.

Gute, reife Melonen reibt man mit einem Tuche ab, schneidet sie in Schnitze, legt sie in eine Schüssel, gießt guten Weinessig daran, läßt sie 3 Tage lang stehen, gießt den Essig in eine messingene Pfanne ab (so viel Maas Essig, so viel halbe Pfund Zucker werden gerechnet), dann läßt man 1 Quint grobgestoßenen Zimmt, 8 bis 10 ganze Nelken, ein Stückchen ganzen Ingwer, sammt den Melonen miteinander weich kochen, läßt sie über Nacht in einer porzellanenen Schüssel stehen, sezt sie den andern Tag wieder aufs Feuer, kocht sie vollends gar, läßt sie kalt werden, verwahrt sie wie die andern eingemachten Sachen und stellt sie an einen trockenen Ort. Sie werden zu gebratenem Geflügel gegeben.

748. Baumnüsse.

Die Nüsse werden um Johannis gebrochen, wo sie noch weich und milchig sind, unten und oben ein wenig abgeschnitten, 2 bis 3 Löcher mit einem Holz an jeder Seite hineingestochen, 8 Tage in frisches Brunnenwasser gelegt, dann in einer messingenen Pfanne eine Viertelstunde lang im Wasser gekocht, das Wasser abgegossen, frisches daran geschüttet und so dreimal wiederholt. Man probirt nun die Nüsse mit einem Hölzchen, ob sie weich sind, ist dieses nicht der Fall, so müssen sie noch einmal gekocht werden; sind sie jedoch weich, so legt man sie ins kalte Wasser, gießt dieses 3 Mal ab, legt sie auf ein Haarsieb und läßt sie abtrocknen; dann spickt man die Nüsse mit Zimmt und Nelken und legt sie in ein Zuckerglas. Zu 50 Nüssen nimmt man 1½ Pfund Zucker, läutert diesen in einer messingenen Pfanne mit Zimmtwasser so lang, bis er einen dicken Faden spinnt, gießt dann den geläuterten Zucker über die Nüsse, läßt sie so 2 Tage lang stehen, den dritten Tag gießt man den Zucker wieder ab, läßt ihn noch ein Mal aufkochen, thut noch ein Stück Zucker dazu, gießt ihn nochmals über die Nüsse und wiederholt dieses 3 bis 4 Mal. Zum lezten Mal läßt man die Nüsse eine Zeit lang mitkochen, bewahrt sie dann in einem Glas gut auf, legt ein mit Kirschengeist getränktes Papier darauf und stellt sie an einen trockenen Ort.

749. Quitten.

Von reifen Quitten schneidet man das Steinige heraus, schält sie, schneidet sie in 4 Theile, siedet sie im Wasser weich und legt sie auf ein Haarsieb. So viel man Pfund Quitten hat, eben so viel nimmt man Pfund Zucker, siedet den Zucker in dem Wasser, worin die Quitten weich gekocht wurden, so lange, bis er Fäden spinnt, dann legt man die Quitten hinein, läßt sie mit dem Zucker kochen und bewahrt sie dann in einem steinernen Topf.

750. Reineselaudes (spr. Ränklod).

Schöne grüne Reineselaudes, die nicht überreif sind, läßt man in einer Casserolle, die nicht verzinnt ist, mit eben so viel Zucker als die Reineselaudes wiegen, kochen bis zur Blase, oder so lange als hartgesottene Eier, nimmt einen silbernen Löffel und hebt sie heraus, daß sie nicht zerbrechen, läßt den Syrup ein wenig einkochen, gießt ihn darüber und läßt ihn über Nacht stehen; so macht man es 3 Tage hintereinander. Aber jedes Mal muß eine Casserolle, die nicht verzinnt ist, genommen werden, sonst verlieren sie die schöne grüne Farbe.

751. Sauerkraut.

Der Strunk und die Rippen werden vom Kraut geschnitten, dieses auf die gewöhnliche Art fein eingeschnitten, mit Salz, so viel dazu nöthig ist, vermischt, 2 starke Hände voll Wachholderbeeren dazu genommen, das Kraut in ein sauber geputztes Geschirr gethan, worein zuvor Krautblätter gelegt worden sind; dann mit einem hölzernen Stempel das Kraut fest zusammen gestoßen, Krautblätter oben darauf gelegt, nach diesen mit einem reinen Tuch und dem Deckel zum Geschirr bedeckt und gut beschwert. In 14 Tagen ist das Kraut schon genießbar.

752. Senf auf französische Art.

Man nimmt 3 bis 4 schöne abgeschälte Quitten, kocht sie im Wasser ganz weich, schabt das Mark davon ab, nimmt ein halbes Pfund Quittenmark, ein halbes Pfund gelbes Senfmehl; kocht das Senfmehl in gekochtem Most, läßt das Quittenmark auch 6 Minuten mitkochen, rührt ein Quint grobgestoßene Nelken, Fenchel, Anis, Koriander damit recht durcheinander, thut ihn in einen steinernen Topf und bewahrt ihn auf.

753. Senf mit süßem Most.

Hiezu nimmt man im Herbst ganz süßen Most, kocht ihn gut ein (von 3 Maas Most kann eine Maas eingekocht werden), gießt ihn in einen Topf, läßt ihn über Nacht stehen, am Morgen thut man ihn in eine Bouteille, propft sie gut zu und hebt sie auf zum Gebrauch. Will man Senf davon machen, so nimmt man davon in eine messingene Pfanne, läßt ihn kochen, nimmt 8 Loth gelbes Senfmehl in eine Schüssel, 8 Loth braunes Senfmehl, brüht dieses mit dem kochenden Most an, rührt ihn recht durcheinander, macht einen kleinen Bügelstahl glühend, taucht ihn in den Senf, rührt diesen bis er ganz kalt ist, bewahrt ihn in einem steinernen Topf, bindet ihn zu und gibt ihn zum Rindfleisch.

754. Senf mit Essig.

2 Zwiebeln und 2 Knoblauchszähne schneidet man recht klein, gießt eine halbe Maas Weinessig in eine Pfanne, 4 Lorbeerblätter, 6 Nelken, 6 grobgestoßene Pfefferkerne, läßt es eine halbe Viertelstunde kochen, nimmt 4 Loth braunes und eben so viel gelbes Senfmehl in eine Schüssel, stellt den Essig vom Feuer und zieht ihn durch ein Haarsieb an das Mehl; der Senf muß eine halbe Stunde gerührt werden, weil er dadurch feiner wird, füllt ihn in ein Geschirr nach Belieben, bindet es zu und gibt ihn zum Rindfleisch.

755. Trauben oder Kirschen auf französische Art.

Von schönen, reifen Trauben (die schwarzen Muskateller sind die besten) oder Kirschen schneidet man die Stiele ab, thut sie in ein Zuckerglas, hält das Glas eine halbe Maas, so kommt ein Viertel= pfund gestoßener Zucker, etwas grobgestoßener Zimmt und Nelken daran, füllt das Glas voll mit Kirschengeist, bindet es mit einer Blase zu und bewahrt es. Dieses Eingemachte ist sehr gut zur Backerei.

756. Trüffeln.

Man wascht die Trüffeln 1 bis 2 Mal sauber mit einer Bürste (sie müssen ganz rein seyn), füllt sie in eine blecherne Büchse, macht sie fest zu, läßt sie vom Flaschner zulöthen, stellt sie in einen Kessel, kocht sie im Dampf 3 Stunden, nimmt sie heraus und läßt sie er= kalten. Auf diese Art behalten sie ihren feinen Geschmack. Es gibt vielerlei Arten, welche sich auch im Sand aufbewahren lassen: einge= schmälzte, gedörrte, im Dampf in Gläsern eingekochte (in Straßburg werden sie alle so behandelt); aber nur diese Art habe ich für gut gefunden. Die Straßburger Trüffeln sind die besten dazu; die Günsburger und Schweizer haben den feinen Geschmack nicht.

757. Welschkorn.

Die Welschkornkolben werden, wenn sie so dick sind, wie ein kleiner Finger, abgebrüht, einen Tag ins Salzwasser gelegt, heraus= genommen und abgetrocknet. Dann werden in einen steinernen Topf Lorbeerblätter und grobgestoßener Pfeffer gelegt, die Welschkornkolben darauf, auf diese wieder Pfeffer und Lorbeerblätter, und so damit fort= gefahren, bis der Topf voll ist; dann wird dieser fest zugebunden und verwahrt. Sie wird zum Rindfleisch gegeben.

758. Zwetschgen in Essig.

Frisch vom Baum herunter sind die Zwetschgen am besten, damit sie das schöne Blau nicht verlieren. Man stellt sie in ein Zuckerglas, so daß die Stiele alle in die Höhe stehen. Grobgestoßener Zimmt und Nelken legt man hinein, macht das Glas mit Zwetschen nun voll und läßt so viel Essig, als man nöthig hat, mit Zucker kochen (zu einer halben Maas Essig sind 12 Loth Zucker erforderlich). Wenn der Essig noch stark lau ist, gießt man ihn an die Zwetschgen, läßt sie so über Nacht stehen, gießt den andern Tag den Essig ab, siedet ihn nochmals in der Pfanne, wiederholt dieses zum dritten Mal, zieht ein Papier durch Kirschengeist, legt es auf die Zwetschgen, bindet das Glas zu und bewahrt es an einem trockenen Orte auf.

759. Geschälte Zwetschgen in Zucker.

Schöne große Zwetschen thut man in eine Schüssel, gießt kochen= des Wasser daran, zieht die blaue Haut davon ab, nimmt zu 2 Pfund Zwetschgen 1½ Pfund Zucker, läutert ihn mit Wasser, läßt ihn so lange kochen, bis er Fäden spinnt, thut die Zwetschgen darein und läßt sie so lange kochen wie ein weiches Ei, legt sie in ein Geschirr, deckt es zu und läßt es über Nacht stehen; den andern Tag kocht man sie wieder so lange, den dritten Tag nochmals, legt sie in ein Geschirr, oben Papier darauf mit Kirschengeist, bindet es zu, sticht Löcher in das Papier und bewahrt sie auf.

760. Birnenlatwerge.

Gute geschälte Bergamotbirnen oder Zweibutzernen (Citronen-birnen sind die besten dazu) läßt man in einer Pfanne im Wasser weich kochen, wenn das Wasser ganz eingekocht ist, treibt man sie durch ein Haarsieb, thut das Eingemachte wieder in eine Pfanne (zu 2 Pfund Mark kommt ein halbes Pfund Zucker), läßt es so lang kochen, bis es dick ist, dann erkalten, und bewahrt es in hölzernen Schachteln.

761. Hagenbuttenlatwerge.

Von 10 bis 12 Maas Hagenbutten wird der Butzen und Stiel abgenommen (zu 10 Maas Hagenbutten kommen 20 Maas Wasser), man läßt sie 2 bis 3 Stunden in einem sauber geputzten Kessel miteinan-der kochen; es muß immer wieder aufgegossen werden, nimmt dann die Hagenbutten heraus, preßt sie gut aus, läßt den Saft einkochen, schäumt es öfters ab (20 Maas Wasser muß bis auf eine einkochen). Sie wird in einem Porzellangeschirr aufbewahrt und ist sehr gut für den Husten.

762. Kirschenlatwerge.

Man steint 2 Pfund reife Kirschen aus, läßt sie in einer Kachel eine Viertelstunde schwitzen, treibt sie durch ein Haarsieb, nimmt 1½ Pfund Zucker in eine Casserolle, gießt einen halben Schoppen Wasser daran, läßt ihn bis zum größten Faden kochen, gießt das Kirschen-mark darein, läßt es mit 3 Messerspitzen voll Zimmt dick kochen (es muß sehr sorgfältig gekocht werden, denn es brennt leicht an) und bewahrt die Latwerge in einem porzellanenen, zugebundenen Topfe auf.

763. Quittenlatwerge.

Schöne zeitige Quitten schält man ab, siedet sie in Wasser weich, schabt das Mark davon ab, treibt es durch ein Haarsieb (zu einem Pfund Mark gehören 3 Viertelpfund Zucker), läßt alles miteinander in einer Pfanne kochen, bis kein Saft mehr zu sehen ist und bewahrt es in einem Porzellangeschirr.

764. Weichsellatwerge.

Man steint 2 Pfund ächte, aber sehr reife Weichseln aus, treibt sie durch ein enges Haarsieb, läßt 2 Pfund Zucker mit einem Schop-pen Wasser in einem irdenen Geschirr so lange kochen, bis der Zucker einen ganz dicken Faden spinnt, thut nun das Kirschenmark dazu und kocht es mit dem Zucker, unter beständigem Rühren, so lange bis kein Saft mehr zu sehen ist. Man bewahrt die Latwerge in einem porzellanenen, zugebundenen Topf, wie alle Confituren, auf. Sie ist namentlich sehr gut für Kranke.

765. Weichsellatwerge anderer Art.

Schöne zeitige Weichseln (Weinkirschen sind noch besser) steint man aus, treibt sie durch ein Haarsieb (so viel Mark es ist, so viel halbe Pfund Zucker), thut es miteinander in eine Pfanne, läßt es so lange kochen, bis kein Saft mehr zu sehen ist, dann erkalten, und bewahrt es in hölzernen Schachteln oder in einem Porzellangeschirr.

766. Zwetschgenlatwerge.

Ueber schöne, zeitige Zwetschgen gießt man kochendes Wasser, zieht die Haut ab und läßt sie eine Viertelstunde in einer zugedeckten Casserolle dämpfen, treibt sie durch ein Haarsieb (so viel Pfund Mark so viel Zucker), läßt den Zucker in einer messingenen Pfanne so lange kochen, bis er Fäden spinnt, kocht das Mark damit, bis alles dick ist, läßt es erkalten und bewahrt es in einer hölzernen Schachtel.

Gefrorenes und Eis.

767. Gefrorenes zu machen.

Man nimmt eine 12 Zoll hohe und 6 Zoll weite zinnerne oder blecherne Büchse mit einem wohlpassenden Deckel, einen kupfernen Spaten oder Kochlöffel, zum Umrühren der Masse, einen hölzernen, ungefähr einen Fuß hohen Eimer (Schöpfgelte), dessen leerer Raum, wenn die Büchse eingesezt ist, zur Ersparniß des Eises, nur noch zwei Finger breit um die Büchse herum seyn darf (doch kann man auch einen gewöhnlichen Eimer dazu gebrauchen); einen kleinen Eimer voll Eis und einige Pfund Salz. Hiemit kann man ein Maas Wasser auf folgende Art gefroren machen: Zuerst stößt man das Eis so klein als möglich, dann thut man davon eine Hand hoch in den Gefriereimer und mischt einen Theil Salz darunter. Sodann sezt man die Büchse bedeckt in den Eimer, stößt das übrige Eis ganz fein, vermengt es mit Salz, bedeckt damit ganz die Büchse, und streut zulezt noch einige Hände voll Salz darauf, damit das Gefrieren schneller bewirkt wird. Darin läßt man die Büchse nur eine Viertelstunde lang stehen und schüttelt sie an dem Henkel einige Male, doch so, daß sie immer im Eis bleibt; dann öffnet man den Deckel, steckt den Rührlöffel mit einer Hand hinein, mit der andern treibt man die Büchse, doch so, daß sie immer im Eis bleibt und um den Spaten im Kreise herum so schnell als möglich läuft, denn hierauf kommt sehr viel an, weil die Masse nicht allein schneller gefriert, sondern auch fein und zart wird. Man muß sich aber in Acht nehmen, daß kein Eis darein fällt, daher schlage man lieber ein reines Tuch um die Büchse. Besonders muß man auch während des Drehens des Rührlöffels den Boden und die Seiten der Büchse gut bearbeiten, damit sich das angesezte Gefrorene immer abstößt. Sollte sich das Gefrorene aber zu stark ansetzen, so stößt man es mit dem Rührkolben los und drückt es in kleinen Stückchen herauf; alsdann läßt man die Büchse eine Viertelstunde lang stehen, dreht und rührt die Masse so lange, bis die gefrorene Masse steif, doch nicht klumpig, sondern so ist, daß sie sich wie Butter schneiden läßt. Endlich macht man die Büchse zusammen, deckt sie zu, läßt sie im Eimer stehen und sezt sie in den Keller. Ist die Masse steif gefroren, so hält dieses Eis 3 bis 4 Stunden. Beim Anrichten stürzt man es auf einen Teller.

768. Caffeegefrorenes.

Man nimmt eine halbe Maas Milch (süßer Rahm ist noch besser) und ein Viertelpfund gerösteten Caffee, der aber nur gelb geröstet seyn darf, stößt ihn in einem Mörser etwas grob, thut ihn nebst 4 Loth Zucker in die Milch; läßt alles auf dem Feuer aufkochen; schlägt 9 Eiergelb in einen Topf, rührt sie glatt mit kalter Milch, gießt die kochende Caffeemilch langsam daran und läßt es nochmals in der Pfanne anziehen. Sodann zieht man es durch ein Haarsieb, läßt es recht kalt werden und behandelt es in der Gefrierbüchse nach der bei No. 767 gegebenen Vorschrift.

769. Chokoladegefrorenes.

Man reibt ein Viertelpfund Chokolade in einer messingenen Pfanne, thut 1½ Schoppen Milch und ein Achtelpfund Zucker dazu, läßt es miteinander kochen, schlägt 8 Eiergelb in einen Topf, rührt sie glatt mit kalter Milch, die gekochte Chokolade langsam daran, sezt sie nochmals aufs Feuer, läßt sie anziehen, zieht sie durch ein Haarsieb, läßt sie ganz kalt werden und thut sie in die Gefrierbüchse.

770. Gefrorenes von Citronen.

An einem halben Pfund Zucker reibt man 4 Citronen ab, kocht das Abgeriebene sammt dem Saft von den Citronen mit einer halben Maas Wasser recht gut durch, gießt einen Schoppen Wein daran, läßt es durch ein Tuch laufen und in der Gefrierbüchse nach der bei No. 767 gegebenen Regel gefrieren.

771. Erdbeerengefrorenes.

2 Maas Erdbeeren treibt man durch ein Haarsieb, nimmt Zucker, 2 Messerspitzen voll gestoßenen Zimmt und ein Glas Muskatwein dazu, macht alles untereinander und läßt es in der Gefrierbüchse gefrieren. Es darf nicht aufs Feuer kommen und auch nicht bearbeitet werden.

772. Gefrorenes von bittern Mandeln.

Ein Viertelpfund abgezogene bittere Mandeln stößt man im Mörser mit etwas Rahm recht fein, thut sie in ein Geschirr, gießt so viel Rahm daran, bis es eine halbe Maas ausmacht, deckt sie zu und läßt sie eine halbe Stunde stehen. Alsdann läßt man ein halbes Pfund Zucker in einer messingenen Pfanne mit einer halben Maas Wasser kochen, nimmt den schwarzen Schaum ganz ab, läßt ihn

14

so lange kochen, bis er Fäden spinnt, preßt die Mandeln durch Lein=
wand dazu, aber so, daß die Mandeln ganz trocken sind, gießt so=
dann den Rahm an den Zucker, läßt alles miteinander 2 Minuten
aufkochen, schlägt 10 bis 12 Eiergelb in einen Topf, rührt den Rahm
langsam daran und thut ihn in die Gefrierbüchse. Wenn es ein wenig
kalt ist, verfährt man damit nach der bei No. 767 gegebenen Regel.

773. Pomeranzengefrorenes.

3 Pomeranzen reibt man im Zucker ab, läßt ein halbes Pfund
Zucker in einer messingenen Pfanne mit 2 bis 3 Eßlöffeln voll Wasser
kochen, bis er Fäden spinnt, treibt den Saft von den 3 Pomeranzen
und einem Schoppen Muskatwein durch ein Haarsieb in die Pfanne
zu dem Zucker, läßt es noch ein Mal aufkochen, zieht es durch ein
Haarsieb, läßt es recht kalt werden, thut es in die Gefrierbüchse und
läßt es nach der bei No. 767 gegebenen Regel bearbeiten.

774. Punschgefrorenes.

Man läutert ein Pfund Zucker mit einer Maas Wasser, wie bei
No. 817 beschrieben ist, schält das Gelbe von einer Citrone recht
dünn ab und läßt es mit dem geläuterten Zucker einige Mal anwal=
len, worauf man es wieder herausnimmt, weil dieses Gefrorene eine
gewisse Bitterkeit annimmt; man bringt sodann, nachdem man den
Zucker vom Feuer genommen, den Saft von 8 bis 12 Citronen
darein, je nachdem die Früchte mehr oder weniger Saft enthalten,
und treibt dann das Ganze durch ein Haarsieb. Man sezt, wenn
der Syrup kalt geworden, 24 Loth oder eine halbe Bouteille feinen
Arak hinzu und läßt die Mischung gefrieren wie gewöhnlich. Sie
braucht, wenn das Eis frisch gesalzen ist, immer eine halbe Stunde.
Es ist wegen des dabei befindlichen Geistigen des Araks schwerer als
alle übrigen Arten zum Gefrieren zu bringen.

775. Punschgefrorenes anderer Art.

Nachdem der Punsch auf die bei No. 795, 796 oder 797 beschrie=
bene Weise verfertigt und kalt geworden ist, thut man ihn in die Gefrier=
büchse und läßt ihn gefrieren. Man gibt dieses Gefrorene in Gläsern.

776. Rahmgefrorenes.

Man schlägt eine halbe Maas dicken Rahm ganz fest mit einem
kleinen Besen, legt ihn auf ein Haarsieb, treibt eine halbe Maas Him=
beeren durch dasselbe und thut 8 Loth oder so viel Zucker darein, bis
sie süß genug sind; dann mengt man den Schlagrahm darunter, thut
ihn in die Gefrierbüchse, ohne ihn jedoch zu drehen.

777. Gefrorenes von Schlagrahm.

Man siedet eine Maas Rahm mit 8 Loth Zucker, rührt 10 Eier=
gelb in einem Topf mit saurem Rahm glatt, gießt den kochenden
Rahm langsam an die Eier, läßt ihn in der Pfanne noch ein Mal

anziehen, treibt ihn durch ein Haarsieb in ein anderes Geschirr, läßt ihn kalt werden, thut ihn in die Gefrierbüchse und verfährt damit nach der bei No. 767 gegebenen Regel.

778. Vanillegefrorenes.

In einer messingenen Pfanne läßt man 1½ Schoppen Milch nebst einem Stück Vanille so lange kochen wie hartgesottene Eier, schlägt in einen Topf 12 Eiergelb, rührt die kochende Milch daran, läßt es noch einmal in der Pfanne anziehen, treibt es durch ein Haarsieb, läßt es kalt werden, thut es in die Gefrierbüchse und bearbeitet es nach der bei No. 767 gegebenen Vorschrift.

Getränke aller Art.

779. Bischof.

Zu einer halben Maas guten rothen Wein nimmt man 3 süße und 3 bittere Pomeranzen, schneidet ringsherum darein, bratet sie auf dem Rost, stellt den Wein auf Kohlenfeuer, nimmt ein Loth ganzen Zimmt, 6 Nelken, 12 Loth Zucker und die gebratenen Pomeranzen dazu, läßt Alles eine halbe Stunde miteinander kochen und zieht den Wein durch ein Haarsieb in das Geschirr, in welchem man ihn zur Tafel geben will; er kann kalt oder warm gebraucht werden.

780. Chaudeau.

2 Citronen reibt man am Zucker ab, schüttet eine halbe Maas Wein in eine messingene Pfanne, thut den abgeriebenen Zucker dazu, den Saft von den 2 Citronen und noch so viel Zucker, daß er mit dem vorigen ein halbes Pfund ausmacht, auch ein Stück ganzen Zimmt, läßt es ein wenig miteinander kochen, schlägt 4 Eiergelb in ein Geschirr, einen Löffel voll kaltes Wasser daran, rührt es glatt, rührt den kochenden Wein langsam daran, sezt ihn noch einmal ans Feuer, läßt ihn anziehen, gießt ihn in den Topf und sprudelt ihn so lange bis er recht sein ist.

781. Chokolade.

Zu einer halben Maas Milch (Rahm ist noch besser dazu) wird 6 Loth Chokolade gerechnet, die leztere in einer Casserolle oder messingenen Pfanne mit etwas wenigem Wasser auf dem Feuer glatt gerührt, die Milch nach und nach nebst 2 Loth Zucker und einem Stück ganzen Zimmt daran gerührt; man läßt dieses eine Zeit lang kochen, rührt 3 Eiergelb in einem Topf mit kalter Milch glatt, die Chokolade wird langsam daran gerührt, in der Pfanne noch einmal anziehen gelassen und noch einmal in dem Topf mit dem Chokolade=sprudel tüchtig gesprudelt, bis sie schäumt.

14 *

782. Eierpunsch.

Zu einem Schoppen Eierpunsch nimmt man 2 Eiergelb, 2 große Eßlöffel voll Zucker und rührt Alles zusammen in einem Schoppenglas mit einem silbernen Löffel, bis er wie Brei ist; dann gießt man unter beständigem Rühren kochendes Wasser daran, bis das Glas fast voll ist, und gießt es nun vollends mit Arak auf.

783. Gerstenwasser für Brustkranke.

8 Loth gewaschene und verlesene Malzgerste, 4 Loth gewaschene Rosinen, die Schale von einer halben Citrone werden mit 3 Maas Wasser eine Stunde gekocht, das Geschirr noch einmal mit Wasser aufgefüllt, noch ein wenig gesotten, der Saft von einer Citrone dazu gethan nebst etwas Zucker, und, wenn es erkaltet ist, dem Kranken zu trinken gegeben.

784. Getränk von Borsdorferäpfeln.

An 4 Borsdorferäpfel, welche geschält und in 4 Theile geschnitten werden, gießt man eine Maas Wasser, läßt dieses nebst dem Gelben von einer Citrone und einer Hand voll großen und kleinen Weinbeeren eine Stunde miteinander kochen, gießt Alles durch ein leinenes Tuch, läßt es erkalten und gibt es zu trinken.

785. Krampfstillendes Getränk.

Eine Hand voll sauber verlesene und gewaschene Gerste, Skorzoneren, 2 Loth geraspeltes Hirschhorn, ein Loth Wegwarten kocht man mit 3 Maas Wasser so lange, bis es noch 2 Maas sind. Man kann Zucker nach Belieben mitkochen und gibt es kalt je nach Durst zu trinken.

786. Glühwein.

Zu einer halben Maas Wein rechnet man ein halbes Pfund Zucker (rother Wein ist hiezu der beste). Man läßt es in einer messingenen Pfanne recht heiß miteinander werden, doch darf es nicht kochen; dann nimmt man ganzen Zimmt und Nelken in ein Haarsieb, gießt den heißen Wein darüber und deckt ihn gleich zu.

787. Glühwein auf Münchner Art.

2 Maas guter Wein (Affenthaler ist dazu der beste), 1½ Pfund Zucker, vom feinsten Zimmt, etliche Nelken werden in einer messingenen Pfanne wohl zugedeckt so lange gekocht, bis eine Maas davon eingekocht ist, hierauf zieht man den Wein durch ein Haarsieb in das Geschirr, in welchem er servirt wird, und deckt es recht fest zu.

788. Grog.

An 2 bis 3 Loth Zucker gießt man ein Glas kochendes Wasser und 3 bis 4 Löffel voll Arak.

789. Himbeeressig.

So viel Maas Himbeeren, so viel Maas ächten Weinessig gießt man daran; bindet ihn zu, stellt ihn 3 bis 4 Tage in den Keller und läßt dann das Helle durch ein Tuch laufen; hierauf gießt man den Essig mit Zucker in eine Pfanne (zu einer Maas Essig rechnet man ein Pfund ganz reinen Zucker); läßt ihn auf dem Feuer eine Viertelstunde kochen, nimmt den Schaum fleißig ab, gießt ihn in einen Topf, läßt ihn über Nacht stehen, den andern Tag füllt man ihn in Bouteillen und bewahrt ihn zum Gebrauche auf.

790. Johannisbeersaft.

Man zupft reise rothe Johannisbeeren ab und stellt sie in einem fest zugedeckten reinen Topf auf heiße Asche, läßt ihn über Nacht stehen und gießt den andern Tag das Helle davon ab. So viel man Viertelpfunde Saft hat, eben so viel Viertelpfunde Zucker läßt man eine Viertelstunde miteinander kochen, dann läßt man ihn erkalten, füllt ihn in Bouteillen und macht diese fest zu. — Dieser Saft ist sehr gut für Kranke im Wasser zu trinken.

791. Kirschenwasser für Kinder.

Eine halbe Maas Kirschen stößt man im Mörser recht zusammen, läßt sie mit einer Maas Wasser, einem Stück Zimmt und der Schale einer halben Citrone eine halbe Stunde lang kochen, gießt das Wasser durch ein Haarsieb und gibt es kalt zu trinken.

792. Blutreinigende Kräutermilch für Kinder.

Edelleber=, Erdbeeren=, Körbel=, Löffel=, Pfennig= und Stern= leberkraut, Eiternessel, Gänseblumenstöckchen, Gundelreben, Pfaffen= öhrleinswurzel, Sauerampfer, Sauerklee, Schafgarben, Wegwarten= wurzel liest man recht sauber, ohne sie jedoch zu waschen, wiegt von jedem eine Hand voll so fein wie möglich, nimmt eine Messer= spitze voll Salz dazu, drückt den Saft davon in einen glasirten Topf aus, stellt ihn über Nacht in den Keller, macht Morgens eine Maas Milch siedend, gießt 3 bis 4 Löffel voll von dem Saft dazu und gibt sie dem Kinde zu trinken (einem 10jährigen Kinde gibt man einen ganzen, einem 5jährigen einen halben Schoppen); so macht man 14 Tage mit dieser Kur fort. Das Kind darf aber dann nichts Saures essen. Man macht den Saft zweimal in der Woche frisch an und kann noch ein kleines Stückchen Butter und ein Eigelb dazu nehmen.

793. Limonade.

Zu einem Schoppen Limonade reibt man eine Citrone am Zucker ab, drückt auch den Saft von einer Citrone dazu, füllt ihn mit fri= schem Brunnenwasser auf und nimmt 3 Loth Zucker zu einem Schoppen. Will man die Limonade mit Wein machen, so nimmt man halb Wein, halb Wasser, von einer halben Citrone den Saft, und reibt die andere Hälfte am Zucker ab.

794. Mandelmilch.

4 Loth abgezogene Mandeln werden im Mörser mit ein wenig Wasser recht fein gestoßen, nach und nach eine halbe Maas Wasser daran gegossen, die Mandeln durch ein leinenes Tuch gepreßt, noch= mals gestoßen, dieses so einige Mal wiederholt und, wenn es für einen Kranken ist, kann man auch Hanfmilch, die sehr kühlt, daran gießen.

795. Punsch.

Zu einer halben Maas Arak nimmt man 8 Citronen, reibt die eine Hälfte davon am Zucker ab, von der andern nimmt man den Saft dazu, gießt 2 Bouteillen Wein, einen Schoppen guten grünen Thee und ein Pfund Zucker in eine messingene Pfanne, läßt es nur so heiß werden, daß es am Kochen ist, gießt es durch ein Haarsieb gleich in die Punschbowle und schüttet noch eine halbe Maas Arak daran.

796. Punsch auf andere Art.

Zu einer Maas Wasser rechnet man 8 Citronen und 2 Pome= ranzen. 4 Citronen werden am Zucker abgerieben, dieser in das Wasser abgeschabt und der übrige Zucker in einer messingenen Pfanne mit einem Eßlöffel voll Wasser so lange gekocht, bis er gelblich sieht; dann gießt man den Saft von den Citronen und Pomeranzen durch ein Haarsieb an den Zucker, thut die Maas Wasser dazu, läßt es miteinander aufkochen und gießt, nachdem Alles in der Bowle ist, noch einen Schoppen Arak daran. Man hält diesen Punsch für den gesündesten.

797. Punsch auf Stuttgarter Art.

Von 6 großen Citronen und eben so viel Pomeranzen preßt man den Saft aus, läßt einen Schoppen Wasser und 1½ Pfund Zucker in einer messingenen Pfanne so lange miteinander kochen, bis der Zucker Fäden spinnt; der schwarze Schaum muß aber sauber weg= genommen werden, dann gießt man den ausgepreßten Saft durch ein Haarsieb an den Zucker, läßt es noch einmal mit einander aufkochen, schüttet 2 Bouteillen weißen Burgunder dazu und läßt es so lange in der Pfanne, bis es zu kochen anfängt, dann schüttet man Alles in die Bowle, gießt noch 2 Schoppen Arak dazu und, wenn er noch nicht stark genug ist, macht man ihn mit Arak noch stärker.

798. Liqueur oder Rossoli.

Zu einer Maas starkem Fruchtbranntwein oder Vorlauf nimmt man einen Schoppen Rosenwasser, 12 Loth Zucker, 4 Löffel voll süße Milch, ein Loth Zimmt, ein halbes Loth Nelken, ein halbes Loth Anisöl; das Oel wird so lange mit gestoßenem Zucker gerührt, bis nichts mehr vom Oel zu sehen ist; dann gießt man den Branntwein daran, das übrige Gewürz darunter, bindet das Gemische in einem weiten Glas fest zu, stellt es 2 bis 3 Tage in die Sonne, läßt es am dritten Tage durch einen Filzhut laufen, gießt es in Bouteillen, pfropft diese zu und bewahrt sie auf.

799. Rossoli von Mandeln.

4 Loth süße und 4 Loth bittere Mandeln oder 4 Loth Pfirsich= kerne, wovon die Haut abgezogen wird, stößt man mit den Mandeln fein, schneidet ein halbes Loth Galanth in Stückchen, thut dieses Alles mit einer Pomeranzenschale, für einen Kreuzer rothen Sandel, in einen gläsernen Kolben, gießt noch eine Maas Vorlauf oder starken Fruchtbranntwein, einen Schoppen Zimmtwasser daran, bindet den Kolben gut zu, stellt ihn 12 bis 14 Tage in die Sonne oder sonst in Wärme, zieht das Rossoli durch einen Filzhut und bewahrt es auf.

800. Reformirter Thee.

Man gießt Milch in eine Pfanne, so viel man braucht, thut ein Stück Zimmt daran, etwas Citronenschalen, nimmt so viel grünen Thee, als man mit 3 Fingern fassen kann, läßt es miteinander 6 Minuten kochen, schlägt 6 Eiergelb in einen Topf, rührt sie mit kalter Milch glatt, gießt die kochende Milch durch ein Haarsieb lang= sam daran, thut sie nochmals in die Pfanne und läßt sie anziehen.

801. Wips.

Man nimmt eine Maas Wein, ein Pfund Zucker, 24 Eier in eine Pfanne, schlägt dieses auf dem Feuer mit einem kleinen Besen so lange, bis es anfängt zu kochen, nimmt das Getränk vom Feuer weg, schlägt es noch eine Viertelstunde, dann ist der Wips fertig. Man kann auch Champagner, statt gewöhnlichem Wein, dazu nehmen.

Verschiedenes.

802. Kuttelfuß.

Ein Ochsenmaul und einen Ochsenfuß siedet man recht weich, läßt sie erkalten, schneidet sie zu dünnen Schnitten, kocht sie hierauf noch eine Zeit lang mit etwas Essig, einem Schöpflöffel voll von der Brühe, worin sie das erste Mal gekocht wurden, etwas Salz, der ge= wiegten Schale einer Citrone und Pfeffer, bis wenig Brühe mehr daran ist, gießt nun Alles in irgend einen Model, läßt es darin ge= stehen und stürzt es dann auf eine Platte.

803. Preßkopf.

Man kocht Speck, Schweinsohren, etwas vom Kinnbacken, 4 Kalbs= füße, 2 Schweinsfüße mit Salz und Pfeffer recht weich, schneidet Alles in kleine Stückchen, arbeitet es in einer Schüssel mit einer ge= wiegten Citronenschale, Pfeffer, Nelken, Ingwer, Muskatblüthe und Salz recht untereinander, füllt das Fleischwerk in einen gereinigten

Schweinsmagen, näht diesen fest zu, siedet ihn eine Stunde, wenn er groß ist, auch noch länger; legt ihn zwischen zwei Brettchen und läßt ihn über Nacht so liegen.

804. Ochsenzungen gut zu räuchern.

Man schneidet den Schlund von den Ochsenzungen ab, röstet einen Theil Kochsalz und einen Theil Salpeter, nebst gestoßenem Pfeffer und Wachholderbeeren miteinander, reibt die Zungen damit gut ein, legt sie in ein Geschirr, alle Arten Kräuter, Thymian, Basilikum, Selleriekraut dazu, läßt sie 4 Wochen im Lack liegen, beschwert sie mit einem gut passenden Deckel recht stark und hängt sie hernach in einem großen Bodendarm, in den man sie hineinschiebt, in Rauch. Wenn man sie kochen will, legt man sie über Nacht in kaltes Wasser, sezt sie mit kaltem Wasser, Zwiebeln und allen Arten Kräutern zu, läßt sie weich kochen und gibt sie kalt oder warm. Schinken und Zungen, auf diese Art geräuchert, schmecken wie die westphälischen.

805. Pökelfleisch zu machen.

Will man das Pökelfleisch warm geben, so nimmt man ein Stück Ochsenfleisch vom Brustkern dazu; soll es kalt gegeben werden, so ist das Schwanzstück besser. Man legt das Fleisch, nachdem man es mit 2 Loth Salpeter gut eingerieben hat, in einen steinernen Topf oder in einen Kübel; dann stößt man folgende Kräuter, als: Estragon, Thymian, Basilikum, Lorbeerblätter, Citronenkraut, Selleriekraut, Rosmarin, Majoran, Nelken, Pfeffer, Muskatnuß, Wachholderbeeren, thut Alles an das Fleisch, deckt dieses zu, stellt es 2 bis 3 Tage in den Keller, den vierten Tag läßt man das Gewürz in einer Pfanne mit einem Pfund Salz und 1½ Maas Wasser so lange kochen, bis nichts mehr vom Salz zu sehen ist, läßt es ganz kalt werden, gießt es wieder an das Fleisch, deckt dieses fest zu, legt 2 Steine darauf, läßt es 3 Tage stehen, wendet es den dritten Tag um, sezt die Pökellake wieder zu und macht so 3 bis 4 Wochen fort. Will man davon kochen, so sezt man es in einem nicht sehr großen Topf mit Wasser zu; doch darf es nicht gesalzen werden. Man kann es warm mit Meerrettig geben; es ist auch sehr gut zum Sauerkraut, zum Winterkohl und zu Bohnen.

806. Schinken einzusalzen.

Von dem Schinken löst man das Schlußbein aus, röstet in einer eisernen Pfanne Salz so viel man braucht, nebst gestoßenem Pfeffer und Wachholderbeeren mitei ander, nimmt 4 Loth Salpeter dazu und reibt den Schinken damit ein, hauptsächlich da, wo das Schlußbein abgelöst worden ist. Das Salz muß aber so warm als man es in der Hand leiden kann, dazu genommen werden. Die Schinken legt man nun nebeneinander (in die Fugen zwischen ihnen kann man Schweinefleisch legen) in eine Stande, die einen Zapfen am Boden hat, schneidet Knoblauch und Zwiebeln dazu, macht die Stande fest zu, beschwert sie, läßt Alles 3 Tage lang stehen, kocht dann 2 Pfund Salz in 2 Maas Wasser, läßt es erkalten, gießt es an die Schinken und läßt es wieder 8 Tage lang stehen; auf diese Art wiederholt man Obiges 4 bis 5 Wochen nacheinander, indem man immer in Zeit von 8 Tagen den Lack frisch kocht, und hängt dann nach 5 Wochen die Schinken in die Rauchkammer.

807. Gesottener Schinken.

Wenn der Schinken sauber gewaschen ist, legt man ihn über Nacht in kaltes Wasser, sezt ihn Morgens in einem großen Topf oder Kessel ans Feuer, läßt ihn kochen und thut alle Arten Kräuter dazu. Ist er stark halb gesotten, so stellt man ihn vom Feuer und läßt ihn im Geschirr stehen bis er kalt ist; löst die Schwarten davon los, wiegt eine Hand voll schöne Petersilie, eben so viel geriebenes Semmelmehl, 2 Messerspizen voll Pfeffer, macht es untereinander und streut es auf den Schinken.

Anmerkung. Will man den Schinken noch schmackhafter sieden, so legt man ihn 24 Stunden in kaltes Wasser, läßt ihn in einem Topf mit halb Wein und halb Wasser weich kochen, thut alle Arten Blätter und Gewürz dazu; übrigens wird er behandelt wie der vorbeschriebene. Will man den Schinken backen, so macht man von grobem Mehl einen Wasserteig, schlägt den Schinken darein, so daß er keinen Riß bekommt, läßt ihn 4 Stunden im Ofen, läßt ihn ein wenig kalt werden, bricht ihn auf, macht die Schwarte los und behandelt ihn wie mit Wein gesottenen Schinken.

808. Aufbewahrung des Schwarzwildbrets.

Es mag von einem Frischling oder etwas älter seyn, so werden die besten Stücke genommen und die stärksten Beine (diese dürfen nicht größer, als 5 bis 6 Pfund schwer seyn) herausgeschnitten. So viel man nun in die Beize thun will, legt man bei Seite, sezt mit 2 Theilen Essig, einem Theil schlechten Wein, einem Theil Wasser 6 bis 8 zerhauene Kalbsfüße dazu, thut Salz, eine Hand voll zerdrückte Wachholderbeeren und von allen Arten Kräuter darein, siedet Alles zusammen, bis die Füße weich sind; nimmt sie dann mit den Kräutern heraus, gießt die Brühe durch einen Seiher ab und läßt sie abkühlen. Alsdann wird das Wildbret in einen Topf so fest wie möglich gebracht. Zu diesem Behufe wird der Boden mit Salz, Wachholderbeeren und etwas Kräutern bestreut, eine Lage Wildbret darauf gethan, dann wieder überstreut und so fort gemacht, bis alles Wildbret im Topfe ist. Nun wird die abgekühlte Sulz darüber gezogen, der Topf, wenn er eine Zeit lang gestanden hat, mit einem Brette belegt und stark beschwert. Auf diese Art hält sich das Wildbret ein ganzes Jahr.

809. Bohnen zu trocknen.

Von jungen Bohnen zieht man die Fäden ab, faßt sie an einen starken Faden, macht Wasser heiß in einem Kessel oder einer Pfanne, thut die Bohnen darein, läßt einen Wall darüber gehen, nimmt sie heraus; hängt ſie an einen trockenen Ort, doch ſo, daß ſie Luft haben, und bewahrt ſie auf den Winter; man kann ſie auch dörren oder räuchern.

810. Prunellen zu dörren.

An ſchöne zeitige Zwetſchgen gießt man kochendes Waſſer, zieht die Haut davon ab, macht die Steine aus, legt ſie auf ein Papier, oder noch beſſer auf ein Gitter von Draht geflochten, ſtellt dieſes in einen Backofen, der nicht mehr heiß iſt; ſind ſie gut getrocknet, ſo bewahrt man ſie in einer hölzernen Schachtel auf.

811. Citronen aufzubewahren.

Man wickelt die Citronen in Papier ein, legt in ein Geſchirr trockenes Salz, dann Citronen, wieder Salz und Citronen, füllt das Geſchirr auf dieſe Art voll, bindet es zu und ſtellt es an einen trockenen Ort. Man hat auf dieſe Art immer friſche Citronen.

812. Grüne Erbſen zu dörren.

Erbſen, die nicht ſehr alt ſind, macht man aus den Hülſen, läßt in einer Pfanne 2 Wall darüber gehen, gießt ſie in einen Seiher, legt ſie auf Papier, läßt ſie trocknen, hebt ſie auf den Winter auf, und will man davon kochen, ſo gießt man laues Waſſer daran, läßt ſie über Nacht ſtehen, gießt ſie am Morgen ab, gießt anderes laues Waſſer daran und kocht ſie wie andere grüne Erbſen.

813. Eſtragoneſſig auf franzöſiſche Art.

Von Eſtragon nimmt man eine ſtarke Hand voll zarte Blätter ab, gießt guten Weineſſig nebſt 6 Stück Pimpernellen, 6 Schalotten-zwiebeln, 8 Nelken, 8 weißen Pfefferkörnern, einem Stück ganzen Ingwer, einem Stück ganzen Zimmt und etwas Citrone in einem reinen Geſchirr daran, bindet dieſes feſt zu, ſtellt es 14 Tage oder 3 Wochen in die Sonne, auch ſonſt an einen warmen Ort; nach 3 Wochen iſt der Eſſig vorzüglich gut; man füllt ihn in Bouteillen, macht dieſe feſt zu und kann den Eſſig zu Saucen und zu Salat brauchen.

814. Wohlfeile und brauchbare Hefe.

4 Loth geriebene, mehlige, gekochte Kartoffeln, 1 Loth geſtoßener Zucker, ein Caffeelöffel voll Hefe wird in einem Topf nebſt einem Schoppen Waſſer in gelinde Wärme geſtellt; nach einer Stunde kann die Hefe gebraucht werden.

815. Gute, brauchbare Bierhefe.

Man hat eine Menge Vorſchriften, um gute Hefe zu bereiten; ſie iſt auch ein unentbehrliches Mittel in einer großen Haushaltung, beſonders auf dem Lande und in kleinen Städten. Die auf folgende Art zubereitete habe ich als die beſte befunden: 10 bis 12 Pfund Malz (Waizenmalz iſt das beſte) bringt man nebſt einem Pfund Hopfen in eine Stande oder Faß mit einem doppelten Boden, läßt

40 bis 50 Maas Wasser in einem Kessel kochen, brüht das Malz damit an, läßt es 24 Stunden stehen, aber wohl bemerkt, der zweite Boden muß Löcher haben, und zieht unten die Flüssigkeit ab. Dann rührt man ein Pfund gute Hefe unter das Abgezogene; 3 Pfund gutes Waizenmehl, einen halben Schoppen Branntwein rührt man zusammen in einen steinernen Topf und vermischt dieses mit dem Obigen. Diese Hefe hält sich 4 bis 5 Monate gut.

816. Welsche Nüsse aufzubewahren.

Man legt die Nüsse, die noch grüne Schalen haben, in einen Topf auf trockenes Salz, drückt sie mit der Hand zusammen, deckt sie mit Salz zu, bindet ein Tuch darüber, grabt den Topf in die Erde, doch so, daß ihn der Frost nicht trifft. So kann man sie lange aufbewahren.

817. Zucker zu läutern.

Man nimmt ein halbes Pfund Zucker in eine messingene Pfanne, schlägt ihn in 3 bis 4 Stücke zusammen, thut einen halben Schoppen Wasser daran und läßt ihn so lange kochen bis er Blasen wirft. Dann nimmt man ein Eiweiß, schlägt es zu Schnee, thut es unter den Zucker, einen Löffel voll Wasser daran, wenn der Zucker aufsteigen will; ist der Zucker recht hell, so macht man ein Tuch naß, das nicht sehr fest ist, gießt den Zucker darein und läßt es durchlaufen. Dann bewahrt man ihn auf.

818. Zucker wird zur Blase.

Wenn der Zucker wie bei No. 817 gekocht ist, so läßt man ihn auf Kohlen ein wenig einkochen, rührt ihn mit einem Schaumlöffel ein wenig um, blast mit dem Mund in den Schaumlöffel; gibt es unten Blasen, so ist es die rechte Probe zur Blase.

819. Zucker zu Faden gesponnen.

Wenn der Zucker geläutert ist, kommt er auf's Feuer in einer Pfanne, man läßt ihn kochen unter öfterem Umrühren mit einem silbernen Löffel und probirt ihn auf folgende Art: man nimmt mit einem Löffel ein wenig Zucker in die Höhe, ist der Faden kaum zu bemerken, so ist es die Probe zu einem kurzen Faden und hat zu sieden, bis sich der Faden lange spinnt.

820. Fischen den moosigen Geruch zu nehmen.

Man schneidet dem Fisch die Ohren aus, nimmt ihn aus, salzt ihn ein, legt ihn eine Stunde in frisches Wasser, salzt ihn wieder ein, legt ihn nochmals ins Wasser und macht eine gute Sulz von Wein, Essig und allen Arten Kräutern daran.

821. Fischblasen zu benützen.

Man wirft gewöhnlich die Fischblasen weg; allein wenn man sie so behutsam aus dem Fische nimmt, daß sie nicht zerplatzen, das seine

Häutchen mit einem Messer weg= und die Blasen aufschneidet, diese an einem Faden trocknet, so ersparen sie die Hausenblasen, welche man, um den Caffee hell zu machen, braucht.

822. Sodaseife zu machen.

Man nimmt ein Pfund reine Seife, ein halbes Meßchen Ochsengalle, welche die Farbe erfrischt, 2 Loth Honig, 3 Loth Zucker und ein halbes Loth Terpentin, mischt Alles zusammen und läßt es in einem irdenen Tiegel ganz gelinde zerfließen; wenn Alles vermengt ist, schüttet man die Masse wieder in einen Tiegel auf ein leinenes Tuch, welches vorher in heißes, hernach in kaltes Wasser eingetaucht worden ist. Am folgenden Tage wird man die schönste Seife haben, welche zur Seidenwäsche, zu Bändern und für Blumen aus Baumwolle vortrefflich ist.

823. Gute schwarze Tinte.

Ein Pfund Blauholz kocht man mit 2 Maas Wasser so lange, bis noch eine Maas übrig ist, gießt diese, wenn sich das Blauholz zu Boden gesetzt hat, ab und rührt in einem irdenen Geschirr eine Maas Essig, ¾ Pfund grob gepulverte Galläpfel, 4 Loth Alaun, 12 Loth ausgetrockneten Eisenvitriol und 8 Loth arabischen Gummi sammt dem Abgegossenen mit einem hölzernen Stabe recht untereinander, läßt es 14 Tage lang stehen und die Tinte ist dann fertig zum Gebrauch. — Die flüssige Tinte abgegossen und den Satz, der aus obigen Ingredienzen besteht, noch einmal abgekocht, gibt abermals eine gute Tinte, welche, mit der ersten Tinte vermischt, die Güte derselben noch erhöht.

824. Englische Schuhwichse.

Man rührt in einem irdenen Geschirr ein Viertelpfund schwarzgebrannte gestoßene Knochen, unter dem Namen gebranntes Elfenbein bekannt, nebst 3 Loth Vitriol mit einem Holz; wenn Alles gut vermischt ist, kommt noch 2 Loth Baumöl, ein halbes Loth Weinsteinöl, 4 Loth gestoßener Kandelzucker dazu, dieses wird mit einer halben Maas Wasser verdünnt, in Bouteillen aufbewahrt und das Lederwerk damit dünn angestrichen und gebürstet, bis es glänzt.

Anhang.

Beilagen zur Suppe.

825. Nachgeahmte Makaroni.

Man nimmt 3 Eier, so viel Mehl als diese verschlucken, arbeitet es zusammen, wellt es recht schön aus und macht folgende Fülle dazu: man nimmt übriggebliebenen Kalbsbraten, wiegt ihn so fein als möglich, von weißem Brod für 2 Kreuzer schneidet man die Rinde ab, weicht es in Wasser ein, brüht eine Hand voll sauber gewaschenen Spinat, wiegt ihn so fein als möglich, nimmt ihn zu dem Fleisch, auch von 3 hartgesottenen Eiern das Gelbe, läßt ein Stück Butter in einer Casserolle zergehen, thut Alles zusammen in die Casserolle, drückt das Brod fest aus, nimmt es auch dazu, schlägt 2 ganze Eier daran, Salz und Muskatnuß, kocht es 6 Minuten miteinander auf dem Feuer, streicht es auf die Kuchen, aber ganz dünn, rollt diese zusammen, aber nicht dicker als einen Federkiel, schneidet sie in fingerslange Stückchen (sie müssen gerade aussehen, wie italienische Makaroni), siedet sie in der Fleischbrühe, gießt die bestimmte Brühe in eine Suppenschüssel, die Makaroni dazu und gibt es zur Tafel.

826. Leberschnitten.

Eine Kalbsleber wird abgehäutet, die Adern davon geschnitten, eine Stunde in Fleischbrühe gekocht, wenn sie erkaltet ist, am Reibeisen gerieben, mit einem halben Pfund gebrühten Reis in einer Casserolle und einem Schöpflöffel voll Fleischbrühe halb weich gekocht (Brühe darf es nicht haben), ein halbes Pfund Ochsennierenfett, so fein wie möglich gewiegt, 6 Eier, Salz, Muskatnuß, Muskatblüthe dazu genommen, nochmals miteinander verrührt, die Masse in ein nasses Tuch gebunden, 4 Stunden im Wasser gekocht, wenn es ein wenig erkaltet ist, zu Schnitten geschnitten und zur Suppe à la Reine gegeben.

827. Kartoffelnbrod.

Ein Pfund Kartoffeln, welche Tags zuvor gesotten wurden, werden gerieben, in einem Stück Butter eine Hand voll Zwiebeln, Schnittlauch und Petersilie (fein geschnitten), gedämpft, zu den geriebenen Kartoffeln mit **6** Eiern, einem Viertelschoppen sauren Rahm, Salz, Muskatnuß, einer Hand voll geriebenem Parmesan=, Emmenthaler= oder Schweizerkäs, nebst 2 Händen voll geriebenem Brod gethan, Alles nochmals miteinander verrührt, auf einem Back= blech gebacken, zu Schnitten geschnitten und diese zu brauner Jus= suppe oder weißer Glacesuppe gegeben.

828. Schnitten zu Krebssuppe.

Ein halbes Pfund Butter wird leicht gerührt, 8 Eiergelb nach und nach dazu genommen, desgleichen ein halber Schoppen dicker saurer Rahm, 8 Löffel voll feines Mehl, Salz, Muskatblüthe, zulezt der Schnee von den 8 Eierweiß; eine blecherne Kapsel wird mit Butter bestrichen, die Masse bei gelinder Hitze darin gebacken, zu Schnitten geschnitten und diese zur Krebssuppe gegeben.

829. Schnitten zu Krebssuppe auf andere Art.

3 abgeriebene eingeweichte und ausgedrückte Wecken werden, jeder besonders in einer Schüssel, mit einem Viertelpfund Butter leicht gerührt (in einer Schüssel muß Krebsbutter seyn), an jedes dieser Brode werden 3 Eier, Salz, Muskatnuß gerührt; die eine Schüssel muß weiß, die zweite (mit der Krebsbutter) roth, die dritte mit früher schon beschriebenem Spinatsaft grün gefärbt werden; dann be= streicht man eine blecherne Kapsel mit Butter, füllt die weiße Masse darein, streicht sie schön eben, füllt nun die Krebsmasse ein, dann die grüne, macht die Kapsel fest zu und läßt Alles eine Stunde kochen; dann schneidet man Schnitten davon und legt sie auf die Krebssuppe.

830. Spinatschnitten.

3 bis 4 Hände voll Spinat brüht man im Salzwasser ab, schüttet ihn in einen Seiher, kaltes Wasser darüber, drückt ihn fest aus, reibt 2 Wecken ab, weicht sie ein, drückt sie aus und thut sie zu dem Spinat. Ein gereinigtes Kalbshirn wird in Butter gedämpft, 4 Loth zerlassene Butter und 5 Eier eine halbe Stunde mit Allem gerührt, diese Masse in einer blechernen, mit Butter bestrichenen Kapsel im Dunst gesotten, wenn es erkaltet ist, zu Schnitten ge= schnitten und zur Suppe gegeben.

Kurze Anweisung zum Tranchiren.

Das Wesentliche der Tranchirkunst läßt sich in folgenden allgemeinen Bemerkungen zusammenfassen: es ist nothwendig, daß man die Fasern aller Fleischgattungen kurz und scharf durchschneidet: sie werden dadurch für den Genuß angenehmer und für den Magen verdaulicher. Dem Vorgeschnittenen muß man, durch reines Schneiden und zierliches Aufrichten ein gefälliges Ansehen zu geben suchen. Geschwindigkeit ist ein Haupterforderniß des Tranchirens, damit das Fleisch sich nicht unnöthig verkühlt; übrigens ist es nicht nöthig, dabei mit dem ganzen Körper zu arbeiten, und es ist eine anständige Haltung besonders dann erforderlich, wenn man bei Tische, im Beiseyn von Andern, tranchirt. Das Trennen der Gliedmaßen ist nicht so schwer, wenn man sich einigermaßen mit der Lage der Knochen und Bänder bekannt gemacht hat. Dünne scharfe Messer sind unentbehrlich, eben so eine leichte und gewandte Hand; jeder heftige Druck und unsanfte Anfassung zerquetscht die Fasern und streift die Haut ab, statt beide gleichmäßig zu zerschneiden.

Die verschiedenen Fleisch- und Fischarten werden auf die nachstehend beschriebene Weise tranchirt, und ich glaube, daß ein mehrfaches Nachlesen, in Verbindung mit beständiger Uebung, dem Aufmerksamen leicht die nöthige Geschicklichkeit verschaffen wird.

Fasan.

Der Hals wird mit 2 Schnitten auf der linken und rechten Seite abgelöst; sodann schneidet man das Brustfleisch in schmalen Streifen ab, löst mit einem Ober- und Unterschnitt die beiden Flügel und die Brustfleischstreifen vollends ab, schneidet die Schenkel herunter und zerlegt den übrigen Körper. Bei dem Serviren wird der schön gefiederte Kopf an die Halsöffnung gelegt, um den Braten sogleich von jedem andern Geflügel unterscheiden zu können.

Gebratene Gans oder Ente.

Man löst zuerst die Bruststücke, als das schmackhafteste Fleisch, in Scheiben ab, sodann durch einen Ober- und Unterschnitt den rechten Schenkel. Auf dieselbe Weise verfährt man mit dem linken Flügel und dem linken Schenkel. Nun hebt man mit einem halbrunden Schnitt das Brustbein heraus und löst es von den Achseln ab. Dann trennt man auf beiden Seiten den großen Brustknochen von dem

kleinen Gerippe, nachdem man zuvor die Achselbeine abgelöst hat.
Nach diesem nimmt man das Gefüllsel mit einem Löffel heraus und
legt es in die Mitte des Tellers. Zuletzt schneidet man durch einen
Spaltschnitt das Gerippe quer durch und spaltet das Hintertheil von
einander.

Gebratener Hahn oder Feldhuhn.

Mit dem ersten Schnitt wird Hals und Kopf abgelöst, dann
der rechte Flügel und der rechte Schenkel, und hernach der linke
Flügel und Schenkel. Durch einen halbrunden Schnitt löst man
das Brustbein aus und an den Gelenken von den Achseln ab, durch=
schneidet auf beiden Seiten die kleinen Rippen und sondert dadurch
den großen Brustknochen ab; endlich trennt man das Hintertheil, so
wie zuletzt die Lenden auf beiden Seiten von dem Steiße ab. Ein
jeder Hahn ꝛc. muß 5 Stückchen geben; jedes Stückchen muß einen
Knochen und einen Theil der wohlschmeckenden krustirten Haut haben.

Welscher Hahn, Auerhahn, Trappe.

Da man bei diesen Braten gewöhnlich den Kopf mit Fülle be=
reitet, so werden die ersten Schnitte in den Kopf gemacht. Man
löst sodann den Hals ab, macht einen Querschnitt über die rechte
Seite der Brust und 2 Spaltschnitte auf der Brust von oben nach
unten; das obere rechte Seitenstück wird mit einem Querschnitt, das
Kniegelenk am rechten Schenkel durch einen Oberschnitt aufgelöst;
dann führt man einen Unterschnitt am rechten Schenkel gegen das
Kniegelenk hinauf, durch einen Oberschnitt löst man das am rechten
Schenkel noch hängende Fleisch und den rechten Flügel vollständig ab;
nachdem man auf ganz gleiche Weise mit der linken Seite verfahren,
wird das Halsbein herausgeschnitten und von den Achseln abgelöst;
eben so die Achselbeine herausgezogen. Endlich macht man einen
langen Spaltschnitt auf der rechten und linken Seite nach der Mitte
zu und schneidet zuletzt den Steiß ab.

Kapaun.

Ein Kapaun wird gewöhnlich in 9 Stücke getheilt; jedes Stück
muß einen Knochen und einen Antheil der Haut haben. Die Gabel
wird in die Brust gesteckt und diese in 4 Theile getheilt; man macht
nämlich halbfingerdicke Einschnitte von dem Brustknochen bis ans
Gerippe; mit einem zweiten Schnitte werden sie von diesem bis ans
Schlüsselbein abgelöst und endlich von dem Gelenke getrennt; wenn
dieses auch von der Seite stattgefunden, so wird über dem Gabel-
beinchen der rückständige Theil der Brust durchgeschnitten und gegen
den Hals zu abgelöst; endlich der andere Theil von der Brustschaufel
geschnitten, jedoch so, daß das Brustbein in demselben bleibt; jezt
wird der Steiß in der Mitte des Rückgraths durch einen Querschnitt
getrennt und reinlich zugeschnitten. Die schönsten Stückchen der Brust
müssen beim Serviren obenauf liegen.

Gebratene Tauben.

Sie werden wie die Hahnen tranchirt, ihre Knochen sind weicher und die Muskeln kleiner; man schneidet daher das Brustbein durch und sammt den Rippenbeinchen von dem Rückgrathe ab. Bei gefüllten Tauben muß man sich in Acht nehmen, daß die Fülle während des Schneidens nicht herausgepreßt wird.

Gebratener Hase.

Einen Hasen zierlich zu tranchiren, ist nicht so leicht, als man auf den ersten Anblick glauben möchte; es sollen nämlich die Rückgrathsknochen, die sehr hart sind, durchgeschnitten werden; dieß ist aber bei einem ziemlich starken Hasen mit den gewöhnlichen Schnitten nicht wohl möglich. Mit dem Hacken kann ebensowenig nachgeholfen werden, weil dieses an einer Tafel schon gar nicht anwendbar ist, und überdieß auch das Fleisch von den Knochen geschlagen würde. Diesem Uebelstande muß man dadurch zu begegnen suchen, daß man die Rückenwirbel, und zwar vom Halse gegen das Schlußbein, oder den Steiß hin, in schiefer Richtung durchschneidet; dieser Kunstgriff gründet sich auf die weichere Substanz der Knochen, welche die äußere Hülle derselben bildet und besonders in ihren Fugen vorhanden ist, wenn man nur zu unterscheiden weiß, wo die Rückgrathsknochen ineinander greifen, welches sich sehr leicht bemerken läßt; dann geht das Messer unter einer sägeförmigen Bewegung ziemlich leicht durch, indem man nur die weicheren Knochenmassen zu durchschneiden hat. Ist der Rücken auf daumenbreiten Stückchen überschnitten, so werden die Schlägel abgelöst, und zwar am leichtesten, wenn das Messer gerade über dem Schenkelknochen sägeförmig geführt wird; diese werden dann am Knieschenkel wieder zertheilt, der Steiß wird gleichfalls gespalten und das Ganze in die Schüssel gelegt.

Kalbsbrust.

Die Kalbsbrust wird stets mit einer Fülle gebraten; man muß daher, um beim Tranchiren die Fülle nicht herauszudrücken, die Brust auf dem Tranchirteller umwenden und da, wo die Rippen und Knorpeln sich stoßen, die Brust der Länge nach in zwei gleiche Theile theilen, dann werden die Knorpeln mit gleicher Messerführung blattweise geschnitten, damit jedes Stück einen Theil der Fülle bekommt; dann schneidet man Rippen und Fülle; um jedoch die Stücke nicht zu groß zu machen, muß man zwischen jeder Rippe 2 Stücke herausschneiden; das Ganze legt man rundlaufend auf die Platte.

Kalbskopf.

Die besten Stücke des Kalbskopfs sind die Augen, die Kinnladen, die Schläfe, die Ohren und die Zunge. Bei dem Zerlegen muß jedem der genannten Stücke ein Theil des Gehirns beigefügt werden; man thut das leztere in die Hirnschale, von welcher schon, ehe der Kopf

15

aufgetragen wird, der obere Theil abgelöst seyn muß. Die Augen
werden mit dem Löffel vorgelegt, Kinnbacken, Schläfe und Ohren
sauber abgeschnitten; das Messer darf nie in das Gehirn gesteckt werden. Der Kalbskopf wird stets mit der Haut aufgetragen, wenn er
nicht gefüllt ist. Das Zerlegen desselben muß mit Geschicklichkeit und
Gewandtheit geschehen, damit er nicht erkaltet.

Kalbsnierenbraten.

Zuerst wird von dem Nierenbraten das fette Gewebe mit den
Nieren abgesondert und beide in mäßige Stücke geschnitten; dann
zertheilt man die Rippen durch einen senkrechten Schnitt.

Brustkern.

Man schneidet zuerst die dicke Lage Fett, welches die Knorpeln
überdeckt, weg, um solches anderweitig zu benützen; das Fleisch sammt
dem noch anhängenden Fett und Knorpel wird nun in Scheiben geschnitten, rundlaufend und zierlich angerichtet.

Lendenbraten.

Zuerst wird von dem Lendenbraten das innere häutige Gewebe,
als das zarte Stück, getheilt, dann der fleischige äußere Theil, das
sogenannte Pfaffenstück. Von dem Lendenbraten wird gewöhnlich das
häutige Gewebe gespickt und gebraten aufgetragen; es ist sehr leicht
zu theilen, und nur quer durch, in dickern oder dünnern Scheiben,
zu schneiden.

Gekochtes Ochsenfleisch.

Ehe man das Ochsenfleisch zerlegt, müssen von demselben die Knochen und das überflüssige Fett abgesondert werden. Man schneidet
mäßige Stückchen und richtet es so ein, daß in jedem Stückchen etwas
Fett sich befindet. Auf diese Weise werden Schinken und Seitenstücke
vorgelegt; bei den Bruststücken müssen die Knochen geschickt herausgeschnitten werden, und auf jede Portion ein Knochentheil kommen,
weil an der Brust das Beste enthalten ist.

Rehziemer und Rehschlägel.

Von dem Rehziemer sind die Schnitten am Rückgrath und den
Rippen abzulösen; bei dem Rehschlägel faßt man den Knochen mit
der linken Hand, schneidet die Stückchen gerade abwärts vom Gelenke bis auf den Lendenknochen, löst dann die Muskeln am Gelenk-
beine ab und dreht sie auf dem Schlägel, um die hintern Theile
abzutrennen.

Schinken.

Nachdem man von dem Schinken die Speckschwarte abgelöst hat,
sticht man mit dem Messer in die Mitte des Schinkens, dreht diesen um, so daß das Messer in einer Schneckenlinie bis zu Ende
schneidet; ist dieses geschehen, so macht man einen Kreuzschnitt durch

das Rundgeschnittene in die Mitte und nimmt die dadurch entstandenen Stücke heraus; man kann auch zunächst an dem Schenkelbeine einen Querschnitt machen und dann Querstücke herausschneiden.

Wildschweinskopf.

Man steckt die Gabel in den Rüssel, schneidet das linke Ohr ab und fährt dann mit dünnen Schnitten vom Halse herab fort; mit der rechten Seite verfährt man auf gleiche Weise; dann macht man in den Rüssel einen Spaltschnitt und zulezt einen Querschnitt.

Fische.

Das Zerlegen der Fische erfordert einen Tranchirlöffel in der Form einer Maurerkelle, welcher in der Regel von Silber, jedenfalls aber so dünn seyn muß, daß er gleich dem Messer schneidet. Der Tranchirlöffel muß gleich und gewandt geführt werden, damit die feinen Gräthen nicht abgerissen oder abgestoßen werden. Gewöhnlich werden Fische in ihrer natürlichen Lage aufgetragen, man bemerkt einen gallertartigen Streif, der vom Kopfe an der Seite des Fisches fortlaufend in die Schweifflosse übergeht; auf diesem Streife führt man mit der Kelle einen Zug, der bis an die Hauptgräthe eingreift; dann werden vom Rücken nach dem ersten Zuge, der eine Mittellinie bildet, die Schnitten mit dem Tranchirlöffel durch eine spielende Bewegung von den Gräthen abgenommen und den Gästen vorgesezt. Ist die obere Seite eines Fisches auf diese Weise abgenommen, so wird der Kopf sammt den Rückengräthen behutsam aufgehoben, abgenommen, die zweite Hälfte liegt nun größtentheils ohne alle Gräthen da und darf nur in kleine Stückchen zertheilt werden. Das vorgeschriebene Verfahren findet bei allen Fischgattungen von gewisser Größe statt. Bei kleinern Fischen aber werden die ganzen Seiten von den Gräthen gelöst, der Fisch dann umgewendet und die zweite Hälfte auf dieselbe Weise abgenommen.

15 *

Speisezettel.

1) Für 24 Personen.

Erster Gang. Suppe à la Reine. Häringspastetchen. Englischer Braten. Ochsenfleisch. 6 kalte Teller.

Zweiter Gang. Blaukohl mit Bratwürsten. Grüne Bohnen mit geräucherten Zungen. Gebackene Rissolen mit Farce.

Dritter Gang. Kalte Pastete. Hirschwildbret mit Sardellensauce. Fricassirte oder glacirte Hühner.

Vierter Gang. 3 Braten: junge gebratene Enten; Rehschlägel in Rahmsauce; Nierenbraten in Jussauce. Englischer Pudding mit Araksauce. Eine Citronensulz. 6 kleine Teller nebst zwei Salaten. Große Chokoladetorte.

2) Für 18 Personen.

Erster Gang. Reissuppe mit hartgesottenen Eiern. Abgeschmälzter Hecht mit englischen Kartoffeln. Ein Stück Ochsenfleisch glacirt mit 4 kalten Tellern.

Zweiter Gang. Gelbe Rüben. Hammelscotelettes mit Citronensauce. Blumenkohl mit gelber Sauce. Gebackene Hirnküchlein. Salamiwurst.

Dritter Gang. Ragout: Kalbsfricandeau mit Sauerampfer. Ochsenzunge mit kalter Kräutersauce. Saure Rahmpastetchen.

Vierter Gang. Gebratener Fasan. Sulz von Wildbret oder Forellen. Hammelsbraten mit Gurkensauce. 2 Salate. Ein Pomeranzenauflauf. — Dessert: Eine Biscuittorte. 6 kleine Teller Obst.

3) Für 12 Personen.

Erster Gang. Kräutersuppe. Sardellen mit verlornen Eiern. Gespickter Lammbraten mit Kartoffeln. 4 kalte Teller.

Zweiter Gang. Sauerkraut mit Feldhühnern. Spinat mit Croquettes. Ragout von kleiner Kalbsroulade, dazu Sauce mit Champignons und Trüffeln.

Dritter Gang. Hasen mit piquanter Sauce. 3 Braten: farcirter gebratener Hecht; junge Gans; gefüllte Kalbsbrust. 2 Salate. Compot von Quitten. Wienerspeise mit Aepfeln. — Dessert: Gerührter Kirschenkuchen. 6 Teller mit Backereien. Eine Milzsulz.

4) Für 8 Personen.

Erster Gang. Grüne Erbsensuppe mit verschiedenen Arten Backwerk. Rindfleisch, auf dem Rost grillirt, mit Trüffelnsauce.

Zweiter Gang. Spargelgemüse. Brodschnitten. Rosenkohl mit Kalbscotelettes.

Dritter Gang. Tauben in Salmisauce. Gerührte Brieschenpastete. Aal mit saurem Rahm auf französische Art.

Vierter Gang. Gebratene Hahnen. Wachteln oder Feldhühner. Neunlothpudding. Salat. Compot. — Dessert: Citronenkuchen. 4 kleine Backereien. 2 Teller mit Obst.

5) Für 16 Personen.
Am Fasttage.

Erster Gang. Erbsensuppe mit Fischpudding. Blau gesottene Forellen. Bauernhefenküchlein.

Zweiter Gang. Krebspastete und Lachsforelle mit Kräutersauce und gebackenen Kartoffeln.

Dritter Gang. Kaiserpudding mit Chaudeausauce. Pariser Kugelhopf.

Vierter Gang. Gebackene Fische: Forellen oder Karpfen. Große gesottene Krebse. Auf dem Rost gebratener Hecht. 2 Salate. — Dessert: Aepfelkuchen mit Butterteig. Pomeranzencrême. 6 kleine Teller mit Backereien. Obst nach Belieben.

6) Für 30 Personen (für ein hohes Haus).

Erster Gang. Suppe à la Reine von Feldhühnern. Französische Suppe. Kleine Häringpasteten. 2 Stück Ochsenfleisch: 1) auf englische Art, 2) mit einer Kruste. Reis und Parmesankäs. 8 Teller mit Kaltem: Rettig, rothe Rüben, Butter, kalte Häringsauce, Zwetschgen, Weichseln, Gurken, Melonen in Essig.

Zweiter Gang. 3 Gemüse: Spargeln mit gebackenen Brieschen; Baierische Rüben oder Oettinger Rüben mit Schweinsbraten; Kraut mit saurem Rahm gekocht, mit Wachteln.

Dritter Gang. 3 Ragouts: Aechter Rheinlangen, blau gesotten, mit Kräutersauce; junge Hühner in Majonessauce; Schwarzwildbret in brauner Sauce.

Vierter Gang. 4 Braten: Welscher Hahn; Nierenbraten mit
Rahm gebraten; Hirschziemer mit Kruste; Rehschlägel mit Madeira-
sauce. 2 Salate. 2 Compots. — Dessert: Meringuentorte mit
Schlagrahm gefüllt. Punschtorte. 12 kleine Teller mit Backereien.
Obst nach Belieben. Vanillegefrorenes.

Register.